Katharina Münk

Die Eisläuferin

Roman

Deutscher Taschenbuch Verlag

Von Katharin Münk
sind im Deutschen Taschenbuch Verlag erschienen:
Die Insassen (21299)
Denn sie wissen nicht, was wir tun (34697)

**Ausführliche Informationen über
unsere Autoren und Bücher
finden Sie auf unserer Website
www.dtv.de**

Ungekürzte Ausgabe 2013
2. Auflage 2013

Umschlagkonzept: Balk & Brumshagen
Umschlagbild: Bernd Ertl
Satz: Greiner & Reichel, Köln
Druck und Bindung: Druckerei C. H. Beck, Nördlingen
Gedruckt auf säurefreiem, chlorfrei gebleichtem Papier
Printed in Germany · ISBN 978-3-423-21415-5

Der Aufbruch

Das Weinglas fiel klirrend zu Boden und zersplitterte in tausend Teile. Sie war hellgrün und recht agil gewesen, musste sich unbemerkt herangeschlichen haben, war mit einem Satz auf den Tisch gesprungen, hatte sich blitzschnell gedreht und dabei den gläsernen Stiel erwischt. Seine Frau nahm es mit Humor: »Ich wusste gar nicht, dass es hier derartig große Eidechsen gibt. Die sind doch sonst eigentlich recht bodentreu und machen nicht so große Sprünge, nicht wahr?«

Sie war davongelaufen in die Nacht, und er blickte immer noch in die Richtung, in die sie verschwunden war.

»So, dann wollen wir mal die Haushaltslage klären.« Eine Antwort auf ihre Frage zur Bodentreue der Eidechsen hatte sie wohl nicht erwartet. Sie stand auf, tupfte mit einer Serviette ihre nun nicht mehr ganz weiße Baumwollhose ab und holte einen Besen aus der Küche, mit dem sie die im Terrassenlicht funkelnden Glasstückchen in eine Ecke zusammenfegte. Es war eine einzige Fünkchenansammlung, die reinste Milchstraße.

»So, das hätten wir.«

Er hasste es, dieses herunterkühlende Element an ihr, das sich wohl aus der Erkenntnis speiste, dass man sich im Leben nicht unnötig aufzuregen habe, noch nicht einmal über randalierende Reptilien. Wo er sie doch mochte, die

Reptilien. Sie waren es wert, dass man sich über sie aufregte, fand er.

Es war kurz vor Mitternacht und noch erstaunlich mild auf der dem Innenhof zugewandten Seite des Ferienhauses, wo sich die Terrasse befand. Ohne Ausblick zwar, ohne vorbeiflanierende Menschen, ohne Meeresrauschen, keine Chance auf Ablenkung. Dafür aber Ruhe, eine Verheißung von Ungestörtsein, und das allein war völlig ausreichend. Keine einzige Mücke, auch das bemerkenswert. Ja, besonders über Letzteres konnte er sich richtig freuen, denn die An- oder Abwesenheit von Mücken konnte man nicht planen. Sie waren alle gleich schlimm, von den Ostsee-Bodden über die Kanarischen Inseln bis zur Taiga – mit der einzigen, halbwegs nachvollziehbaren Daseinsberechtigung, menschlicher Eitelkeit durch rötliche, beulenartige Hautveränderungen an den unmöglichsten Stellen Einhalt zu gebieten.

Er lehnte sich zurück, schlug die Beine übereinander und betrachtete sie: Sie saß mit leicht hochgezogenen Schultern an dem schweren, ausgebleichten Holztisch, die Unterarme darauf abgelegt, die Finger ineinander verkreuzt und rund um die Augen ein wenig angestrengt. Das Amt saß ihr noch in allen Knochen. Er hatte versucht, sie ein wenig abzulenken, was ihm nur bedingt gelungen war. Noch auf dem Hinflug hatte sie ihn gefragt, wie viel Zahlenaffinität man wohl vom Volke erwarten könne angesichts der letzten Sparpläne. Ihm war Angst und Bange geworden – nicht wegen der Sparpläne, die ihn ja genauso betrafen, sondern wegen der bloßen Vorstellung, dass er durch eine allzu leichtfertige Antwort auf ihre Frage fatal Einfluss auf die Politik des Landes nehmen könne, und zwar mehr, als ihm lieb war. Er hatte geantwortet: »Zahlenaffinität? Och, ich für meinen Teil mag die Vier, nette Zahl, oder? Und du?«

Sie hatte gelacht, und das, so nahm er an, konnte der Lage der Nation nicht geschadet haben.

Allerdings wusste er immer noch nicht, was vor ungefähr vier Wochen wirklich in ihrem Kopf vorgegangen war. Sie hatte die Sache mit sich selbst ausgemacht. Sicher, hinter jeder erfolgreichen Frau stand ein überraschter Mann. Und es gab »Krise«. Sie befand sich gerade in der schwersten, seit sie im Amt war. Das hatte er in der Zeitung gelesen. Aber musste gleich so etwas dabei herauskommen wie das, was sie jetzt allen Ernstes vorhatte? Es war noch nicht einmal Gelegenheit gewesen, sich näher darüber auszutauschen. Sie war immer so schnell wieder weg, husch, und manchmal kam er sich, angesichts der Distanzen, die sie regelmäßig zurücklegte, vergleichsweise unbeweglich vor. Vielleicht würde eine längere gemeinsame Zugfahrt etwas mehr Aufschluss über all das bringen. Ein Windstoß ging knatternd durch die Kanarenpalme im Innenhof.

Richtig wohl war ihm bei diesem ganzen Vorhaben nicht. Sein Gesamtinnenwiderstand war schon vorher nicht unerheblich gewesen, und die Sache war riskant, sehr riskant, allein logistisch ein fast unmögliches Unterfangen. Am liebsten wäre er wieder zehn Tage genau da geblieben, wo sie jetzt waren. Selbst Kolumbus hatte sich auf der Durchreise länger hier aufgehalten, als sie es tun würden. Am Ende beruhigte er sich ein wenig damit, dass Männer im Urlaub dahin müssen, wohin ihre Frauen sie buchen – ein recht populäres nationales Problem. Ja, so betrachtet, hätte man einfach annehmen können, sie sei lediglich eine von Millionen von Frauen, die Millionen von Männern Rätsel aufgeben – Teil eines Massenphänomens also und somit unauffällig, völlig unauffällig, geradezu wohltuend normal.

Doch nichts war normal. Nun saß auch schon der Sicherheitsbeamte gemütlich mit ihnen zusammen, denn er wurde immer am zweiten Abend eingeladen. Sie schenkte ein weiteres Mal nach, und wie es aussah, würde sie ihren Plan tatsächlich durchziehen.

»Mein Lieber, du sagst ja gar nichts.«

Er hasste Kosenamen. Sie waren unpräzise, unerwachsen, überflüssig, griffen die ganze Komplexität seiner Selbstbestimmung an. Beruhigend war lediglich, dass sie sie genauso hasste wie er. Aber man hatte ihnen geraten, sich diese unverfänglichen verbalen Vertrautheiten außerhalb der eigenen vier Wände anzugewöhnen, als Alternative zu ihren Vornamen, die zwar erwachsen, aber eben auch verdächtig präzise waren. Ja, hier fing bereits die Schizophrenie ihres Lebens an.

»Nun ja, die Müdigkeit kommt meistens am zweiten Tag, und du bist ja im Training, nicht wahr, Liebes? Ich überlege auch gerade, ob ich heute Abend noch eine Mail ins Institut schicken sollte.« Er versuchte, ein Gähnen vorzutäuschen, reckte die Arme nach hinten, und sein über die Schultern geworfener Pulli fiel zu Boden.

»Schick denen doch eine SMS. Morgen. Gleich um sieben Uhr.« Sie zwinkerte ihm zu. Das konnte sie gut. Eine SMS mit den Augen.

»Nein, nein. Ich bringe es lieber gleich hinter mich. Entschuldigen Sie mich, Herr Bodega.« Er legte die Unterarme auf die Lehnen des schweren Korbsessels, wollte ihn anheben, fand keinen Halt mit den Händen und schob ihn mühevoll nach hinten. Ein schrilles Quietschen ging durch den Innenhof. Niemand würde es hören.

»Ich wünsche Ihnen eine gute Nacht, Herr Professor. Und nochmals vielen Dank für die Einladung. Vergessen Sie Ihren Pulli nicht.« Und schon hatte er sich gebückt.

Herr Bodega war seit vier Jahren einer der Sicherheitsbeamten seiner Frau und für den Bereich »Freizeit und

Urlaub« zuständig. Er war nett und jung, aber nicht zu nett und nicht zu jung. Er sah gut aus, aber nicht zu gut, konnte ihr nahe kommen und doch Teil der wortlosen Menge sein. Es war sein Job, professionell intim zu sein, immer an ihrer Seite und doch auf Abstand. So etwas gab es noch nicht einmal in der Tierwelt. Er tauchte immer allein auf, war es aber nie, ebenso wenig wie sein Observierungsobjekt. Es gab einen untergeordneten Bodega 2 und einen weiteren Bodega 3, falls Bodega 1 krank wurde oder zu auswärtigen Erkundungen abgezogen wurde. Es gab kein Entrinnen.

Er nickte ihm zu: »Gern geschehen. Wir sehen uns morgen«, schloss langsam die Terrassentür hinter sich und machte sich ans Packen.

»Es ist noch ein kleiner Rest in der Flasche. Kommen Sie, Herr Bodega, Sie werden doch wohl einmal ein drittes Glas Wein mit mir trinken, wenn Sie mir schon in jedem See hinterher schwimmen.« Sie kippte die Flasche tief in das Glas des jungen Herrn neben ihr.

»Ich bin leider dazu angehalten, Chefin«, sagte er. »An Land haben wir den Abstand ja schon auf zweihundert Meter erweitert, wenn ich Sie daran erinnern darf. Das ist das Äußerste.«

»Ich weiß. Und dennoch, Ihre Bindungsenergie ist beachtlich. Wenn ich ein Atomkern wäre, würde ich mir wünschen, Sie wären mein Außenelektron, das irgendwo in einer Umgebung herumschwirrt, die zehntausend Mal größer ist als ich. Da könnten Sie mich schon ein wenig aus den Augen verlieren, nicht wahr?«

»Ja, aber ich bin ja kein Elektron, jedenfalls nicht ausschließlich. Das macht die Sache einfacher.«

»Ich bewundere Ihre Logik, Herr Bodega.« Sie spitzte die Lippen und nippte an ihrem Wein. Sie konnte auf eine sozial äußerst angenehme Weise mittrinken, ohne das Glas nennenswert zu leeren. Er hätte das wissen müssen.

In den Steppen Westsibiriens wäre das mit den zweihundert Metern auch überaus schwierig geworden, vor allem wenn man als Elektron gar nicht wusste, wo man überhaupt nach seinem Atomkern suchen sollte. Sie hatte ihm gegenüber auch nie etwas erwähnt von dieser Sache, mit der sie schon seit Kindheitstagen liebäugelte, von der Reise durch spektakuläre Landschaften, mit einem Himmel von tyrannischer Weite, den sie sonst nur mit einem Glas Wasser vor sich durchflog, Landschaften, die eine Wohltat waren für die Augen und die Seele. Und man konnte einfach nur so dasitzen und sie an sich vorüberziehen lassen wie ein riesiges Bild, auch wenn man mit zweihundert Stundenkilometern durch sie hindurchbrauste.

Sie sah alles schon genau vor sich: den unendlichen Baikalsee, den tiefsten und größten See der Welt, das blaue Auge Sibiriens, den alle Flüsse dieser Erde nicht in einem Jahr füllen könnten – für sie also der perfekte Ort, um den Dingen auf den Grund zu gehen. Und dann die bujartische Kultur, die breiten Sandstrände des Amur mit Blick auf China, alles ohne Kamerateams, aus einem Abteil der Kategorie »Nostalgie-Komfort« heraus, mit Ohrensessel und Gardinen vor der Landschaft. Kurzum: eine Fahrt mit der Transsibirischen Eisenbahn – in voller Länge, bis nach Wladiwostok. Eine Reise, bei der sie nicht notwendigerweise aussteigen musste, keine Begrüßungskomitees und Musikgruppen in Landestracht mit nach vorne geschobenen Kindern, keine verdammten kleinen weißen Punkte auf dem Boden, auf denen sie zu stehen hatte, keine Verhandlungen, außer denen über die Teesorte am Morgen.

»Hallo? Chefin? Na, Sie scheinen ja gerade ganz weit weg zu sein.«

»Ja, ein Albtraum für Sie, Herr Bodega, nicht wahr? Tja, der Geist ist frei. Das ist meine einzige Chance, diesen Job halbwegs unbeschadet zu überstehen, glauben Sie mir.« Sie neigte den Kopf und grinste.

Bald würde ihr Mann mit dem Packen fertig sein. Sie hatte es ihm immer gern überlassen, er war darin ganz einfach schneller. Er hatte dieses Mal auch die Exekutive in der Reisevorbereitung innegehabt, da sich sein Name in den Buchungsunterlagen etwas unverfänglicher ausmachte als der ihrige – zumindest hatte sie das angenommen. Und als hätte er ihre Gedanken lesen können, ging das Licht im Schlafzimmer aus.

Das war das Zeichen. Sie schaute auf die Uhr und sagte: »Oh, ich muss jetzt los. Der Rotwein, Herr Bodega, Sie werden uns morgen vor zehn Uhr nicht zu Gesicht bekommen, befürchte ich. Ich denke, das kommt Ihnen auch entgegen?«

»Selbstverständlich. Ich wünsche Ihnen eine gute Nacht.« Herr Bodega erhob sich ein wenig unkontrolliert und schwankend, was sie mit Genugtuung zur Kenntnis nahm.

Die Fähre würde den Hafen von San Sebastian um 7.25 Uhr nach Teneriffa verlassen, und der Charterflug nach Barcelona dürfte sich zeitlich so ziemlich mit den ersten morgendlichen Liegestützen Herrn Bodegas decken. Und dann würde er sein Handy anstellen und ihre erste SMS lesen.

Das Taxi war pünktlich. »El puerto de San Sebastian, por favor.« Ihr Mann hatte das Verb unterschlagen, was ihm nichts auszumachen schien, und nahm neben ihr Platz. Sie saß hinten rechts, wie immer. Es war ein herrliches Gefühl, weit und breit keine Menschenseele hinter sich zu wissen, außer der von Herrn Bodega. Sie kam sich vor wie ein junges Mädchen, das von zu Hause abhaut. Dabei hatte sie doch Urlaub, war entschuldigt, durfte schwer erreichbar sein. Und doch beschlich sie ein leises Unbehagen, dass das Volk so etwas wie ihr jetziges Vorhaben möglicherweise nicht guthieß.

Nein, in ihrem Fall hatte Urlaub in landläufigem Sinne schon länger nicht mehr nur mit Erholung zu tun. Urlaub zu machen hieß, so zu sein wie alle, Erwartungen zu erfüllen, den Hauch einer Identifikation aufkommen zu lassen.

Sie fand, dass das Volk es etwas einfacher mit ihr hatte als sie mit dem Volk. Jeder konnte sich ihrer bedienen, es gab auch kein Entkommen, ein Suchauftrag im Internet, und es würde sechsmillionensechshundertfünfzigtausend sachdienliche Hinweise auf sie geben. Ein Leben wie mit Peilsender. Hatte überhaupt irgendjemand auch nur eine Ahnung davon, wie unfrei einen das machte? War da an Urlaub zu denken? Nein. Nichts war normal. Da halfen auch vierzehn Tage La Gomera nichts. Alles Gründe also, um sich wenigstens einmal ein bisschen Freiheit zu genehmigen, nicht zu lang, nicht zu viel, angemessen eben. Und wo war das besser möglich als in den Weiten der Taiga? Ja, mit einigem Humor konnte man sogar den Verdacht hegen, dass viele Menschen im Lande sie gerne genau dorthin wünschten.

Es lag noch ein Nebelschleier über den Wiesen, und wie auch immer die Dinge lagen, es war ihr schon ein wenig nach Aufbruch zumute.

Ihr Mann fingerte an seinem Rucksack auf dem Schoß. »Ich glaub's erst, wenn wir in Moskau sind. Meinst du, dass die Pressefotos von der Landung auf der Insel ausreichen, damit sie nicht dahinterkommen?«

»Ich bin zuversichtlich. Wir hatten da ja schon unsere Wanderschuhe an und tragen beide dunkelblaue T-Shirts. Das muss reichen.« Sie zuckte leicht mit der rechten Augenbraue und fuhr fort: »Wer zahlt den Fahrer?«

Nun zuckte er mit der Augenbraue: »Ich habe das ermittelte Entgelt bereits im Voraus privat entrichtet, wenn du das meinst.«

»Wir müssen das ordentlich und transparent regeln.«

»Und der Zeitplan? Bist du überzeugt, dass du mit den fünf Stunden Aufenthalt in Barcelona klarkommst?«

»Ich bin optimistisch, dass wir das schaffen können.« Sie war mit ihren Gedanken schon weiter und nahm nun den Taxifahrer ins Visier. Er hatte buschige Augenbrauen, kleine Augen, einen mürrischen Zug um den Mund, soweit sie das erkennen konnte. Ihr Misstrauen war ihr zuwider, der liebe Gott hatte sie leider mit keiner besonders luftigen Unbekümmertheit oder etwa einem Übermaß an Menschenvertrauen ausgestattet, denn er musste geahnt haben, was einmal aus ihr werden würde. Ihre Augen verengten sich prüfend, doch der Mann vorne links schien sich nicht beirren zu lassen, kein Blick in den Rückspiegel, kein Autogrammwunsch, offenbar auch kein Entführungsversuch, noch nicht einmal ein »Was ich Sie immer schon mal fragen wollte«. Dabei waren das genau genommen sogar die spannendsten Fragen. Und einige Fragen konnten ja so viel mehr aussagen als die Antworten darauf. Sie liebte gute Fragen. In ihrem Verbrauchermarkt, den sie immer noch regelmäßig höchstpersönlich besuchte, hatte eine Kundin an der Kasse einmal von ihr wissen wollen, ob es den italienischen Regierungschef im richtigen Leben wirklich gebe. Sie fand diese Frage äußerst interessant, es erleichterte den Umgang mit ihm fortan ungeheuerlich.

Nach etwa dreißig Minuten Fahrt bog das Taxi abrupt ab und fuhr auf eine Tankstelle zu. Der Fahrer tippte demonstrativ auf seinen fast leeren Tankanzeiger und löste den Anschnallgurt, noch bevor das Fahrzeug zum Stehen kam.

»Ich hol uns was Süßes.« Ihr Mann stieg fast zeitgleich mit dem Spanier aus.

Sie kurbelte das Fenster herunter. Ein strenger Benzingeruch schlug ihr entgegen, aber sie steckte den Kopf trotzdem hinaus, schaute sich um. Außer der Tankstelle und einer verlassenen Baustelle gab es hier kein Haus weit und breit, noch nicht einmal ein weiteres Fahrzeug. Sie war allein. Gab es auf La Gomera eine Untergrundbewegung, eine autonome Szene, Umweltaktivisten? Sie lauschte in die Landschaft, nahm nichts Verdächtiges wahr, räusperte sich, legte die Hand auf den Türgriff, zog ihn vorsichtig an. Eigentlich wäre sie gern ausgestiegen, einfach so, sich ein wenig die Füße vertreten, ein paar Worte mit den Menschen wechseln, wenn sie welche fand. Aber jetzt stieg ihr Mann schon wieder zu. So schnell.

»Es wird heiß werden heute, ist draußen schon ganz drückend. Möchtest du eins?« Er hielt Ihr eine Tüte Lakritzbonbons hin.

»Das ist nichts Süßes, das ist Lakritze.« Sie schaute in die Tüte, guckte ratlos, griff dann doch hinein, nahm ein Bonbon und biss zu. Das Lutschen hatte sie sich abgewöhnt. Als der Fahrer wieder zustieg, war ihr Mund bereits leer. So ging es bis zum Hafen, wo die Fähre schon wartete.

Sie hatten relativ wenig Gepäck dabei, um sich schneller und unauffälliger bewegen zu können. Angesichts der vielen Touristen, die sich bereits jetzt an Bord einfanden, wäre mehr, sehr viel mehr Gepäck allerdings unauffälliger gewesen. Es wurde geschleppt, geschoben, gezogen, dass die Füße vor lauter Transportgewicht keinen Halt mehr fanden in den Sandalen, und man mochte dabei eher an Auswanderung als an Urlaub denken.

Sie gelangte ans Oberdeck, wo es ruhiger war, und stellte ihre Reisetasche neben sich ab. Ihr Blick fiel auf eine Gruppe junger Mütter mit Kindern, die auf jemanden zu warten schienen. Eine wunderbare Kulisse war das, fand sie, hier hatte sich jemand Mühe gegeben, und sie lief mit ausgestreckter Hand auf sie zu.

»Um Himmels willen, komm weg da! Was tust du?« Ihr Mann stürzte von hinten auf sie zu und konnte sie in letzter Minute zurückhalten. Sie brauchte einige Zeit, um wieder zu sich zu kommen. Es war ein Aussetzer gewesen, irgendjemand hatte plötzlich die CD »Nähe demonstrieren« eingelegt, und sie war einfach losgelaufen. Ein Fehler im System. Aber nun war es zu spät.

»Mama, was will die Frau da von uns?«

Sie wollte sich abwenden und über die Schulter rufen: »Oh, Entschuldigung, ich habe Sie verwechselt.« Aber auch dafür war es jetzt zu spät.

Die Mutter des Kindes schwieg, schaute ungläubig, blickte sich um. Es war ein erbärmliches Gefühl, wenn Menschen schweigend und wie versteinert vor ihr stehen blieben oder wie Schatten an ihr vorbeihuschten, ohne jedoch den Blick von ihr zu lassen, statt einfach »Guten Tag« zu sagen. War das denn so schwer?

»Mama, die Tante hat ja Angst.« Die junge Frau brachte ihr Kind in Sicherheit und entfernte sich eilig. Die anderen Frauen und Kinder schlossen sich ihr an.

»Herrje, was ist in dich gefahren?« Ihr Mann würde sie bis zur Ankunft in Teneriffa nicht mehr aus den Augen lassen und sie mit dem Gesicht aufs Meer an der Reling postieren. Langsam, ganz langsam bekam sie eine Ahnung davon, was noch vor ihr liegen mochte. Ihr Handy summte – die ersten Agenturmeldungen des Presseamts trafen wohl in der Innentasche ihrer Wetterjacke ein.

Man konnte nicht behaupten, dass sie die Einzigen gewesen wären am Flughafen von Teneriffa. Deutsche, fast nur Deutsche. Wenn man Teil der Menge war, konnte das Bad in der

Menge schon eine Zumutung sein, fand sie, als sie mit dem Menschenstrom durch die sich öffnenden Glastüren geschoben wurde. Drängeln hatte keinen Sinn, sie war darin auch ein wenig aus der Übung. Bei all dem Geschubse kamen ihr wissenschaftliche Simulationen in den Sinn, die gezeigt hatten, wie sich die Menge unter normalen Bedingungen selbst organisierte. Sie stolperte also mit, überließ sich der Gruppendynamik, und es klappte tatsächlich. In der Halle stürmten sie auf die Eincheckschalter zu. Sie versuchte, sich etwas mehr Freiraum zu schaffen, eine halbe Armlänge vielleicht, aber es gelang ihr nicht. Ihre Mundwinkel erreichten das Kinn. Von Unnahbarkeit keine Spur. Es war ein Kraftakt. Panik machte sich in ihr breit, unter ihrer Schirmmütze wurde die Stirn feucht. Vor Nähe hatte sie berufsbedingt keine Angst, man musste ein Sensorium für die Leute im Lande entwickeln und dies auch zeigen, auf sie zugehen, Brücken bauen. Aber hier gab es keinen Abstand, um Brücken zu bauen. Und wollte irgendjemand hier sie überhaupt sehen, wo doch alle durch sie hindurchzulaufen schienen? Sie suchte mit den Augen einen Fixpunkt am Horizont, aber in dieser Halle gab es keinen Horizont.

Das war er wohl, der Preis der Freiheit. Sie war nicht umsonst zu haben, dachte sie, die Freiheit vom Apparat, von all den helfenden Geistern, die ihr sonst jeden Wunsch von den Lippen ablasen und Korridore durch die Menge schlugen. Ja, hier und jetzt im Aeropuerto de Tenerife, in Caprihose und Sportschuhen, war die Freiheit gerade verdammt gemein zu ihr, trug verschwitzte Hemden und spitze Absätze.

Wo blieb die Würde, so ganz allgemein, von ihrer eigenen ganz zu schweigen? Sie schaute sich fragend um. Es blieb nur die Wahl zwischen Panik oder Paralyse. Sie entschloss sich spontan für die Paralyse, hielt sich am Griff ihrer Reisetasche fest und starrte regungslos nach vorn, als hielte ihr jemand eine Waffe ins Genick. Es würde schon alles irgendwie an ihr vorübergehen.

»Sind wir Economy gebucht?« Bei dieser Frage kam sie sich zwar ein bisschen unsouverän vor, doch sie war nun einmal ganz persönlich für sie und gerade jetzt von großer Bedeutung.

»Ja, sicher sind wir Economy gebucht. In der Business Class fallen wir doch auf.«

»Heißt das, wir gehen davon aus, dass uns all die Leute in der Economy Class weniger schnell erkennen als die wenigen in der Business Class und dass die Menge also keinen statistischen Faktor in Relation zur Wiedererkennungswahrscheinlichkeit hat?«

»Das könnte man behaupten.«

»Ist das nicht irgendwie traurig?«

»Nein, wieso?«

»Hm.« Ja, natürlich kannte sie das Volk, die Bürgerinnen und Bürger auf den Marktplätzen, auf langen Bänken mit einer Bratwurst in der Hand, mit einem wie auch immer gearteten Basisinteresse an ihrer Person. Aber politisch groß geworden war sie mit denen ja nun nicht gerade, ihre Anfänge hatten sich glücklicherweise nicht in Bezirksfeuerwehrhallen abgespielt, auf gespendeten Fliwatüüt-Kinderwippen oder beim Schlagbohren und Stichsägen in einzuweihenden Baumarktketten. Sie hatte höchstens Flugblätter geklebt, allein, aber gern. Wer war das also hier? Waren das überhaupt ihre Wähler? Wohl eher ihre Nichtwähler. Sie ertappte sich dabei, dass diese letzte Annahme sie fast schon wieder beruhigte, denn man konnte nicht sagen, dass sie in diesem Augenblick eine tiefe Sympathie für die Menschen um sie herum hegte – auch wenn sie in dieser Menge gar nicht auffiel, zu keiner anderen Nation gepasst hätte und insofern eben doch deren absolut perfekte Repräsentantin war. Es war besser, und damit beruhigte sie sich letztendlich, wenn man nicht allzu viel darüber nachdachte.

Der Ellenbogen traf ihren Hüftknochen mit vollem Schwung, und sie hätte zurückgeboxt, wenn nicht ihr vibrierendes Mobiltelefon sie gerade in diesem Augenblick abgelenkt hätte. Es war die erste SMS von Herrn Bodega: *»Wo sind Sie, Chefin?«*

»Ich bin hier, Heinz, watte mal, ich tu den Koffer da erst wech.« Die Frau mit den spitzen Knochen hinter ihr wuchtete in einem Anfall von Freizeitanarchismus ein großes Gepäckstück beiseite, damit ihr Mann schneller Richtung Schalter drängeln konnte.

Das geht so nicht! Sie hätte es fast laut gesagt, biss sich aber auf die Lippen. Es hätte auch keinen Unterschied gemacht, denn hier gönnte jeder nur einer einzigen Person Aufmerksamkeit: sich selbst. Insofern ging es doch sehr politisch zu, fand sie. Offenbar war man nicht in den Urlaub gefahren, um andere Menschen und andere Orte zu sehen, sondern vielmehr um sich selbst unter anderen Menschen an anderen Orten zu sehen. Herrje, wer rettete dieses Volk? Nein, sie hatte es längst aufgegeben, und jetzt wusste sie auch, warum. Sie ging einen Schritt zurück, zog die Schultern hoch und tippte: *»Lieber Herr Bodega, wir haben uns auf den Weg gemacht. Also, ich glaube, wir schauen nach vorne. Und so wollen wir weitermachen. Gruß, die Ihrige.«*

»Du musst aufschließen, sonst gehen wieder welche dazwischen!«

Sie schaute ihren Mann über die Schulter hinweg etwas länger an als sonst. War er jetzt einer von denen? Im Zug nach Wladiwostok würde das alles anders sein. Abteil. Kategorie Bolschoi-Platinum. Sie waren fast am Eincheck-Schalter angekommen, nur noch eine Person stand vor ihnen. Ihr Mann riss ihr den Pass aus der Hand, und sie entrüstete sich: »Ich bitte dich, ich dachte, ich würde ohne Organisationsstab reisen können. Man wird doch wohl noch alleine einchecken können.«

Er behielt die Pässe und Tickets zwischen seinen Fingern, dass die Kuppen weiß wurden: »Alle Männer machen das hier so. Wir wollen doch nicht auffallen.«

»Das sehe ich anders. Ich kenne mich aus mit ›allen Männern‹. Und schließlich steht mein Amt doch nicht als Berufsbezeichnung in meinem Pass, oder?«

»Pst, nicht so laut! Du hoffst doch nur, dass dich endlich einer erkennt.«

»Das ist gemein.« Sie hatte keine Lust mehr auf derartige Spielchen und gab vorerst nach, äußerlich zumindest, trat einen Schritt zurück. Sollte er nur machen. Sie konnte im passenden Moment jederzeit von hinten eingreifen. Sie wurde ruhig. Aber die gefühlte Temperatur um sie herum sank um mindestens zwanzig Grad.

Der Mitarbeiter des spanischen Bodenpersonals zog ihre Dokumente von der Theke zu sich herüber, ohne aufzuschauen. »Window or aisle?«

»One window, one aisle seat, please.«

Sie boxte ihm in die Rippen. »Ich will Gang. Ich kenne bereits die Kartografie aller Länder dieser Welt.«

»Du musst aus dem Fenster gucken, ob du willst oder nicht. Alle Frauen wollen das. Irgendjemand könnte deine Gesichtszüge erkennen.«

»Das ist doch albern.«

»Here you are, have a nice journey, move on please.«

Sie gingen weiter.

»Ich fasse es nicht.«

»Was ist denn?« Ihr Mann bewegte sich mit traumwandlerischer Sicherheit durch die Touristenströme.

»Der hat mich nicht erkannt. Der kennt meinen Namen nicht. Der ist noch nicht einmal ins Grübeln gekommen, nicht einmal für einen kleinen Moment!«

»Na, Gott sei Dank. Wo um Himmels willen liegt das Problem?«

»Adenauer wäre das nicht so ergangen.«

»Huch, der gleich. Ja, also Adenauer fuhr wohl eher zum Boulespielen mit dem Auto über die Alpen oder so. Vergiss das Weitergehen nicht.« Er legte seine Hand auf ihren Rücken und schob sie ein wenig nach vorn.

Sie blieb wieder stehen. »Ich fasse es nicht. Niemand erkennt mich.« Jetzt brach es aus ihr heraus, und sie staunte im selben Moment über sich selbst: Das war es also, was ihr die ganze Zeit zu schaffen gemacht hatte: das Nicht-Erkannt-Werden, es war Segen und Fluch zugleich. Denn sie fühlte sich so gänzlich anders, als ihre Umgebung sie wahrnahm, bewegte sich in einer seltsamen Zwischenwelt, kam sich beobachtet vor, obwohl niemand sie ansah. Und das war schon ein wenig enttäuschend, fand sie.

»Was willst du denn von einem spanischen Flughafenbediensteten erwarten, um Himmels willen! Und nun geh doch bitte weiter.«

Sie blieb stehen. »Keiner erkennt mich hier!« Sie riss sich das Käppi vom Kopf. »Siehst du? Was tue ich nicht alles, um der Politik ein Gesicht zu geben! Und jetzt will niemand reingucken!«

»Herrje, pass doch auf, deine Haare!«

»Das ist mir ganz egal. Über die ist schon alles geschrieben worden.«

Es summte. *»Chefin, ersuche Sie dringend um Standortangabe. WO SIND SIE? Bod«*

Das war eine willkommene Ablenkung, und sie antwortete gleich: *»Die Frage stellt sich für mich anders. Wir ha-*

ben heute so einiges, also uns selbst, auf den Weg gebracht. Und diesen Weg werden wir weitergehen. Wir haben noch keinen Standort. Es ist alles in Ordnung, vertrauen Sie mir. Gruß, die Ihrige«

»Hat man Sie entführt? Bod«

»Nein, das würde niemand tun. Der Finanzhaushalt ist leer. Wir haben uns kurzerhand selbst entführt.«

Im Terminal für den Flug nach Barcelona ging es ihr zusehends besser. Die Touristenmassen lichteten sich, und die Spanier um sie herum wurden vom Kollegen regiert. Dafür trug sie keine Verantwortung.

Er betrachtete seine Frau aus den Augenwinkeln. Sie saß vornübergebeugt auf ihrem Sitz, versunken über ihrem Handy wie ein Teenager. Seit man ihr das mit den Textbausteinen erklärt hatte, kam sie nicht mehr los davon. Sie konnte immer noch nicht blind und unauffällig ihre SMS eintippen, hielt das Gerät mit beiden Händen fest, was ein wenig mühevoll aussah, obwohl es ihr keine Mühe bereitete.

Er war, das musste er zugeben, mehr denn je beunruhigt über ihre derzeitige Gemütsverfassung. Sie war doch vor dem Amt auch schon unbeaufsichtigt gereist. Er wusste nicht, warum sie jetzt einen solchen Staatsakt daraus machte. Gut, es war ein Unterschied, ob man morgens ins Institut oder in die Welt zu gehen hatte. Und trotzdem: Sie machte es ihm nicht immer leicht, ihr zu folgen, und das lag nicht an der Welt, sondern ein kleines bisschen auch an ihr, fand er. Er legte zu seiner eigenen Beruhigung seinen Arm um sie.

»Weißt du, der Flieger wird mit dir oder ohne dich fliegen. Und die Transsibirische Eisenbahn wird mit dir oder ohne dich fahren. Ist das irgendwie nicht auch ein beruhigendes Gefühl? Schalt doch einfach mal ab.«

Sie schien seine Worte überhört zu haben, war mit ihren

Gedanken schon wieder weiter: »Hier, guck mal.« Sie hielt ihm das Handydisplay gegen die Brillengläser. »Das Spiel kann beginnen. Herr Bodega rüstet sich bereits gegen den KGB, den Mossad, die CIA, Libyen, die internationale Drogenmafia, den britischen Geheimdienst. Köstlich.«

Er seufzte kaum hörbar auf.

Der Flug verlief unauffällig, auch wenn er hätte schwören können, dass sie sich gewünscht hätte, diskret erkannt zu werden – um sich anschließend in die First Class hinaufstufen zu lassen. In solchen Momenten durchschaute er sie immer noch recht gut. Zumindest nahm er das an.

Nostalgisch reisen

Barcelona, 25 Grad Celsius, sonnig. Zumindest bekam man durch die Glasscheiben des Terminals eine Ahnung davon.

Fürst Wassili trat zu Anna Pawlowna heran, küsste ihr die Hand, wobei er ihr den Anblick seiner parfümierten, schimmernden Glatze darbot, und setzte sich dann in aller Seelenruhe auf einen Lehnensessel.

Das Handy summte wieder. Sie klappte das Buch zu und schaute zu ihrem Mann, der neben ihr eingeschlafen war, zu seinen Füßen ein Stapel Zeitungen.

»Chefin, ich werde jetzt den Sicherheitsapparat in Berlin informieren müssen. Bod«

»Ich verstehe Sie. Ich bin ganz auf Ihrer Seite. Aber wir machen das anders. Gruß, die Ihrige«

»Noch einmal: WO SIND SIE? Bod«

»Ich reite gerade mit Fürst Andrei die Truppenlinien ab. Gruß, die Ihrige«

»Wie? Bod«

»Mit Tolstoi, in Krieg und Frieden, Seite 228. Gruß, die Ihrige«

»Achten Sie auf die Aktivierung Ihres Krypto-Chips! Bod«

»Herr Bodega, wer bin ich denn? Natürlich tausche ich mich mit Ihnen verschlüsselt aus!«

»Sie tun das aber mit Worten! Werden Sie mir jetzt endlich sagen, wohin die Reise geht? Bod«

»Kannst du nicht mit dem Getippe aufhören? Die Leute gucken ja schon.« Ihr Mann war wach geworden.

»Ich sage ganz klar, ich tue das alles für uns. Die SMS an und für sich ist eine sehr interessante, zeitsparende Form der Kommunikation, und außerdem muss ich dafür sorgen, dass Bodega keinen Unfug anstellt. Im Flieger muss ich das Gerät sowieso abstellen.«

»Eben. Vielleicht wäre es besser gewesen, dich einfach mit einem eingebauten Peilsender durch die Welt zu schicken. Hat es bei deiner Kontrolle nicht gepiept?«

Sie schaute etwas säuerlich und ging jetzt aufs Ganze: *»Herr Bodega, ich bin auf dem Weg nach Moskau und werde mich in den kommenden sechs Tagen im geschlossenen Abteil der Transsibirischen Eisenbahn aufhalten – also in Sicherheit, aber eben ohne Sie. Andere Leute müssen das auch schaffen. Gruß, die Ihrige«*

»Warum hat man mich nicht informiert? Bod«

»Weil dies Urlaub und kein Versteckspiel ist. Jedenfalls betrachte ich das so.«

»Ich muss den Organisationsstab informieren.«

»Gar nichts müssen Sie. Gehen Sie eine Runde schwimmen.«

»Das kann ich nicht.«

»Natürlich können Sie schwimmen. Es gilt, sich den Herausforderungen, die vor uns liegen, zu stellen. Gruß, die Ihrige«

»Das kann mich meinen Job kosten. Bod«

»Ich klappe jetzt zu und schalte ab.«

Also Krieg und Frieden: Sie hatte lange überlegt, ob sie die knapp eintausendfünfhundertsechzig Seiten durch halb

Europa tragen sollte, aber es war das im wahrsten Sinne schwerste und anspruchsvollste Buch, das sie auf die Schnelle hatte finden können. Man musste etwas Abwechslung ins Leben bringen, fand sie. Es schien ihr zudem die passende Lektüre zu sein für eine Reise durch die alten Landschaften Russlands, und das Werk würde sich auf dem Mahagoni-Klapptischchen ihres Abteils sicher gut machen.

Und dann würde sie ganz bei ihnen sein: bei Andrej, dessen Familie ihn tot wähnt, und seiner Frau, schwanger mit seinem Sohn, ach. Und als sie in den letzten Wehen liegt, kommt der tot geglaubte Andrej tatsächlich zurück und muss zusehen, wie seine Frau im Kindbett stirbt. Manchmal sprang sie vor auf diese Stelle im Buch.

»Mussten es denn unbedingt eintausendfünfhundert Seiten sein, Liebes?« Ihr Mann hatte die Schuhbänder gelockert und die Beine auf das Bordgepäck gelegt. »Sollen wir nicht ein bisschen reden? Weißt du, ich bin ja schließlich auch kein unbeschriebenes Blatt.« Sie schaute auf: »Sicher, ich kann wahrlich nicht sagen, dass es in meinem Leben einen Mangel an Intrigen, Bündnissen, Hoffungen und Enttäuschungen gäbe, den ich durch Lektüre kompensieren müsste, aber weißt du, es ist ganz gut, sich die Systematik dieser Dinge nochmals in ihrer ganzen Dimension vor Augen zu führen und sozusagen Napoleon über die kleine Schulter zu gucken, wenn er in Russland einmarschiert. Man weiß nie, wofür das gut ist.«

Er fing wieder an, tief ein- und auszuatmen, sein Kopf war nach vorne weggekippt, und sie las weiter.

»Ich liebe euch alle; ich habe niemandem Böses getan; wofür leide ich? Helft mir doch!«, sagten ihre Augen. Sie sah ihren Mann; aber sie begriff nicht, welche Bedeutung es hatte, dass er jetzt vor ihr stand. Fürst Andrei ging um das Bett herum und küsste sie auf die Stirn.

Und so verbrachte sie lesend die Stunden auf dem Flug nach Moskau, an so mancher Stelle durchaus um völkerfreundliche Neutralität bemüht, was ihr nicht immer ganz gelang.

Es war bereits halb sieben Uhr morgens, *als sich die Kutusowsche Armee, die bei Olmütz lagerte, zu einer Truppenschau vor den beiden Kaisern, dem russischen und dem österreichischen, für den nächsten Tag zurecht machte* und sie endlich in Moskau landeten.

Die Erleichterung über den bisher so unkomplizierten Verlauf der Reise schlug langsam um in diebische Freude, denn was ihnen nun bevorstand, war eine wirkliche Verheißung von Freiheit. Ungestörtsein war eine Sache, aber wirklich Verschwinden eine andere.

Am späten Nachmittag standen sie auf dem roten Teppich. Es war offensichtlich eine dünne Auslegeware, die an den äußeren Kanten flatterte und tiefe, dunkle Spuren an den Stellen hatte, wo sich alle Reisenden mit einem letzten Schritt in den Zug beförderten. Eine kleine Musikkapelle spielte russische Folklore, es wurde Krim-Sekt gereicht, und seine Frau sagte: »Das ist ein schöner Teamgedanke und stimmt ein auf die Reise.« Er musste an die Frauengruppe auf der Fähre denken und schob sie galant Richtung Abteil, bevor sich irgendjemand näher mit ihrem Gesicht beschäftigen konnte oder gar sie sich mit den Mitreisenden.

Im Innern roch es nicht nach Zug, sondern tatsächlich noch nach Eisenbahn, als hätte jemand ein Raumspray »Transsibirischer Orient-Express« oder »Charme der Zwanziger Jahre« versprüht. Er holte tief Luft, denn Charme konnte nie schaden, und strich im Vorbeigehen mit der flachen Hand über die Mahagoni-Verkleidungen der Abteiltüren. Gepflegte Patina, wohin er auch blickte. Es roch auch schon ein wenig nach deftiger russischer Küche, die mit Sicherheit serviert werden würde, noch bevor sie das Moskauer Umland hinter sich gelassen hatten.

Er hatte an nichts gespart, hatte lange geschwankt zwischen der Abteilkategorie »Nostalgie-Komfort« in einem Wagenteil, der unter Nikita Chruschtschow für die sowjetische Regierung gebaut worden war, und eben jener Bolschoi-Kabine, in der sie jetzt standen. Das war zwar die modernere, aber vor allem höchst zweckmäßige Variante, mit Kleiderschrank, eigener Dusche und genügend 220-Volt-Steckdosen für Fön und Handy-Aufladung. Der eigens für sie abgestellte Servicemitarbeiter war mit einer entsprechenden finanziellen Zuwendung zu absolutem Stillschweigen verpflichtet worden. Man war ja schließlich nicht irgendwer, auch wenn man so tat.

Er schaute zu ihr hinüber: »Na, wie gefällt es dir?«

»Oh, dies wird eine Reise voller Höhepunkte werden, und wir dürfen auf ihren Verlauf gespannt sein.« Sie stand noch ein wenig verloren in der Mitte des Abteils und schaute unschlüssig auf die sich gegenüber liegenden Sitzplätze. Er kannte das. Bevor sie gedanklich beim Worst-Case-Szenario (vorwärts fahren) ankommen würde, musste er sie unterbrechen. »Versuch dich doch einfach auf die positiven Aspekte eines Sitzes in Fahrtrichtung zu konzentrieren.«

»Also, ich mag Rückwärtsfahren auch ganz gern. Hm.«

Für solche Fälle gab es einfache Lösungsmöglichkeiten. Er nahm eine Münze und warf sie. Kopf. Sie würde vorwärts fahren müssen.

Sie wusste, dass Bodega und sein Team so schnell nicht würden nachreisen können. Er würde es wahrscheinlich auch gar nicht wagen, wenn sie es nicht wollte, denn absolute Transparenz erforderte absolute Loyalität im engsten

Kreis. Das gesamte innere System hätte sonst gar nicht funktionieren können. Doch er war europaweit gut vernetzt, hätte die Staffel an seine russischen Kollegen abgeben können, für die allerdings die Transsibirische Eisenbahn mit einer inkognito reisenden Regierungschefin darin zu schön gewesen wäre, um wahr zu sein. Nein, so dumm würde er nicht sein. Und die Wege Sibiriens waren weit. Doch sie würden kürzer werden, wenn sie sich sie vornahm.

»Herr Bodega, hallo? Schwimmen Sie noch? Gruß, die Ihrige«

»Sie fahren aber nicht weiter in die Mongolei oder gar bis Peking? Bod«

»Mongolei? Putscht die Opposition daheim? Gibt es Aufstände von sogenannten Parteifreunden, die sich in der Sommerpause in rote Sessel unter freiem Himmel setzen, sodass ich in der Mongolei Exil suchen müsste?«

»Wo genau werden Sie den Zug verlassen?«

»Also, ich glaube, es muss dann entschieden werden, wenn es entschieden werden muss. Gute Nacht, Herr Bodega!«

»Gute Nacht, Chefin. Ich erwarte morgen früh weitere Informationen von Ihnen. Wer passt auf Sie auf? Bod«

»Mein Mann.«

»Hat er eine Nahkampfausbildung? Bod«

»Ja, Herr Bodega, die hat er. Gute Nacht.«

Sie nahm ein Glas Wein, das Barchef Anatol ihr im Halbdunkel serviert hatte, blickte aus dem Fenster und gab sich dem gleichförmigen Takt der Zugräder auf den Schienen hin. Jetzt würde sie erst einmal nur gucken, da sitzen bleiben, wo sie im Augenblick saß, und einfach nur gucken. Sie liebte Auslandsreisen, da waren die Leute netter zu ihr, und sie war netter zu den Leuten. Das ging wahrscheinlich vielen Menschen so, wenn sie einmal kurzzeitig aus der heimischen

Landkarte sprangen. Warum also wurde das bei ihr immer so betont? Da war man mal freundlich, und dann war das auch wieder nicht richtig. Allerdings konnte sie nicht leugnen, dass sie beim Reisen immer noch einen gewissen Nachholbedarf hatte. Da konnte man schon einmal ein wenig polyglott werden.

Ihre Augen konnten mit der Geschwindigkeit des Zuges kaum mithalten, und so richtete sie den Blick weiter in die Ferne, dorthin, wo sich die Bilder nicht so schnell veränderten. Sie sog die Landschaft in sich auf.

Die letzten Monate waren doch recht aufreibend gewesen, und sie sah beim besten Willen kein Licht am Ende des Tunnels. Die Zuversicht ließ sich nicht herbeireden, und selbst wenn, dann löste das noch lang keine Probleme. Nein, die Bürde der ganzen Wahrheit und mit ihr die verdammte Verantwortung hatte sie zu tragen. Und jetzt war sie nahezu am Ende ihrer Kräfte. Ein paar tausend Kilometer hatte sie schon hinter sich, alles rauschte an ihr vorbei, ein Bild löschte das vorhergehende aus. Wie schön. Wenn das im wirklichen Leben doch manchmal auch so wäre, dachte sie und schlug ihr Buch auf.

»Na, dann wollen wir anfangen«, sagte Dolochow.

»Gut!«, erwiderte Pierre, auf dessen Gesicht immer noch dasselbe Lächeln lag.

Der furchtbare Ernst kam jetzt allen zum Bewusstsein. Es war offenbar, dass die so leicht begonnene Sache jetzt durch nichts mehr aufgehalten werden konnte, sondern bereits, unabhängig von menschlichem Willen, von selbst ihren Lauf nahm und nun durchgeführt werden musste.

Am dritten Tag überquerten sie den Ural und bei Kilometer Eintausendsiebenhundertsiebenundsiebzig die Grenze zwischen Europa und Asien.

»Wer singt denn da?«

»Der Russischkurs im Konferenzwagen. Man lernt die Sprache leichter, wenn man sie singt.«

»Ich bedaure, dass wir schon Russisch können. Es macht so viel Spaß, etwas zu lernen, das richtig schwierig ist.«

Sie sang auch gerne, hatte jedoch nur selten Gelegenheit dazu. Ihre Umgebung förderte diese Neigung nicht gerade. Schade eigentlich, dachte sie, vielleicht waren sie allesamt ganz wunderbare Sänger und wussten es nur nicht?

Doch genau genommen wurde ihr das Singen dann doch zum Verhängnis. Denn als der Zug in Omsk hielt, wäre sie zum ersten Mal wirklich gern einmal ausgestiegen, trotz all der Stechmücken. Das lag am Musikverein des örtlichen Kombinats, der sich am Bahnsteig versammelt hatte und sich die russische Seele aus dem Hals sang. Als sie sich jetzt noch weiter aus dem Fenster lehnte, sah sie den kleinen, hellblau gestrichenen Holzlattenkiosk am Bahnsteigübergang, in dem kleine, hölzerne Heiligenbilder und auch frisches Obst verkauft wurden. Das reichte.

Vielleicht war es diese unwiderstehliche Kombination aus Akustik und Optik, die ihr Herz berührte. Man konnte es später nicht mehr rekonstruieren. Von irgendwo in ihrem Inneren musste sich ein kleines Stück Leichtsinn den Weg an die Oberfläche gebahnt haben. Jedenfalls zog sie den Reißverschluss ihrer Vliesjacke zu, zögerte, vergewisserte sich, dass ihr Mann noch unter der kleinen Dusche stand, und stürzte dann nach draußen. Sie steuerte gerade auf die Kombinatskombo zu, als ihr Handy vibrierte.

Es war der spanische Regierungschef, der sie an ihrem offiziellen Urlaubsdomizil wähnte und auf der Durchreise zu seinem eigenen ein kleines, informelles Treffen vorschlug.

Sie stellte sich unter das Vordach über dem Gleiszugang

des Bahnhofsgebäudes, einem, wie sie glaubte, etwas unauffälligeren Standort.

»Sehr verehrter Herr Kollege, ich empfange Sie jederzeit sehr gerne in Ihrem wunderschönen Land. Allerdings grassiert hier momentan ein kleines Virus, das auch meinem Mann und mir ein wenig auf den Magen geschlagen ist. Wir freuen uns auf Sie. Viele Grüße, die Ihrige«

Muchas gracias, es könne vielleicht auch sein, dass das alles so schnell nicht zu arrangieren sei. Man melde sich kurzfristig.

»Sehr gern, und nun entschuldigen Sie mich, die Toxikologen von der Behörde sind gerade eingetroffen. Ich werde trotzdem eine glühende Botschafterin der spanischen Küche bleiben. Viele Grüße, die Ihrige«

Sie überlegte, ob sie einen sommerlich unbeschwerten Smiley anfügen sollte, denn dieses Symbol war manchmal durchaus hilfreich, um Scherz und bittere Wahrheit besser auseinanderzuhalten. Warum gab es so etwas nicht auch für die mündliche Kommunikation, falls die Mimik versagte?

Während sie also mit dem Daumen die Optionen auf der Tastatur abfuhr, wehte ihr plötzlich ein unerwartet heftiger Windstoß entgegen. Direkt über ihr knarrte es bedenklich, so als drohe das kleine Bahnhofsgebäude gleich einzustürzen. Sie konnte gerade noch »Huch« sagen, auch gar nicht mehr hochblicken, bevor das Bahnhofsschild »Omsk« sich über ihr löste. Sie hörte es zwar, spürte aber kaum, wie das Holz dumpf auf ihren Kopf prallte, bevor es krachend zusammen mit ihr den Boden erreichte. O msk. Die Kombinatskapelle spielte weiter, jetzt erst recht, oder weil man nichts bemerkt hatte ... Eine kleine Rosshaar-Geige war das Letzte, was sie hörte – und da hätte es ja wahrlich Schlimmeres gegeben –, als sie endgültig das Bewusstsein verlor.

Die Dame, die am Zug war

Die biblische Überlieferung sagt, dass das Fehlen jeglicher Arbeit, das Nichtstun, ein wesentliches Moment der Glückseligkeit des ersten Menschen vor seinem Sündenfall gewesen sei. Die Liebe zum Müßiggang ist bei dem Menschen auch nach dem Fall dieselbe geblieben, aber es lastet nun auf dem Menschen ein Fluch, und zwar nicht nur insofern, als wir uns nur im Schweiß unseres Angesichtes unser Brot erwerben können, sondern auch insofern, als wir vermöge unserer moralischen Eigenschaften nicht zugleich müßiggehen und in unserer Seele ruhig sein können.

Er las die Stelle zwei Mal laut und deutlich, hielt ihre Hand etwas fester, ließ ihr Handy auf Vier-Balken-Lautstärke an ihrem Ohr klingeln. Doch ihre Augen blieben geschlossen, ihr Gesichtsausdruck war so entspannt und aufgeräumt wie nach einer verpassten Kabinettssitzung, so, als sei nichts geschehen, außer dass ihr irgendwo in Russland ein Brett auf den Kopf gefallen war. Ansonsten kein einziger O-Ton mehr, täglich vierundzwanzig Stunden Schlaf, und das seit über einer Woche.

Das Zimmer war geräumig, völlig ruhig und abgeschirmt vom Rest der Privatstation, mit einem kleinen Schreibtisch, über dem ein überdimensioniertes Gemälde hing: Ein alter Mann blickte versonnen mit vor dem Bauch verschränkten Händen auf sie herunter – russischer Realismus offenbar, man kam sich beobachtet vor, er fand es unpassend für diese Umgebung, hätte sich eher etwas Landschaftliches oder eine kleine Ikonenmalerei gewünscht, auf dem das Auge ruhen konnte. Vom Fenster aus sah man nur eine kleine Rasenfläche, die von einem grau-grünen Metallzaun eingefasst war, aber immerhin konnte man gut die Auffahrt der Klinik in Augenschein nehmen, wo regelmäßig Krankentransporte eintrafen, selten allerdings mit Blaulicht, eher ruhig vorrollend. Hier schien der Schwerpunkt auf Rehabilitation zu liegen, nicht auf Notfällen.

Es war gar nicht so einfach gewesen, einen diskreten Ort zu finden, der nicht weiter als ein bis maximal zwei Hubschrauber-Flugstunden von Omsk entfernt war. Und da seine Frau auch längerfristig nicht zu Sinnen kam, hatte er natürlich ihren engsten Stab informieren müssen. Sie war immerhin eine öffentliche Person, und da konnte eine mehr oder weniger vorübergehende Bewusstlosigkeit schon einmal die eine oder andere Auswirkung auf die Staatsgeschäfte haben. Ein Anruf hatte genügt, und ein kleiner Kreis in der Regierungszentrale, insgesamt drei Personen, war in Kenntnis gesetzt. Das hatte völlig ausgereicht, um die ersten Mechanismen umfänglich, aber vorsichtig in Gang zu bringen, und nichts, aber auch gar nichts von dem Vorfall würde nach draußen dringen. »Wer quatscht, fliegt raus« – in Momenten wie diesem vertraute er dem Wahrheitsgehalt dieser Äußerung, die von seiner Frau stammte, als sie noch bei Bewusstsein war. Der Rettungsschirm war somit aufgespannt über ihr, und sie musste nur noch die Augen auftun.

Die Ärzte hatten ihm gesagt, er solle sich nicht sorgen, wenn sie ihn nach dem Erwachen nicht gleich erkenne. Es könne so sein, als sei sie von einer sehr, sehr langen Reise zurückgekehrt. »Damit komme ich klar«, hatte er spontan erwidert. Schließlich hatte er über die Jahre an ihrer Seite auch seine ganz eigenen Kompetenzen entwickelt. Das Ärzteteam hatte verständnisvoll und diskret genickt.

Für die Sanitäter und die Hubschrauberbesatzung war seine Frau »die Dame, die am Zug war«, doch hier in der Klinik war den wenigen mit ihr befassten Ärzten durchaus bewusst, dass sie sich ein veritables Regierungsoberhaupt ins Bett gelegt hatten. Bei diesem Behandlungsteam hatte man es vorerst belassen, auch keinen ausgewiesenen Experten hinzugezogen, denn jede zusätzliche Person, die wusste, in was für eine missliche Lage die Regierungschefin da geraten war, stellte ein Risiko dar. Er schlug das Buch wieder auf.

»Unser Feuer reißt sie reihenweise nieder, aber sie halten dennoch stand«, meldete der Adjutant.

»Sie wollen noch mehr davon!«, erwiderte Napoleon heiser.

»Sire?«, fragte der Adjutant, der nicht deutlich verstanden hatte.

»Sie wollen noch mehr davon«, wiederholte Napoleon stirnrunzelnd mit rauer, zischender Stimme. »Lassen Sie es ihnen verabfolgen.«

Auch ohne seinen Befehl hätte sich das vollzogen, was in Wirklichkeit gar nicht ein Produkt seines Willens war und was er nur anordnete, weil er meinte, dass man von ihm Befehle erwartete.

»Mehr Wasser, bitte.«

Sie kam zu sich. Das Buch glitt ihm vom Schoß, fiel unter ihr Bett. Napoleon würde am Boden, aufgeschlagen auf Seite eintausendsechsundsechzig, in Moskau liegen bleiben. Er nahm ihren Kopf in seine Hände.

»Wo bin ich?«

»In einem Krankenhaus in Moskau, mein Liebes. Du hattest einige Tage das Bewusstsein verloren.«

»Moskau? Hat das mit dem demokratischen Aufbruch nicht geklappt?«

»Wie bitte?«

Er überlegte kurz und kam zu dem Schluss, dass es sich um eine vorübergehende Orientierungslosigkeit handeln müsse und er sie deswegen einfach mit den Tatsachen konfrontieren würde, das hatte sie immer gemocht. »Es ist alles ganz einfach: Du bist aus dem Zug ausgestiegen, erinnerst du dich? Dir ist während unseres Urlaubs mit der Transsibirischen Eisenbahn ein Bahnhofsschild auf den Kopf gefallen.« Es klang schon ein wenig seltsam, das musste er zugeben. So etwas glaubte einem doch niemand, erst recht niemand, der gerade aus dem Koma erwacht war.

»Ein Bahnhofsschild? Das ist doch unterirdisch! Hör auf mit den Witzen! Ich muss weg. Mein Wahlkreis wartet.«

»Wie bitte?«

»Du weißt doch, dass ich gerade ein Mandat bekommen habe, und jetzt redest du allen Ernstes von Urlaub und der Transsibirischen Eisenbahn! Wir haben 1991, mit Verlaub! Ich darf keine Zeit verlieren!«

Er musste etwas trinken, stand auf und nahm sein Glas vom Besuchertisch. Offenbar war ihre Reise tatsächlich sehr, sehr lang gewesen, und sie schien unterwegs zwanzig Jahre verloren zu haben. Wahrscheinlich konnte er froh sein, sie schon vorher kennengelernt zu haben. Dass sie ihn erkannte, war nichts weiter als purer Zufall, befürchtete er, ein Produkt der biologischen Willkür, die sich da gerade in ihren Hirnarealen auszutoben schien. Er hatte bis zuletzt geglaubt, dass seine Frau viel zu trainiert im Kopf war, um einfach so das Gedächtnis zu verlieren. Außerdem hing sie für gewöhnlich an den Dingen. Und nun sollte ihr Kopf blank sein wie ein ausgeputztes Ofenrohr? Man konnte sagen, dass ihm diese Vorstellung kein wirklich gutes Gefühl gab.

Doch es war noch gar nichts im Vergleich zu der Herausforderung, ihr jetzt beizubringen, dass sie sich bereits seit fünf Jahren weit über ihren Wahlkreis hinaus politisch betätigte, das ganze Land, sozusagen den nationalen Wahlkreis, regierte und dass der Demokratische Aufbruch schon längst Teil der Geschichtsbücher war. Es gab nichts mehr, aus dem demokratisch aufzubrechen war.

Er setzte sich zu ihr auf die Bettkante. Die Ärzte hatten ihn ja darauf vorbereitet, und danach würde alles besser werden. »Liebes, da ist etwas, das du wissen musst. Dein Gedächtnis spielt dir gerade einen kleinen Streich. Aber das wird sich geben.«

»Nun werde doch mal etwas konkreter! Man muss die Dinge klar vorbringen und mit Nachdruck deutlich machen.«

»Sicher. Wie soll ich sagen? Die letzten zwanzig Jahre scheinen dir gerade ein klein wenig abhanden gekommen zu sein. Das wird schon wieder, gerade weil du in denen ja so einiges erreicht hast.«

»Was?« Sie bekam wieder diesen einfrierenden Gesichtsausdruck. Immerhin, die Mimik funktionierte noch.

Er zählte ihr ihre Ämter im Schnelldurchlauf auf, und es klang, als lese er ihr den Krankheitsverlauf auf dem Beipackzettel eines Medikaments vor. »Tja«, schloss er, »und nun ist da vor ein paar Jahren eben noch ein Amt dazugekommen.« Er hielt inne, ärgerte sich. Warum hatte er es nicht einfach beim ersten Amt belassen? Das hätte für diesen Tag gereicht. Aber nun war es zu spät.

»Welches Amt?« Sie versuchte, sich im Bett aufzusetzen.

»Nun, du musst nur die logische Kette dieser Ereignisse fortsetzen. Es ist ganz einfach und auch gar nicht so schlimm, wie es sich anhört. Bitte rege dich nicht zu sehr auf.«

»Sag es. Was bin ich? Welches Jahr haben wir?«

Er tat es, und sie schloss die Augen. Wenn sie jetzt nochmals das Bewusstsein verlor, müsste er ihr unter Umständen wieder alles erklären. Um Himmels willen, das würde er nicht schaffen, damit wäre er überfordert, klar überfordert. Das war ein Fall für den Fachmann, nicht für den Ehemann. Er tätschelte ihr die Wangen ganz leicht mit der Hand. Wenn sie wenigstens geschrien hätte, vor Freude oder auch vor Entsetzen. Aber nichts. Es mussten die Medikamente sein.

Sie schlug die Augen auf, blieb ruhig. »Damit macht man keine Scherze. Ich will in den Wahlkreis.«

»Liebes, das kannst du ja auch. Er ist eben jetzt nur, wie soll ich sagen, etwas größer.«

Er kramte in seiner Jacketttasche nach einer Beruhigungstablette für sich und hätte nie gedacht, dass er der Typ war, der so etwas brauchte.

Der Hippocampus war schuld. Der war irgendwo in ihrem Gehirn zuständig für die Überführung von Gedächtnisinhalten aus dem Kurzzeit- in das Langzeitgedächtnis – bis eben das Omsk-Schild auf ihm gelandet war. So oder so ähnlich hatte man es ihm erklärt. Vielleicht war das Omsk-Schild selbst auch gar nicht schuld gewesen, dachte er bei sich, vielleicht hatte der Hippocampus vor lauter Stresshormonen von sich aus ein archaisches Notfallprogramm gestartet und kurzerhand ein paar Inhalte von der überlasteten Festplatte gelöscht oder zumindest fürs Erste an das Unterbewusstsein delegiert, damit die Seele noch eine Chance hatte hinterherzukommen. Oder waren es die Handy-Strahlen gewesen?

»Hatte sie jemals traumatische Erlebnisse?« Die Ärztin, die er gerufen hatte, setzte eine Spritze in die Armbeuge seiner Frau.

»Nun ja, sie kommt aus der Politik, wissen Sie.«

»Ich will Sie nicht beunruhigen, aber eine so ausgeprägte retrograde Amnesie wie bei Ihrer Frau ist oft auch verbunden mit einer anterograden Amnesie, das heißt, dass auch ihr Neugedächtnis in Mitleidenschaft gezogen sein könnte. Dabei wird häufig die Vergesslichkeit selbst vergessen.«

»Sie ist doch nach der Sommerpause wieder auf dem Damm, oder? Sie hat ja noch nicht einmal eine Beule am Kopf.«

Die russische Ärztin zögerte einen Moment, auch ihr schien mit einem Mal bewusst zu werden, welche Folgen ihre Äußerungen haben konnten, zumindest was diese Patientenakte anging. Hier ging es um mehr als nur um die Frau, die gerade vor ihr lag. Sie wandte sich ihm langsam zu.

Er bemerkte, wie jung sie eigentlich noch war, wenn man von ihrem streng hochgesteckten Haar einmal absah. Ihre ruhige, analytische Art hätte seiner Frau gefallen.

»Es ist alles möglich. Sie kann sehr schnell wieder lichte Momente haben oder sich völlig normalisieren. Es kann aber auch Wochen, Monate, Jahre dauern. Aber das beeinträchtigt die Lebensqualität weit weniger, als man annehmen könnte.« Sie lächelte, und es sollte wohl aufmunternd aussehen. »Es ist vielmehr eine Frage der Gewöhnung, der Neudefinition dessen, was wir Normalität nennen.«

Er versuchte, ruhig zu bleiben. »Nun, damit kennen wir uns schon ein wenig aus.«

»Das sind gute Voraussetzungen.«

»Was kann man sonst noch tun?«

»Versuchen Sie, ständig beide Gehirnhälften zu trainieren, miteinander zu verknüpfen, Informationen mit intensiven Bildern und Gefühlen zu vernetzen. Für Fantasie, Gefühl und Kreativität ist die rechte Hirnhälfte verantwortlich.

Logik, Analyse und Abstraktion sitzen in der linken. Hatte Ihre Frau da eine Ausrichtung?«

»Links, ganz links.«

Sie legte ihre Hand kurz auf seine Schulter, bevor sie ging: »Warten Sie erst einmal ab, was passiert, wenn sie wieder aufwacht morgen früh. Neues Spiel, neues Glück, sagt man bei Ihnen, nicht wahr?« Und wahrscheinlich dachte sie an die linke Hirnausrichtung seiner Frau, als sie hinzufügte: »Die fluide, also erfahrungsunabhängige Intelligenz Ihrer Gattin liegt in einem hohen kognitiven Leistungsbereich. Die muss sie jetzt auf sich selbst beziehen, und früher oder später wird sie sich wieder erinnern. Sie muss es nur wollen.«

Er ahnte Schlimmes, verließ zusammen mit der Ärztin das Krankenzimmer, um zu telefonieren und sich mit dem Büro seiner Frau verbinden zu lassen. Sie konnten mit ein wenig Vorlauf schon bald in der Klinik sein.

»Mehr Wasser, bitte.«

Sie kam zu sich. Er nahm ihren Kopf in seine Hände und massierte sanft die rechte Hälfte.

»Wo bin ich?«

»In einem Krankenhaus in Moskau, meine Liebe. Du hattest einige Tage das Bewusstsein verloren. Weißt du noch? Ich habe dir doch gestern alles erzählt.«

»Hat das mit dem demokratischen Aufbruch nicht geklappt?«

Er atmete tief ein, versuchte, ihr gegenüber zu verbergen, dass hier etwas ganz und gar nicht stimmte.

»Du hast doch was? Und was tue ich um Himmels willen in Moskau?«

»Oh, wir haben hier einen Termin mit ein paar Leuten. Sie müssten bald hier eintreffen. Bis dahin lese ich dir noch etwas vor.«

Er suchte das Buch, schaute unter das Bett. Aber Napoleon schien in die Hände baschkirischer Putzkräfte geraten zu sein.

Er war schon zuversichtlicher gewesen.

Trial and Error

Zwei Tage später hatte man in der Hauptstadt immer noch nicht ganz verwunden, dass die Regierungschefin ihren Urlaubsstandort kurzerhand einige tausend Kilometer Richtung Osten verlegt hatte. Sicher, auch auf den Kanaren oder in Tirol hätte so einiges auf ihr Haupt niedergehen können, und man wäre genauso wenig darauf vorbereitet gewesen. Aber hier lag eindeutig ein Fall von spontaner, eigenständiger und daher fahrlässiger Urlaubsplanung vor, die jede professionelle Büroleitung – und weiß Gott, die hatte sie – in eine ernsthafte Existenzkrise stürzen musste. Doch abgesehen von diesen äußeren Umständen des Unfalls konnte aus den Folgen, sofern man ihrem Gatten Glauben schenken durfte, eine veritable Regierungskrise erwachsen.

Die Büroleiterin hatte lediglich zwei Personen ins Vertrauen gezogen: den Regierungssprecher und den Minister für Außerordentliche Vorkommnisse. Letzterer hatte bis zu diesem Zeitpunkt ein wenig an Profil verloren, da die Definition dessen, was »außerordentliche Vorkommnisse« waren, im Zweifel im Ermessen anderer Leute lag. Das hinderte jedoch niemanden daran, hinter den Kulissen immer gern auf ihn zu zeigen, wenn wirklich etwas schiefging. Er war der Koordinator des Chaos, und es war ein undankbares Amt, ohne Zeit und ohne Leben darin. Da nutzte auch der Ministertitel nichts. Doch in diesem Falle lag die

Zuständigkeit nun wirklich glasklar bei ihm – wenn dieses Vorkommnis nicht außerordentlich war, was war es dann? Nein, dies war kein Brettspiel mehr, dies war ein veritables Drama. Das Leben hatte die Theorie endlich eingeholt.

Er war tief betroffen, als man ihm von der Angelegenheit berichtete, aber eben auch ordentlich begeistert. Die Chefin musste geahnt haben, dass so etwas einmal mit ihr passieren würde. Sie ging eben gern auf Nummer sicher. Denn jetzt war er für sie da. Wer auch sonst? Aus Zeitersparnis- und Geheimhaltungsgründen war er vorerst dazu übergegangen, sich kurz MAV zu nennen. Man handelte schnell: Es war Freitag, und mit etwas Glück, so hoffte man, fiel eine geschickt verdeckte Minigruppenreise nach Moskau inmitten der parlamentarischen Sommerpause und mithilfe des ohnehin diskreten Reise- und Sicherheitsapparats der Stallwache nicht weiter auf. Eine persönliche Inaugenscheinnahme der Patientin war unentbehrlich für die Beurteilung der Lage, fand man, außerdem war man zwar nicht in landläufigem Sinne, aber in gewisser Weise eben doch Teil der Familie, gehörte zu ihren engsten Regierungsangehörigen.

Der Name des Hotelzimmers in Moskau lautete La Manga und war somit international aussprechbar. Man hatte es nicht auf Wanzen hin untersuchen können, zumindest nicht auf technische, und entschloss sich daher, den Fernseher laut nebenher laufen zu lassen. Zu viert saßen sie um einen kleinen niedrigen Glastisch herum, dessen Ränder gegen die Kniescheiben drückten, und alles war so unbequem wie die Lage selbst in dieser morgendlichen Runde.

Er hatte seine Frau nur ungern in der Klinik allein gelassen. In ihrer derzeitigen Lage war sie doch recht unvoreingenommen und daher um einiges verwundbarer als sonst. Jeder hätte ihr alles erzählen können, und sie hätte es geglaubt, zumindest den Wahrheitsgehalt des Gesagten in Erwägung gezogen. Immerhin hatte Herr Bodega, die treue Seele, inzwischen das russische Festland erreicht und saß wahrscheinlich gerade vor der Tür ihres Krankenzimmers.

Der Sicherheitsbeamte hatte sich offenbar große Vorwürfe gemacht und beim Anblick seiner schlafenden Chefin ganz feuchte Augen bekommen. Es schien, als hänge er sehr an ihr, denn berufsbedingt musste man dem Überwachungsobjekt wohl oder übel auch im Kopf und im Bauch ein wenig näher kommen. Ja, irgendwann hatte er sogar angefangen, ihr zum Geburtstag Dinge wie eine selbst eingepackte Tafel Schokolade oder das Forellenrezept seiner Mutter zu schenken, und je unaufgeregter diese Geschenke wurden, umso mehr Gedanken musste man sich um die Nähe oder vielmehr um die Distanz von zweihundert Metern machen – zumindest wenn man der Gatte des Objekts war. Und jetzt hatte Bodega Tränen in den Augen gehabt, Sicherheitsabstand hin oder her.

Etwas anders schien sich das bei der Kollegin und den Kollegen seiner Frau zu verhalten, mit denen er in diesem Hotelzimmer zu einer ersten Lagebesprechung verabredet war. Man gab sich kompetent und pragmatisch, wollte »die Sache« so professionell wie möglich abwickeln, und er wusste nicht, ob ihn das beruhigen oder entsetzen sollte. Sie trugen, obwohl es Wochenende war, Anzug und Hosenanzug, und das Gepäck stand noch ungeöffnet in einer Ecke des Zimmers. Der Fernseher flimmerte und dröhnte vor sich hin. Nein, hier sah absolut nichts nach einem Krankenbesuch aus, keine Blumen und sicher auch kein Traubensaft im Gepäck, stattdessen vor der Brust verschränkte Arme und erwartungsvolle Blicke.

Er hatte sich in Regierungskreisen nie besonders wohl gefühlt und konnte sich des Gefühls nicht erwehren, dass man gerade jetzt jede seiner Regungen, jedes seiner Worte in die nationale Waagschale zu werfen schien wie sonst die seiner Frau, statt ihn einfach erst einmal in die Arme zu nehmen. Alles wird gut, mein Lieber. Man konnte ihnen dies funktionsbedingt noch nicht einmal übel nehmen, es ging schließlich um nicht weniger als das System, und jede noch so kleine, unachtsame Bewegung konnte das komplette Spiel gefährden, in dem die Hauptfigur ja ohnehin schon recht angeschlagen war. Er hasste Spiele, und dieses ganz besonders. Er hätte lieber weiterhin den Unterarm seiner Frau gestreichelt. Aber es half nichts, der Unterarm seiner Frau gehörte ihm schließlich nicht allein. Er räusperte sich: »Nun, wie ich Ihnen ja bereits geschildert habe, geht es ihr den Umständen entsprechend gut. Sie sieht aus wie immer und hat keine äußeren Blessuren davongetragen.«

»Sie ist tatsächlich ohne ein einziges blaues Auge davongekommen? Sehr schön, das kommt doch der Sache sehr entgegen.« Der MAV wirkte zufrieden mit dieser ersten Einschätzung.

»Ja, durchaus, aber ihr Gedächtnis will noch nicht so recht wiederkommen, und ...«

Der MAV unterbrach ihn abermals: »Wir sollten da zunächst einmal eine Grundsatzfrage klären: Sind Sie sicher, dass sie es ist?«

»Entschuldigung, wie meinen Sie das?«

»Na, es könnte sich durchaus um eine vom russischen Geheimdienst eingeschleuste Doppelgängerin handeln. Das kommt davon, wenn Sie ohne Sicherheitspersonal reisen.«

Er wollte schon jetzt nur noch raus, zurück zu seiner Frau.

»Glauben Sie mir, die denken sich heutzutage völlig in die Leute hinein, kriechen in deren Identitäten. Und von wem wird sie überhaupt medizinisch betreut? Ich sage nur:

Drogen! Radioaktive Stoffe! Alles schon dagewesen.« Der Minister schaute verschwörerisch in die Runde.

Die Dame am Tisch schien das Pulver zu kennen, das man gern bereits am Anfang einer Debatte verschoss, und lenkte ein: »Den Ärztestab haben wir bereits durchleuchtet, ebenso das gesamte Pflegepersonal. Sie sind sauber. Und könnten wir zunächst bitte bei den Tatsachen bleiben, statt uns gleich aufs Terrain der Mutmaßungen zu begeben, die uns an dieser Stelle gar nicht weiterhelfen.«

»Ich denke lediglich mit, werte Kollegin.«

Sie ignorierte diesen Wortbeitrag und fragte anders: »Aber sie weiß jetzt schon, wer sie ist, nicht wahr?«

Das traf ins Schwarze. Er beugte sich nach vorn, stützte die Ellbogen auf die Knie, um seinen Rücken etwas zu entspannen, und malte mit dem Finger kleine Kreise auf die viel zu niedrige Glasplatte: »Nun, genau hier scheint das Problem zu liegen.«

»Ja, aber Sie haben es ihr doch längst gesagt, oder etwa nicht?« Der MAV kam ihm so nahe, dass er dessen Atem riechen konnte. Pfefferminz und leerer Magen.

»O ja, ich habe es ihr natürlich gesagt, gestern, vorgestern und den Tag davor auch. Sie reagiert auch jedes Mal ganz gefasst darauf, Sie kennen ja meine Frau.« Er versuchte zu lächeln.

Man lächelte wissend zurück. Aber alle drei hatten sich jetzt weit über den Tisch in seine Richtung gebeugt und schienen nach der entscheidenden Information zu gieren.

»Wo liegt das Problem? Wir verlängern ihren Urlaub, die Opposition bleibt ja auch immer länger weg, und bis dahin wird sie die letzten zwanzig Jahre schon wieder einstudiert haben.«

Einen Mangel an Pragmatismus konnte man der Büroleiterin wahrlich nicht vorwerfen.

»Nun, ich befürchte, die Sache mit dem Einstudieren wird etwas aufwendiger werden.«

»Bleiben Sie zuversichtlich, Mann!«, der MAV gab ihm mit der Faust einen Schubs an die Schulter, »Es gibt erstklassige Therapeuten! Das ist doch wie ein ganz normales Burnout, und wenn nicht, dann wäre sie nicht die erste Politikerin, der man etwas auf die Sprünge helfen muss.«

Sie hatten es immer noch nicht verstanden. »Ich will es Ihnen jetzt mal so sagen: So wie sich die Sache momentan darstellt, werden Sie ihr wohl jeden Tag aufs Neue auf die Sprünge helfen müssen. Verstehen Sie mich richtig: Sie vergisst auch das Vergessen. Jede Nacht wird ihr Kurzzeitgedächtnis quasi ausgeplündert, und ich erzähle ihr jeden Morgen aufs Neue, dass sie ein Land regiert. Und jedes Mal ist es für sie – wie soll ich sagen – wie eine akustische Halluzination, die ihr direkt mit dem Morgentee serviert wird. Das ist schon etwas aufwendig, für beide Seiten, wenn ich das mal sagen darf.«

Stille.

Der MAV rutschte mit den Fingern vom Wasserglas ab, und es fiel klirrend auf die Platte zurück.

Er hatte es tatsächlich geschafft, alle drei zum Schweigen zu bringen und Gesichtsausdrücke hervorzuzaubern, die sie wahrscheinlich selbst nicht mehr an sich kannten.

Sie stand vor dem Spiegel und tastete sich ab, ließ keinen Quadratzentimeter aus. Die Kopfhaut hatte sie schon vorher geprüft. Letztere schien vollends unversehrt zu sein. Also kein Chip. Gab es tatsächlich eine solch merkwürdige Art von Amnesie, bei der man tatsächlich zwanzig Jahre seines Lebens und darüber hinaus jeden neuen Tag vergaß? So etwas konnten sich doch nur Geheimdienste ausdenken und nicht das Schicksal, indem es so profan rostige Bahnhofsschilder löste, wenn man gerade darunterstand. Aber nichts, keine Spur einer Implantierung, noch nicht einmal eine einzige Schramme. Sie schlüpfte in ihren Morgenmantel, durchquerte das Zimmer und öffnete die Tür. Ein Mann saß davor auf einem Stuhl und schnellte jetzt in die Höhe.

»Chefin?«

»Meinen Sie mich?« Er antwortete nicht gleich, und sie fand, dass etwas Trauriges in seinen Augen lag. Sie sah ihn sich genauer an. Er schien kein schlechter Mensch zu sein. Immerhin. »Entschuldigung, können Sie mir sagen, was für eine Chefin ich bin?«

»Na, Sie sind meine Regierungschefin. Und ich passe auf Sie auf, seit Sie es sind.«

»Ihre Regierungschefin?«

»Ja, auch meine, aber nicht nur. Eben so ganz allgemein. Es hängen da ja noch ein paar Millionen andere Leute dran.«

»Ah, so. Wie heißen Sie?«

»Bodega.«

»Nun, Herr Bodega, dann passen Sie bitte weiterhin auf mich auf. So wie es aussieht, brauche ich Sie jetzt mehr als je zuvor. Und wundern Sie sich nicht, wenn ich Sie morgen wieder frage.«

»Ich könnte Ihnen antworten, ohne dass Sie vorher fragen müssen. Das spart Zeit und Ihnen diese kleine Unannehmlichkeit.«

»Sehr schön, sehr pragmatisch. Sie denken mit. Das kommt mir sehr entgegen.« Sie fühlte sich wohl mit ihm, aber er sich nicht so richtig mir ihr, glaubte sie zu merken. Und ihr schwirrte immer noch der Kopf. Also ging sie zurück ins Zimmer, drehte sich aber noch einmal zu ihm um, bevor sie die Tür schloss: »Auch wenn ich Sie nicht kenne, ist es gut zu wissen, dass Sie so nah bei mir sind, da draußen vor der Tür.«

»Gut, ich schlage vor, davon auszugehen, dass sich das alles innerhalb der nächsten zwei Wochen gibt.« Die Büroleiterin fand als Erste die Sprache wieder. »Wir sollten dennoch für alle Fälle einen Plan B erarbeiten. Wir müssen uns aufstellen, die Opposition schläft nicht.«

Es hörte sich an, als ob sie ganz im Sinne seiner Frau vorgehen wolle, aber so richtig sicher war er sich nicht bei ihr. »Was meinen Sie denn mit Plan B? Eine andere Personalie?«

»Nein, um Himmels willen. Oder fällt Ihnen da ein Kandidat ein? Haben Sie zufällig jemanden in Ihrem Bekanntenkreis für diesen Job? Vielleicht ein Stelleninserat, öffentlicher Dienst und so, mit Chiffre?«

Sie wurde jetzt doch leicht hysterisch und ihm gegenüber etwas unfair, fand er. Nur weil die Politik nicht sein Terrain war, musste sie nicht gleich an seinen Schlussfolgerungen zweifeln.

»Mein Gott. Die Dachziegelfrage. Darauf waren wir nicht vorbereitet.« Nun meldete sich der Regierungssprecher zum ersten Mal zu Wort und versuchte, nicht zu lächeln. »Trotzdem, wir sollten insbesondere nach außen hin nichts überstürzen. Sie ist doch immer noch dieselbe, es ist alles an ihr dran und in ihr drin, nur irgendwie verschüttet. Und sie kann doch noch eine Regierungserklärung abgeben, so nach Vorgabe, oder nicht?« Er hatte diese gut angezogene, sanftmütige Art, bei der man sich nie sicher sein konnte, ob er das, was er sagte, wirklich ernst meinte.

Der Minister tat einen zweiten Anlauf mit dem Wasserglas und griff den Faden wieder auf: »An dieser Stelle stellt sich ganz klar die Frage«, hier hob sich sein Brustkorb etwas, »ob es für einen Notfall wie diesen eine personelle Alternative gibt. Wer ist da satisfaktionsfähig? Wer ist alt genug? An wen denken wir da?«

Die Mienen neutralisierten sich wie bei einer Schulklasse, der man eine verdammt schwierige Frage gestellt hatte.

Und nun ging es durcheinander.

»Es sieht nicht gut aus, gar nicht gut.«

»Oh, Gott.«

»Mit ihr kann keiner. Aber ohne sie auch nicht.«

Sie sahen sich erschrocken gegenseitig an, als sei ihnen diese Erkenntnis gerade erst gekommen.

»Das Fortbestehen der Koalition steht auf Messers Schneide. Da können wir nicht den Erstbesten nehmen.«

»Schon die letzte Oberhauptspersonalie war die reinste Zappelei. So etwas macht der Wähler nicht noch ein zweites Mal mit. Die nehmen uns doch nicht mehr ernst!«

»Und was hält uns schließlich noch zusammen außer der nackten Angst vor Neuwahlen?«

»Die können wir nicht riskieren. Das steht fest.«

»Warum machen wir nicht einfach weiter wie bisher? Und präsentieren sie einfach etwas seltener.«

»Vielleicht braucht das Volk tatsächlich dringend Erholung von seiner Exekutive. Es möchte womöglich gar nicht pausenlos regiert werden.«

»Brauchen Sie Urlaub?«

»Ich? Nein. Wieso?«

»Dann hören Sie auf mit solchen Vorschlägen. Wir können uns nicht den geringsten Rückzug erlauben.«

»Noch jemand Wasser? Soll ich Kekse kommen lassen?«

»Mit dem vorhandenen Personal habe ich da große Zweifel.«

»Wie bitte? Das ist doch ein ordentliches Hotel mit Zimmerservice, oder nicht?«

»Ich meinte das anders.«

»Wir sind in einem tieferen Schlamassel, als wir alle gedacht haben.«

»Wir als Volkspartei haben eine komplizierte Architektur, und jede Regierungsphase ruht auf einer fragilen Statik. Wir müssen behutsam vorgehen.«

Er stand langsam auf, wollte das alles nicht hören, sich verabschieden, wieder zu ihr ans Bett gehen, ihre rechte Kopfseite etwas massieren.

»Sie bleiben bitte hier. Vielleicht brauchen wir noch Gesprächstermine mit den Ärzten.«

Noch bevor er sich wieder gesetzt hatte, ging die Debatte weiter. Er wickelte sich ein Pfefferminzbonbon aus dem Orient-Express aus. Es waren nur etwas über zwei Wochen vergangen seit der Misere mit dem Bahnhofsschild, und es kam ihm schon jetzt vor wie eine Ewigkeit. Die Zeit, die seiner Frau momentan schlicht und einfach fehlte, schien er doppelt gelebt zu haben.

»Wenn wir uns jetzt von ihr trennen, trauen sich die anderen vielleicht auch, sich von dem ihrigen zu trennen?«

»Was sind denn das für Vorschläge? Die Frau ist doch äußerlich gesund und kann reden. Sie hat noch nicht einmal ein Verhältnis, keine einzige Eskapade. Was wollen wir mehr?«

»Das ist vielleicht gerade das Problem. Oder was wollen Sie sagen?«

»Nein, ich sage ganz einfach: Trial and Error, kommen Sie, das ist doch nicht das erste Mal, dass wir so etwas machen! Wenn alle Stricke reißen, setzen wir sie einfach jeden Morgen neu auf die Schiene. Dann dauert die Morgenlage eben etwas länger, und für den Rest verweisen wir verstärkt auf Ressortzuständigkeiten.«

»Das ist nicht Ihr Ernst, das wird der reinste Drahtseilakt im Nebel!«

»Aber wir haben nun einmal nur die eine Seiltänzerin.«

»Da ist was dran. Pannen passieren, aber Katastrophen

werden gemacht! Die haben wir immer noch hinbekommen. Ich sage Ihnen, wir kriegen das in den Griff, und zwar eher mit ihr als ohne sie, wie es aussieht.«

»Neustart nennt man so etwas. Also los.«

»Das klingt ein bisschen nach Monopoly.«

»Ganz genau! Wunderbar! Damit haben wir gleich einen schönen kurzen Begriff, der sich in der Öffentlichkeit plakativ einsetzen lässt.«

»Monopoly?«

»Nein, Neustart. Neustart! Wir stellen den Mut zur Zukunft der Verzagtheit entgegen. Jetzt erst recht. Notieren.«

»Schluss mit lustig. Vor uns liegen große Aufgaben!«

»Das ist es, drucken wir gleich ab. Wir starten mit einer persönlichen Anzeigenkampagne mit Foto und Unterschrift von ihr in den Zeitungen.«

»Wir geben auf neue Fragen neue Antworten.«

»So ist es. Die anderen haben sich schon oft genug reformiert. Jetzt sind wir auch mal dran.«

»Wenn wir das schaffen, schaffen wir alles!«

»Und wir können ja jetzt auch innerparteilich mal ein bisschen mehr Einfluss nehmen, nicht wahr?«

Die Stimmung hob sich. Ihm wurde schwindlig, und er wollte jetzt unbedingt weg. Die Glasplatte, auf die er starrte, war vor lauter schwitzigen Fingerspielen schon ganz blind. Wie sollte das alles gehen? Er räusperte sich: »Darf ich einen Vorschlag machen?«

Man schien vergessen zu haben, dass er sich überhaupt noch im Raum befand, und die Köpfe schnellten überrascht in seine Richtung. »Nun, ich denke, Sie sollten meine Frau vielleicht erst einmal besuchen, sie sehen. Das würde das Ganze, wie soll ich sagen, vielleicht etwas substantieller machen, dem Problem wieder ein Gesicht geben, nicht wahr?«

Durchaus ein guter Beitrag, nein, wirklich, man pflichtete

ihm bei, unter Bezug auf Plan A, der inzwischen, so schien es ihm, zu Plan B geworden war, da es so herum mehr Spaß machte. Neustart eben.

Es war bereits früher Nachmittag, als sie in der Klinik eintrafen. Sie kam ihnen im Morgenmantel auf dem Flur entgegen, sehr aufgeräumt, was akuten Anlass zu größter Hoffnung gab. Sie erkannte auch ihren Mann: »Mein Lieber, guten Tag! Heute geht es mir schon sehr viel besser. Ich glaube, die Seekrankheit legt sich langsam.«

Hoffnung und Enttäuschung liegen ja oft dicht beieinander. Hätte sie doch einfach nichts gesagt in diesem einen Moment. Er lächelte beschwichtigend in die Runde. »Nun, aber wir haben doch zumindest faktisch festen Boden unter den Füßen, nicht wahr? Du scheinst deinen Humor wiedergefunden zu haben. Wie schön.«

Der engste Regierungsstab, der sich bisher im Hintergrund gehalten hatte, rückte etwas enger zusammen und machte einen kleinen Schritt nach vorn.

»Ich weiß, ehrlich gesagt, beim besten Willen nicht, was ich gerade jetzt auf diesem modernen Kreuzfahrtschiff soll, wo sich gerade Entwicklungen weltpolitischen Ausmaßes ankündigen. Das alles brennt mir unter den Nägeln. Wir müssen das Regierungsprogramm komplett neu aufstellen.« Sie zog den Frotteegürtel etwas enger. »Und hier kann ich noch nicht einmal das Wasser sehen. Gibt es einen Zubringer, wenn wir anlegen?«

Sie schaute kurz an ihrem Mann vorbei auf ihren engsten Stab, hielt ihn wohl für das Bordpersonal, drehte sich um und ging festen Schrittes wieder in ihre Kabine.

Der Gesundheitsplan

Er war mittlerweile extrem kritisch geworden, was an sich nichts Neues für ihn war und darauf hindeutete, dass er nach Optimierungsmöglichkeiten suchte. Doch zugleich war da ein diffuses Gefühl der Unkontrolliertheit. Angst. Und wenn er die bekam, ohne genau zu wissen, wovor eigentlich, dann konnte das eine äußerst unbefriedigende Situation darstellen. Dieses Gefühl passte in keine verdammte Formel dieser Welt. Er hatte seit Längerem schon befürchtet, dass jetzt eine gehörige Portion Arbeit auf ihn zukommen würde und dass er auf absehbare Zeit eine ganze Reihe von Vorträgen in den Staaten würde absagen müssen. Aber was um Himmels willen sollte er jetzt genau tun? Er wünschte, er hätte mir ihr unter dem Schild gestanden.

Die junge Ärztin erwartete ihn bereits, als er anklopfte und in ihr Büro trat, das überraschend klein und dunkel war. Sie schob die Papiere wie mit einem Schwimmzug auf die Seiten des Schreibtisches und sah ihn an. »Kommen Sie, setzen Sie sich. Entschuldigen Sie die Unordnung.« Zwischen ihnen lag nun nichts mehr, nur blanke Fläche, und jetzt schaute sie ihm auch noch direkt in die Augen. »Wie geht es Ihnen heute?«

»Mir?«

»Ja, Ihnen. Wie es Ihrer Frau geht, weiß ich momentan bis hin zur letzten Hirnfrequenz.«

Der Holzstuhl, auf dem er Platz genommen hatte, war mit schwarzem Kunstleder überzogen, auch die Lehnen, und dort legte er jetzt erst einmal seine Unterarme ab. »Nun, ich weiß noch, was ich gestern getan habe. Und das ist ja schon mal etwas.« Er versuchte es wieder mit dem Lächeln. Die obere Zahnreihe kam dabei wohl zum Vorschein, aber die untere Mundpartie wollte sich nicht so recht heben, klappte vielmehr nach unten weg. Es könnte mechanisch aussehen, befürchtete er, aber das konnte sie ihm unter den doch recht schwierigen Umständen wohl kaum verübeln.

Sie lächelte zurück – mit den Augen, wie seine Frau. Er hatte ihr Lächeln immer gemocht, wenn ihre kleinen Fältchen rund um die Augen plötzlich ihre ganze Wirkung entfalteten.

»Verstehen Sie sich gut mit Ihrer Frau?«

Sie wurde persönlich, ohne Umschweife, als hätte sie seine Gedanken erahnt, und dies traf ihn unvorbereitet, sofern man überhaupt vorbereitet sein konnte auf die doch recht unüberschaubare Lage, in der er sich befand. Er würde sich mit Überraschungen anfreunden müssen.

»Sie ist ein prima Kerl.« Er kam sich überrumpelt vor und korrigierte: »Wir sind durchaus eng und vertrauensvoll miteinander, sofern ihr Amt das zeitlich zulässt.«

»Wunderbar. Sehen Sie, wir haben natürlich einen professionellen Therapeuten für solche Fälle, aber Sie sind sozusagen ihr Cheftherapeut. Sie hat Sie bereits in ihrer bewussten Vergangenheit gekannt, Sie sind für sie die Tür zum Hier und Jetzt oder, wie kann ich es noch ausdrücken«, sie lehnte sich zurück und rollte ihren Drehstuhl ein Stück nach hinten, »ihr soziales Sicherungssystem. Und vor allem werden Sie für Ihre Frau eine Art Filter sein müssen für alles, was sie erlebt oder was an sie herangetragen wird. Ihnen wird sie vertrauen.«

Nun lehnte auch er sich zurück, so gut das auf dem Holzstuhl ging. »Oh, da kenne ich mich aus, das können Sie mir glauben. Ich schaue über ihre Manuskripte, wir lesen gemeinsam Zeitung und …«

»Ich glaube, Sie werden in Zukunft eher einen Fernseher oder ein iPad dafür brauchen.« Sie hatte ihn unerwartet schnell und ernst unterbrochen, fand er.

Ihm lag ein Warum auf den Lippen, aber als Technikmuffel wollte er nun auch nicht gelten. »Ja, natürlich haben wir einen Fernseher und Computer zu Hause, und ich bin durchaus ein Freund der schnellen Medientechnik. Aber reicht die in die tieferen Hirnsequenzen?« Er lehnte sich über den Tisch in ihre Richtung, ließ sich nicht unterbrechen. »Ich glaube vielmehr, und halten Sie mich jetzt bitte nicht für altmodisch, dass ihr das ganz profane Tagebuchschreiben helfen könnte, zur Not auch per SMS. Da kann sie dann morgens nachlesen, was sie am vorhergehenden Tag getan und gedacht hat. So etwas hilft einem doch wieder schnell auf die Sprünge!«

»Ich befürchte, dass sie sich nicht ganz so profan auf die Sprünge helfen lassen wird.«

Er schaute sie ratlos an, ihm fehlte noch die logische Schlussfolgerung aus ihren Andeutungen.

Sie half ihm: »Sie sollten wissen, dass die Lese- und Schreibfähigkeit Ihrer Gattin immer noch gestört ist. Das haben die letzten Tests ergeben. Sie hat Probleme, jegliche Art von Formen oder Schablonen zu erkennen, es scheinen Teile des Hirns betroffen zu sein, die wir bisher für intakt hielten.« Sie lächelte wieder dieses verdammt verständnisvolle Lächeln. »Es muss ein ziemlich großes Brett gewesen sein, das Ihrer Gattin da auf den Kopf gefallen ist. Dabei ist der Ortsname doch so kurz.«

Er fing vor Verzweiflung tatsächlich an zu lachen, doch es

klang wie ein schnappendes Luftholen. »Hören Sie, das ist nicht Ihr Ernst, oder? Meine Frau würde diese Fähigkeiten nie vergessen, das sieht ihr einfach nicht ähnlich. Wissen Sie, was das bedeutet? Das ist der GAU, das Schlimmste, was ihr widerfahren kann und, mit Verlaub, so etwas passiert vielleicht in griechischen Tragödien, aber nicht auf sibirischen Bahnhöfen!«

»O doch, Sie können mir glauben, dass wir in dieser Hinsicht nicht weit von Griechenland entfernt sind. Oder glauben Sie, dass die Bahnhöfe da besser in Schuss sind?« Sie stand auf und setzte sich auf die rechte Schreibtischkante. »Sehen Sie, das Lesen ist alles andere als eine Selbstverständlichkeit. Der Mensch wurde nicht genetisch darauf programmiert wie auf das Sprechen. Es ist kein natürlicher Prozess, es muss erlernt und dann trainiert werden wie ein Muskel.«

Er war noch nicht überzeugt. Nein, er wollte gar nicht überzeugt sein. »Ja, aber das lernt sie doch an einem einzigen Nachmittag, sage ich Ihnen! Und sie ist zäh.«

»Ja, vielleicht ist das so. Doch wir reden hier von vierzig bis fünfzig verschiedenen Hirnarealen, die bei Ihrer Frau nun auf eine recht eigenwillige Weise miteinander verschaltet sind. Man muss sich das vorstellen wie bei einem Orchester, das plötzlich nicht mehr genau das spielt, was auf den Notenblättern steht.« Und dann schaute sie ihn an und sprach das aus, was ihm selbst gerade bewusst wurde: »Sie dürfen nicht vergessen: Wie es momentan aussieht, wird sie, was auch immer sie heute erlernt, morgen schon wieder vergessen haben.« Es klang mehr nach einer Entschuldigung als nach einer medizinischen Diagnose. Sie fuhrt fort: »Das kann sich alles geben, aber nach derzeitiger Ermessenslage ist es offen, wie lange diese Ausfallverkettungen im Hirn Ihrer Frau noch aktiv bleiben. Sie wird jeden Morgen komplett neue 0–1-Entscheidungen treffen müssen. Es gibt nichts dazwischen.«

»0–1-Entscheidungen? Damit dürfte sie in Zukunft gar nicht mehr koalitionsfähig sein.« Sein Humor war jetzt das einzige Mittel, um mit der Lese- und Schreibschwäche einer Frau klarzukommen, die sich vor Kurzem die Bildungspolitik auf ihre persönlichen Fahnen geschrieben hatte.

Er schüttelte den Kopf: »Wie soll das alles überhaupt funktionieren? Wie lange halten wir es aus, sie jeden Morgen wieder darüber aufzuklären, was aus ihr geworden ist? Das ist doch Stress, für sie selbst noch mehr als für uns!«

»Ich gebe zu, es ist keine besonders sanfte Behandlungsmethode, aber früher oder später muss sie zurück in ein Stadium der Normalität. Sie braucht eine präzise, fordernde Aufgabe, ihr Hirn wird sich sonst auf eine Fahrt ins Blaue begeben. Lassen Sie sie nicht in ihrer Vergangenheit zurück, in der Hoffnung, dass sich die Dinge von allein erledigen. Sie müssen sie da herausholen, jeden Morgen.«

Er schloss die Augen. Vielleicht würde sie aufhören zu reden.

Sie fuhr fort: »Wissen Sie, Erinnerungen kommen am ehesten wieder durch möglichst realistische Interaktions-Reaktionen. Wir kennen das aus der Täterdiagnostik, wenn der Delinquent wieder an den Tatort geführt wird. Hatte sie nicht gerade erst Besuch von ihrem Team?«

Die junge Ärztin ging zum Fenster und öffnete es. Draußen war es überraschend ruhig, obwohl die Klinik mitten in der Stadt lag. »Wissen Sie, unsere Erinnerungen formen unseren Alltag in der Gegenwart mit, und wenn die Erinnerungen etwas älter sind, heißt das nicht automatisch, dass man dadurch völlig alltagsuntauglich wird. Die Reaktionen Ihrer Frau auf gewisse Dinge werden andere sein, aber nicht notwendigerweise die falschen.«

Er nahm ihre Äußerungen kaum wahr, sein Blick verlor sich in einem kleinen Strauß roséfarbener Plastikrosen auf ihrem Schreibtisch. Die Erinnerung, die seiner Frau in ihrem jetzigen Zustand am gegenwärtigsten war und die sie tief in ihrem Herzen berührt hatte, war, sofern er das rekapitulieren konnte, eine Wahlbeteiligung von 93,30 Prozent bei den letzten Wahlen im Aufbruch zur Demokratie. Wenn es das war, womit sie morgens aufwachte, war das sicher kein schlechter Start in jeden neuen Tag, fand er. Alles andere aber würde schwieriger werden.

»Und fast hätte ich es vergessen: Welche Frisur hatte Ihre Frau vor zwanzig Jahren?«

Die Ärztin stellte ihm mittlerweile Fragen, die jeglicher Grundlage entbehrten, fand er. »Herrje, an was soll ich denn noch alles denken? Die Frisur? Was tut denn die zur Sache? Sie hatte keine Frisur!«

Sie blieb ruhig: »Kurze Haare? Wir können das nachprüfen. Wissen Sie, wenn Ihre Frau morgens aufwacht, möchten wir akute erste Stresssituationen vermeiden. Am besten, Sie legen sich für solche Fälle schon einmal ein paar beruhigende Sätze zurecht.«

Er hätte genauso gut die ganze Geschichte an dieser Stelle enden lassen und seine Frau dazu bringen können, der Politik und ihrem Handy Adé zu sagen – aus Gründen der höheren Gewalt, und eine akute Amnesie, die ärztlich attestiert war, zählte er dazu. Die Versuchung war groß.

Doch so ganz entschlossen war er nicht, er zögerte, spürte, dass er den Fortgang der Reise irgendwie weitertreiben musste, und zwar ihr zuliebe. Denn wenn ihr Gedächtnis irgendwann doch zurückkäme, würde sie ihm furchtbare Vorwürfe machen, würde sich fühlen wie eine hoch prämierte Springderby-Stute, die sich zu früh auf einem Ferien-

Ponyhof wiederfindet, während andernorts halbwüchsige Hengste das Rennen bestreiten.

»Ich will Ihnen etwas Mut machen.« Die Ärztin schien ihn eine ganze Weile still beobachtet zu haben. »Mag Ihre Frau ihren Job?«

Er stutzte, als hätte sie gerade in einen Ballon gepiekst. Diese Frage war so obsolet wie die nach dem Grund von Katalyseprozessen in Zeolithsystemen. »Aber selbstverständlich will sie den Job. So wenig, wie Sie sich das vorstellen mögen, so wenig kann sie sich vorstellen, das Amt jetzt einfach niederzulegen. So ist sie nicht. Je schwieriger die Dinge werden, desto mehr hängt sie an ihnen. So war sie immer.«

Die junge Ärztin schaute aus dem Fenster, und es sah so aus, als kämen ihr seine Äußerungen bekannt vor, vielleicht hatte sie ein ähnlich vertrautes Verhältnis zu schwierigen Dingen. Sie drehte sich wieder zu ihm um: »Entschuldigen Sie, ich frage das nur, weil wir wissen, dass man sein Hirn nicht über einen längeren Zeitraum zu etwas zwingen kann, was es nicht mag. Wenn man es dennoch tut, übernehmen irgendwann die tieferen, älteren und robusteren Ebenen wieder das Kommando im Kopf. Das Hirn braucht Freude, um zu funktionieren!« Sie setzte sich wieder auf die Schreibtischkante und beugte sich zu ihm herüber, schnipste an einem der Plastikröschen. »Entfachen Sie Begeisterung in Ihrer Frau, sprechen Sie die emotionalen Zentren in ihrem Gehirn an. Beginnen Sie mit den kleinen Dingen, Sie müssen ihr ja nicht gleich den harten Stoff liefern!« Das Röschen wippte noch lange nach.

Zu ungefähr derselben Zeit legte die Regierungschefin die Schlaftabletten in die hinterste Ecke der Schublade ihres Krankenbett-Schränkchens. Sie hatte die für das Nachbarzimmer bestimmte Ration gleich mit abgegriffen. Niemand hatte es bemerkt, was sie wiederum höchst beunruhigend fand. Vielleicht ließ sich über die Reinigungskräfte auch eine Flasche Wodka organisieren. Sie trank Alkohol nur, wenn es in Gesellschaft unbedingt sein musste, aber dies hier war ein nicht hinnehmbarer Notfall. Zusammen mit den Medikamenten der folgenden Tage würde das für einen letzten Cocktail reichen, um nicht nur die Erinnerung, sondern auch nachhaltig, vielmehr endgültig das Bewusstsein zu verlieren. Sie hoffte inständig, dass sie am nächsten Tag das Sammeln nicht vergessen haben würde.

Das Fenster am Ende des Stationsflures ließ sich glücklicherweise öffnen. Er lehnte sich hinaus, so weit es ging, um Sauerstoff in seine Lungen zu lassen. Er hatte sich gefühlt wie in einem Aquarium, gegen dessen Scheibe er ständig schwamm, und je tiefer er in die Sache hinabgetaucht war, umso höher war der Druck geworden.

Die junge Ärztin hatte ihn gehörig durcheinandergebracht. Emotionen. Nun ja. Die Frau hatte gut reden mit ihrer russischen Seele. Man konnte es auch übertreiben mit den Emotionen, und er war sich gar nicht sicher, ob er seiner Frau damit überhaupt einen Gefallen tat. Sicher, sie hatte früher schon darunter gelitten, nicht an die Grenze ihrer Möglichkeiten gehen zu können, aber dann gleich Gefühle? Sie würde ihn zudem nicht wiedererkennen, und das war das Letzte, was er wollte.

Er zermarterte sich das Hirn. Es musste noch einen anderen, besser geeigneten Weg geben. Das war der Kernansatz jeglicher Forschung, und wenn es ein Feuer in ihm gab, eine Leidenschaft, eine Liebe, ein Unverzagtsein, dann brannte es in der Wissenschaft.

Unten schienen Leute zu demonstrieren. Auf einem Banner las er »Amnesie International«. Oh, Gott. Er schloss die

Augen und versuchte, sich zu konzentrieren. Nein, er würde es individuell gestalten, sich erst einmal technischer Hilfsmittel bedienen, denn sie brauchte Fakten für die möglichst schnelle und effektive Gesamtbeurteilung der Lage, befand er.

Noch am selben Tage kümmerte er sich um Notebook und Internetanschluss und fuhr ins Hotel, wo das »Bordpersonal« noch eingecheckt war, um sich Sorgen um die Lage der Nation zu machen unter besonderer Berücksichtigung des Fortbestands der eigenen Ämter.

Von der Systematisierung des Alltags

Wenn man sich morgens bereits vorkam wie um Jahre gealtert, so sprach das nicht gerade für die Nacht, die hinter einem lag, dachte sie. Dabei hatte sie doch eigentlich sehr gut geschlafen, sogar etwas länger als gewöhnlich. Das tat sie gern. Es waren wohl eher die Dinge, die sich um sie herum gerade so rasant veränderten, der Wandel, ein Stück Geschichte, das sie jetzt mitgestalten durfte, und das alles – das musste man einmal klar sagen – konnte einem auch physisch so einiges abverlangen.

Sie schlug die Augen auf: weiße, harte Bettwäsche, mintgrünes Licht, das durch dunkelgrüne Vorhänge schimmerte, klappernde Türen draußen auf dem Flur, ihr Mann in einem Sessel neben ihrem Bett. Er griff nach ihrer Hand, was sie beruhigte, denn der Blick in ein vertrautes Gesicht gab dem neuen Tag etwas Gutes, verlieh einem die Zuversicht, dass man nicht allein auf der Welt war, auch wenn man sich so fühlte. Doch wenn das vertraute Gesicht in einem Sessel neben dem Bett saß und nicht auf Augenhöhe in selbigem lag, stimmte etwas nicht, stimmte etwas ganz und gar nicht.

»Was machst du denn da im Sessel? Welcher Tag ist heute? Bin ich krank? Mein Gott, siehst du alt aus! Wer von uns ist krank um Himmels willen? Sag mir die Wahrheit, bitte!«

Sie richtete sich auf, saß jetzt senkrecht im Bett wie jeden

Morgen und fuhr sich durch die Haare. »Hat das mit dem Demokratischen Aufbruch nicht geklappt? Was ist hier los? Ich hab so dicke Haare!« Sie schlug die Bettdecke zurück, schaute an sich hinunter, wie um sich zu vergewissern, dass sie körperlich unversehrt war. Dann fasste sie sich erneut an den Kopf. »Was ist mit meinen Haaren? Was stimmt hier nicht?«

Dass sich Frauen Gedanken um ihre Haare machten, hatte an sich nichts Beunruhigendes, in diesem Fall jedoch sehr wohl. »Es hat alles seine Ordnung, Liebes.«

»Auf welcher Station sind wir hier? Geht es dir gut?« Sie schaute erst ihn an und dann nochmals an sich hinunter, bemerkte den Ring an ihrem Finger. »Mein Gott, seit wann sind wir denn verheiratet?«

Er war es so leid. Jeden Morgen dieselbe enttäuschte Hoffnung, dass sich ein kleines, verheißungsvolles Erinnerungsfenster aufgetan haben könnte, das ihre Reaktionen weniger drastisch ausfallen ließ ... Also nahm er wieder ihre beiden Hände, legte sie in ihren Schoß und seine darauf: »Du musst jetzt stark sein, Liebes.«

»Die Stasi! Der KGB?«

»Nein, Omsk.« Er hatte sich angewöhnt, schnell zu sprechen, um möglichst viele Informationen in eine Sprechphase zu legen. Der Tag war kurz. Sie wusste nicht, was er meinte, fragte, ob ihm nicht wohl sei, und er fuhr schnell fort: »Du hattest vor einigen Tagen einen Unfall während unseres Urlaubs in Sibirien. Dort ist dir ein altes Bahnhofsschild auf den Kopf gefallen, in Omsk eben, und seitdem hast du dein Gedächtnis verloren. Ansonsten bist du kerngesund, du kannst dich bloß nicht an die letzten zwanzig Jahre erinnern. Aber das kriegen wir hin.«

Er hätte nie gedacht, wie schäbig und gleichzeitig geradezu lächerlich man sich vorkommen konnte, wenn man einfach nur die nackte Wahrheit sagte. Aber das Leben konnte eben wahrhaft tragisch sein, man musste nur einmal nach Sibirien reisen, und mit ein wenig Pech machte einem der Zufall einen gehörigen Strich durch die Rechnung. Ein Nagel, vielleicht war es nur ein einziger verdammter rostiger sibirischer Nagel gewesen.

Er sah sie an, merkte, wie sich ihre Stirn bereits in Falten gelegt hatte, wie der Überdruck langsam zuzunehmen schien, und schloss das Fenster, falls ein Schrei kommen sollte. Er würde das alles nicht mehr lange durchstehen können.

Doch eine kleine Hoffnung gab es, denn an diesem Tage würde er die Dinge in die Hand nehmen, nichts mehr einfach so geschehen lassen, die Abläufe etwas systematisieren. Dadurch würde er die Lage auch für sich selbst erträglicher machen, und zwar höchst offiziell mit Genehmigung ihres Arbeitgebers. Er klappte das Notebook auf, fuhr es hoch, nutzte ihre noch anhaltende Sprachlosigkeit – er kannte diese Phase ja bereits – und startete den Podcast.

Es war erstaunlich, wie gut man ihren innerparteilichen Werdegang auf fünf Minuten komprimieren konnte, sie hatte durchaus Kollegen, bei denen man einen langatmigen Vorspann gebraucht hätte. Da mochte man bei ihr fast schon ein wenig nachdenklich werden. Darüber hinaus beschlich ihn ein gewisses Bedauern darüber, dass dieser Schnelldurchlauf all die schönen, unauffälligen Momente ausließ, die ein Leben ausmachten: die spannenden Gedanken, wohlgehüteten Geheimnisse, die kleinen, intimen Freuden und die Albträume, die nur sie kannte. Sie hatte all das vorerst verloren. Und dass sie noch nicht einmal ahnte, was sie eigentlich vermissen und betrauern sollte, war geradezu fatal. Sie war im wahrsten Sinne des Wortes untröstlich.

In diesem Krankenzimmer war aber auch gar nichts,

das die Erinnerung in ihr hätte hervorlocken können: kein buntes Sammelsurium, Krimskrams, wie man ihn in den Winkeln alter Weichholzmöbelschränke findet, Kranichfedern aus Tagen, in denen der Urlaub noch Urlaub war, Ansichtskarten aus dem Westen, Weihnachtskugeln mit dem russischen Präsidenten mit Fellmütze auf einem Schlitten, Fotos mit alten Gitarren auf jungen Beinen, Rummelplatzplastikröschen, Schlüssel mit gelben, unbeschrifteten Plastikanhängern, die in kein Schloss mehr passten.

Doch die Aussparung all dieser Dinge, die sie vielleicht auch gar nicht besaß, waren der Sache womöglich sogar dienlich, um sie auf das Wesentliche zu bringen, um nicht allzu viel Wehmut aufkommen zu lassen.

Er betrachtete zufrieden das, was sich da gerade auf dem Bildschirm des Notebooks tat. Mit diesem Podcast hatten Büroleiterin und Pressesprecher ganze Arbeit geleistet. Die Erstellung einer exakten Vierundzwanzig-Stunden-Programmierung der eigenen Chefin war eine durchaus reizvolle Aufgabe, die sich wahrscheinlich auch in anderen Branchen so manche Büroleiterin und so mancher Pressesprecher gewünscht hätten.

Doch die Chefin verlor sich zunächst einmal darin, starrte ungläubig auf die Frau in den bunten Blazern mit den weißen Knöpfen, kam sich vor wie auf hoher See, kurz bevor die inneren Gleichgewichtsorgane gegen das rebellieren, was die Augen sehen. Es war wie in einem Film von Stanley Kubrick und doch ganz offenbar die Realität.

Ungefähr dreißig Sekunden lang ging es gut mit ihr: »Nun, das ist ja sehr interessant. Das wird nicht einfach, aber man muss ja nicht aus jeder Herausforderung gleich eine Krise machen. Es gibt durchaus Schlimmeres. Oder?« Es reichte dann noch zu einem knappen »Was jetzt ist, das ist jetzt eben«, aber dann kamen die Emotionen, kämpften sich in ihr nach oben wie eine Meute Guerillakämpfer mit ADHS. Ihr Mund öffnete sich und entsandte einen lauten, hysterischen Schrei aus der Tiefe des Unterbewussten. Er war klar und kräftig, variierte in der Tonlage, wollte vor allem nicht mehr aufhören.

Herr Bodega steckte den Kopf ins Zimmer: »Entschuldigung, alles in Ordnung hier?«

»Ja, keine Sorge, meine Frau bringt gerade ihr Amt zur Welt.«

»Ach so.« Die Tür schloss sich wieder.

Er kniff sie in den Oberarm, um das zu stoppen, was da so unüberhörbar aus ihr herauskam. Er hatte sie vor Omsk nie schreien gehört. Es war ein Laut, den er an ihr nicht kannte. Beachtlich, dachte er in der Verzweiflung des Moments, früher hatte er sie kneifen müssen, damit sie überhaupt etwas sagte. Sie holte ein letztes Mal tief Luft und schloss den Mund, ihre Gesichtszüge entspannten sich, sie wirkte geradezu befreit. Der Kehlkopf hatte offenbar ganze Arbeit geleistet und mit dem Schrei noch allerhand andere Dinge an die Luft befördert. Er ging zum Fenster und öffnete beide Flügel weit. Ein Windzug ging durchs Zimmer.

»So, das hätten wir, Liebes. Fünfzehn Minuten insgesamt, das ist nicht schlecht. Was denkst du?«

»Gar nichts. Ich habe Angst.«

»Brauchst du nicht zu haben. Du bist Regierungschefin.«

»Ich bin völlig von der Rolle, huch, mein Herz klopft bis zum Hals.« Sie wurde stutzig: »Was hast du da gerade gesagt?«

»Was meinst du?«

»Na, das mit der Regierungschefin.«

»Liebes, das haben wir doch jetzt gerade alles mühevoll durchexerziert …«

»Ihr wollt mich tatsächlich wieder hinausschicken? Ins Land? Das kommt nicht infrage!«

»Hast du etwa eine andere Idee? Die haben keinen anderen Kandidaten, setzen ihr ganzes Vertrauen in dich, und die Legislaturperiode ist ja nicht mehr lang.«

»Nein. Das ist ein Fehler, die reinste Fahrlässigkeit.«

»Egal, was du auch machst, sie werden einen Fehler daraus machen, glaube mir. Denk doch auch einmal ein bisschen an die Partei, an das Land, dein Vermächtnis, an den, nun ja, demokratischen Aufbruch, sozial und ökologisch.«

»Und wer denkt an mich? Woran soll ich mich denn orientieren? An den Duftspuren meiner Vorgänger, wie eine instinktgesteuerte Fruchtfliege?«

»Liebes, du musst es jetzt nur wollen, du musst dein Herz über die Hürde werfen.«

»Was soll ich?«

Er schüttelte den Kopf, begann nochmals von vorn: »Kannst du dir etwas anderes vorstellen? Willst du Patchworkdecken nähen oder ohne Kamerateams in die Forschung gehen?«

»Nein?« Sie war sich nicht ganz sicher.

»Siehst du. Du musst jetzt so normal wie möglich weiterleben, einfach leben. Nur so kannst du deinem Gedächtnis auf die Sprünge helfen.«

»Das verstehst du unter normal?« Sie klopfte mit den Fingern auf den Bildschirm, in dem eben noch ihr Ebenbild eine Koalitionsvereinbarung unterschrieben hatte, bevor ihr ein Blumenstrauß die Sicht nahm. »Du konfrontierst mich hier mit vollendeten Tatsachen!«

»Das haben Tatsachen so an sich, Liebes, und vor allem sind es ja auch deine, ob sie dir nun gefallen oder nicht. Wer große Herausforderungen bewältigen will, muss die Wahrheit in den Tatsachen suchen.«

Sie guckte ein wenig pikiert.

Nein, er musste es anders versuchen: »Sieh mal, du bist kein klassisches Parteigewächs, schon damals hat man dich als Garantin für einen Neuanfang gesehen. Und jetzt ist das eben wieder so. Nur eben anders.«

»Na, toll. Soll ich es halten wie Clint Eastwood? Ich reite in die Stadt, und alles andere ergibt sich?«

Er unternahm einen letzten Versuch: »Verstehst du denn nicht, du bist gerade mittendrin in der Politik wie die Spinne im Netz, und das nicht nur für eine Übergangsphase, wie so viele Parteipatriarchen das damals angenommen haben, eine Frau halt mal. Ist dir klar, dass du Konrad Adenauer an Amtsjahren noch übertreffen kannst – als Frau halt mal?«

»Was ist bloß aus dem Aufbruch geworden?«

Gute Frage eigentlich. Doch er verstummte, denn im selben Augenblick wurde ihm klar, dass die Mühen seiner Argumentation an diesem Tage greifen, aber am nächsten bereits Schall und Rauch sein würden. Er musste zum Punkt kommen, damit dem Rest des Tagesprogramms nichts mehr im Wege stand: »Liebes, da ist noch etwas. Wir werden dir das alles jeden Morgen neu sagen müssen ...«

Als er zu Ende gesprochen hatte, kam der Schrei wieder und mit ihm die Angst, sie könne hyperventilierend zusammenbrechen. Das war ihm eindeutig alles zu anstrengend. Auch wenn es mit einer begleitenden professionellen Therapie mit der Zeit einfacher werden könnte, so würde er diesen letzten Teil der Aufklärungsarbeit mit in den Podcast einbauen lassen. Sollten ihr das doch die anderen beibringen.

Er schaute sorgenvoll auf die Uhr: Vierzig Minuten insgesamt, sie lagen jetzt schon nicht mehr so gut in der Zeit, und sie war noch nicht einmal angezogen und geföhnt.

Sie öffnete den Schrank, in dem sie Garderobe vermutete, nahm eine seltsam kurz geratene Hose, helle Sportschuhe, Pulli und eine praktische Windjacke heraus, stellte erstaunt fest, dass ihr das alles tatsächlich passte, und rannte an Herrn Bodega vorbei auf den Flur. Sie lief, lief schneller, die Aufzüge konnten doch nicht mehr weit entfernt sein. Zur Not würde sie die Treppen nehmen, dann, ohne zu überlegen, auf die nächstbeste stark befahrene Straße laufen und sich vor ein großes russisches Auto werfen. Vielleicht gab es ja auch einen nicht gesicherten Bahnübergang in fußläufiger Entfernung.

Ein Pflegerteam kam ihr entgegen wie ein Sondereinsatzkommando, eine einzige weiße Wand. Sie machte einen spontanen Schlenker nach rechts, rannte weiter, konnte nichts lesen von dem, was da auf den Türen stand, obwohl sie doch eigentlich des Russischen mächtig war. Bevor sie sich gedanklich näher damit beschäftigte, nahm sie die erstbeste Tür und schloss sie hinter sich.

Sie hörte Schritte auf dem Korridor, man war hinter ihr her, und sehr weit würde sie hier wohl nicht kommen. Was, wenn das alles eine gigantische Verschwörung war? Wenn das Regime sich in letzter Minute doch noch aller demokratischen Querköpfe bemächtigt hatte und sie jetzt einer gründlichen Gehirnwäsche unterzog? Hatte ihr Mann nicht gesagt, man habe kaum noch Kandidaten für das Amt? Allesamt weg! Ruhiggestellt, ersetzt durch diese neuen, lächelnden Randlosbrillenträger. Was für eine perfide Rache des Regimes!

Das wurde ihr jetzt alles etwas zu unheimlich. Aber sie konnte auch nicht einfach auf die Straße unter die Leute gehen und fragen: Sehe ich so aus wie Ihre Regierungschefin? Außerdem war dies hier Moskau. Wer würde sie hier schon erkennen?

»Sind Sie die Frau, die ein Land regiert und es vergaß?«

Sie schleuderte ihren Kopf herum und wurde sich bewusst, dass sie einfach nur von einem Krankenzimmer in ein anderes gestürzt war.

Im Bett lag eine alte Frau, die sie zu sich herüberwinkte: »Haben Sie keine Angst, kommen Sie näher. Amnesie ist nicht ansteckend. Die Ärztin hat mir Ihre Geschichte gerade erst erzählt. Keine Sorge, ich werde das alles gleich wieder vergessen haben. Mein Gedächtnis hält nicht länger als zwei Stunden. Medizinisch bin ich ein hoffnungsloser Fall.«

Sie hatte sich trotz ihres offenbar hohen Alters erstaunlich gut gehalten, und sie besaß bemerkenswert funkelnde Augen, denen nichts zu entgehen schien.

»Genießen Sie jede Sekunde, in der Sie wissen, wer Sie sind. Befassen Sie sich nicht allzu sehr mit den vergangenen Dingen, sie lasten auf unseren gegenwärtigen Unternehmungen und ersticken sie im Keim. Jetzt sollte Ihnen Ihr Leben erst mal Spaß machen, und dabei belassen Sie es einfach. Seien Sie doch um Himmels willen nicht so misstrauisch, Kindchen. Sie haben einen ganzen Tag! Was wollen Sie mehr?«

Sie suchte nach Kameras, ihre Augen huschten durch den Raum. War das hier eine erste Versuchsanordnung? Und dennoch: Diese alte Frau hatte etwas, das sie schon aus rein naturwissenschaftlicher Sicht bemerkenswert machte. Reichte ihr Gedächtnis wirklich nur für zwei Stunden?

Sie musste der Sache auf den Grund gehen. »Was ist positiv daran, wenn man sein Dasein immer wieder neu infrage stellen muss?«

»Durch diese Eigenschaft unterscheidet sich der Mensch von allen anderen Lebewesen, nicht wahr? Aber irgendwann beachtet man sie nicht mehr. Die Natur scheint da eine Selbstregulierung eingebaut zu haben. Schade eigentlich.«

»Was soll das heißen?«

Die alte Frau schaute auf ihre Armbanduhr und schien zu überprüfen, wie viel Zeit ihr noch blieb: »Nun, wie wichtig ist eine gelebte Sekunde im Vergleich zur Vergangenheit? Nehmen Sie mich: Das Letzte, das ich verlässlich aus meinem Langzeitgedächtnis abrufen kann, ist, dass ich im Jahre 2006 im Fitzwilliam Museum im englischen Cambridge über meine Schnürsenkel stolperte. Ich verlor das Gleichgewicht, stürzte ein paar Stufen der Museumstreppe hinab, landete auf dem Kopf, aber eben auch auf einer Gruppe orientalischer Qing-Vasen aus der Dynastie des Kaisers Kangxi. Sehen Sie, diese drei kostbaren Vasen hatten seit vierzig Jahren an ihrem Platz verharrt, bis ich unerwartet auf sie einstürzte und somit ihre historische Existenz in weniger als zwei Sekunden in mehr als vierhundert Einzelteile zerlegte. So kann das gehen mit der Vergangenheit. Aber in der Gegenwart, da hat's ordentlich gerumpelt, kann ich Ihnen sagen. Eine unachtsame Bewegung bringt das ganze Spiel in Gang! Ich habe damit so einiges bewegt, meine Liebe, und zwar innerhalb einer Sekunde. Das Museum kam endlich in die Schlagzeilen, und die Restauratoren hatten noch auf Jahre hinaus mit der Wiederherstellung der Artefakte zu tun, ein durchaus lukrativer Auftrag, wenn ich das bemerken darf.«

»Wer sind Sie?«

»Nun, wie gesagt, da bin ich mir selbst nicht so sicher. Aber immerhin habe ich ein paar Spuren hinterlassen.« Sie schaute etwas verlegen, bevor sich ihre Miene wieder aufhellte: »Wissen Sie, wer nichts vergisst oder vergessen kann, ist eine arme Socke. Und Sie? Wer sind Sie überhaupt? Was tun Sie in meinem Schlafzimmer? Wo bin ich? Wollen Sie mit mir frühstücken?«

Die zwei Stunden waren jetzt offensichtlich um, und irgendwo in ihrem Inneren musste sich die Sanduhr wieder auf den Kopf gestellt haben.

Sie nickte der alten Frau leicht zu, lächelte und verließ das Zimmer so unbemerkt, wie sie gekommen war.

Unweit davon gab es einen kleinen Waschraum. Sie ging hinein, lehnte sich über das Waschbecken und sah in den Spiegel. Warum um Himmels willen war ihr jetzt zum Lachen zumute? Die Lage, in der sie sich befand, war tragisch genug. Aber das Vergessen hatte tatsächlich eine positive Seite: Es brachte Erleichterung, und man hatte immer wieder das Gefühl, als sei das Leben nichts weiter als ein gut erzählter Witz. Ja, vielleicht waren die Erinnerungen der letzten Zeit ja wirklich entbehrlich, womöglich sogar hinderlich für ihr Amt, nichts weiter als ein Flickenteppich aus Fakten und einer Menge Halbwahrheiten, durchwirkt mit Verdrehungen und Verdrängungen, die sie nur zu einer Wiederholungstäterin wider Willen machten?

Zugegeben, sich jeden Tag neu zu definieren war eigentlich eine Unmöglichkeit. Es war fatal, wenn das Schlafzimmer jede Nacht zu einem Ort des Vergessens mutierte. Aber wenn sie ehrlich war, war das auch früher schon ein wenig so gewesen. Vor allem galt eines: Sie liebte schwierige Aufgaben, die sie knacken konnte wie einen Code. Es schien zudem viel im Argen zu liegen, so weit sie das in der Kürze der Zeit diesem Filmchen über sich hatte entnehmen können. Doch was am meisten zählte, war die Tatsache, dass der Kampf gegen die Amnesie die größtmögliche Herausforderung darstellte. Genau die war ihr gerade recht, genau die wollte sie bewältigen. Sie allein. Je vielfältiger die Begründungen für ein Scheitern waren, umso hartnäckiger war der Wunsch, es trotzdem zu versuchen. Der Tunnelblick schien wiederzukommen, getrieben von Mächten, über die sie lieber nicht nachdachte.

Sie zog die Wetterjacke wieder aus und stopfte sie in einen Wäschebeutel neben dem Becken.

Eine einzige Sache an dem ganzen prekären Umstand war zudem bestechend einfach: Was immer sie sagen und tun würde, niemand konnte ihr daraus wirklich einen Vorwurf machen, und wenn doch, dann würde sie ihn am nächsten Tag wieder vergessen haben. Es gab Schlimmeres. Und es würde nicht auffallen in der Politik.

Sie suchte nach einem Stift. Diese Sicht der Dinge musste sie sich direkt aufschreiben, um sie bei passender Gelegenheit zu rekapitulieren. Gegen das Vergessen anzuschreiben war natürlich die Lösung, damit war sie autark. Warum hatte sie nicht gleich daran gedacht? Ihr Kampfgeist war wieder da.

Sie ertastete einen Kugelschreiber in ihrer Hosentasche, nahm sich ein Papiertuch aus dem Spender. Und wartete lange auf den ersten Buchstaben. Er wollte nicht kommen, er wollte einfach nicht kommen. Alles war bereit, nur der Westwind nicht.

Le point perdu

Alle hatten gewusst, dass es früher oder später so kommen würde, und es wäre müßig, einfach über die Sommerpause hinaus auf Besserung zu warten. Wenn das Land rief, hatte das Oberhaupt zu folgen – mit oder ohne intaktem Hippocampus. Das alles würde, so hatte man ihm versichert, rein äußerlich mit einer fast schon lakonischen Reibungslosigkeit vonstatten gehen. Der Betreuungsapparat im Hintergrund würde wie immer enorm sein – überlasse nichts dem Zufall. Schließlich sollte es nichts weiter als eine improvisierte Kurzinbetriebnahme sein, man würde sie lediglich über die Bühne gehen lassen, auch wenn – das musste man zugeben – die männliche Besetzung dieses Mal nicht ganz unanstrengend war. Es sei »nur« ein außenpolitischer Arbeitstermin und somit immerhin eine gute Einstiegsübung, denn die Außen- liege ihr nun einmal mehr als die Innenpolitik.

Er hatte den Hörer wieder in die Gabel gelegt und versucht, sich ihr gegenüber vorerst nichts anmerken zu lassen, fuhr zunächst einmal fort in dem, was er gerade getan hatte und las ihr das Ende von Seite dreihundertneununddreißig vor: *»Es konnte kein anderer sein. Er saß auf einem grauen arabischen Pferd von außerordentlich edler Rasse, auf einer karmesinroten, goldgestickten Schabracke und ritt Galopp; er trug einen kleinen Hut, über der Schulter das Band des*

Andreasordens, einen offen stehenden blauen Uniformrock und darunter eine weiße Weste.«

Er schlug das Buch zu. »Liebes, wir müssen packen. Es geht los.«

Die Nachricht war – typisch für ihn – schnell und unerwartet gekommen. Seine Vorauskommandos waren bereits da gewesen, das Außenministerium hatte die ersten Mitarbeiter aus dem Urlaub zurückgerufen, und der MAV war außer sich: »Mitten in der Sommerpause, was denkt der sich? Wir werden weder Brüssel noch die Bevölkerung damit erreichen. Im August zwängen sich doch nur die vor die Kamera, die es nötig haben!«

»Das ist es ja gerade. Er wird sich etwas einsam fühlen, im August ist sein Land noch ausgestorbener als unseres, alle Kameraleute und Fotografen sind en vacances. Ihm wird ein wenig das Spiegelbild fehlen.« Die Büroleiterin legte ihr Handy für zwei Minuten aus der Hand und fuhr fort: »Kommen Sie, es ist lediglich ein Arbeitsbesuch, ein gemeinsamer Gang durch den Park, von irgendwoher nach irgendwohin und dann wieder zurück, ein Glas Wasser auf der Terrasse und ein Speisezimmertermin. Wir können ihm unmöglich ein zweites Mal absagen. Haben wir geeignetes, aktuelles Filmmaterial für morgen früh?«

Sie blickte zum Regierungssprecher hinüber, der bereits seinen ersten beruflichen Albtraum auf sich zukommen sah. »Nun, wir führen ihr einfach seinen letzten Besuch vor. Dann kann sie mühelos alles so übernehmen, und als Hintergrundinformationen liefern wir ihr die Eurokrisen der letzten zwei Jahre und den Zusammenbruch der griechischen Staatskassen.« Er schaute triumphierend in die Runde, als sei das Problem dadurch bereits gelöst. Doch die Problembewältigerin der Probleme befand sich selbst in keinem ganz unproblematischem Zustand. Eine Priorisierung der Probleme war äußerst problematisch geworden.

Die Außenwelt rollte schall- und schusssicher an ihr vorüber, als sie dorthin fuhren, wo sie ihr Büro vermutete. Sie hatte am Morgen dieses Tages bereits zwei Stunden vor einem Notebook verbringen müssen und diesem doch recht beunruhigende Inhalte über sich und die Welt entnommen. Dann hatte sich eine Stunde »Gedächtnis-Ambulanz« mit Dimitrij, einem russischen Therapeuten, angeschlossen, der sie offenbar bereits in der Klinik behandelt hatte und mittlerweile zum engsten Kreis der »Eingeweihten« gehörte. Doch was auch immer jetzt auf sie zukam: Jammern würde sie deswegen nicht und heulen schon gar nicht.

Sie legte die Akten, die sie für die Fotografen dabei haben sollte, auf den Schoß und schaute hinaus auf die Stadt, kam sich vor wie eine Touristin mit Eskortservice. Ablenkung verschaffte ihr das dennoch nicht, denn bei all den beklemmenden Gefühlen, die sie überkamen, wusste sie in diesem Moment wirklich nicht, über was sie mehr erschüttert sein sollte: über den Ratschlag des jungen Russen, an jedem Tag »das Unbewusste, also ihre Gefühle, aus den Tiefen ihrer Seele zu holen«, da ihr das Brett ja schließlich nur auf den Kopf und nicht auf den Bauch gefallen sei, oder über den Umstand, dass das Regierungsoberhaupt, das sie gleich treffen würde, fast noch beunruhigender auf sie gewirkt hatte als sie selbst im morgendlichen Film.

Im Grunde hatte sie mit ihrer eigenen Person wirklich schon genug zu tun: Man hatte ihr Beweise vorgelegt, ihr das Leben erzählt, aber die Frau in diesem Podcast am Morgen war seltsam unlebendig geblieben. Sie hatte den Bildschirm hin und her geneigt, um alles genau zu sehen, wie eine Sportlerin, die sich vor der nächsten Trainingsphase ihre eigenen Bewegungsabläufe noch einmal visualisieren lässt. So richtig lebendig hatte sie nicht gewirkt beim Thema »Intelligent sparen, zukunftsorientiert investieren«, um »Brücken über das tiefe Tal der Konjunktur zu bauen«. Offenbar hatte sie bereits vor Omsk eine gewisse Vorhersehbarkeit und Unbestimmtheit, eine themenunabhängige Traurigkeit in ihre Worte gelegt. Kurzum, der Funke war einfach nicht übergesprungen, genauso gut hätte sie als Museumsdirektorin über die Ausstellungsfähigkeit von Schrumpfköpfen referieren können. Nein, diese Frau da auf dem Bildschirm sprach offensichtlich nur einen Bruchteil dessen aus, was sie eigentlich gern gesagt hätte, und bis auf die Bewegung ihrer Mundwinkel hatte sie keinen Hinweis auf ihre Befindlichkeit feststellen können. Dabei hatte sie doch gedacht, sie würde sich selbst am besten kennen.

Auf eine seltsam beruhigende Art hatte man ihr versichert, dass es inzwischen weit über hundert dieser Filme mit ihr gab, die man jeweils als »Gebrauchsanweisung für den Tag« einzusetzen gedenke, was sie wiederum ganz und gar nicht beruhigend gefunden hatte.

Auch mit der Gestik würde sie Schwierigkeiten haben. Es wirkte alles ein wenig wie Haltungsturnen, fand sie – dieses Fach hatte sie in der Schule gehasst – und nun schien sie es sogar professionell zu betreiben. Die Tai-Chi-Übung mit den vor dem Körper zusammengeführten Fingerspitzen beispielsweise konnte sie noch so oft üben, sie bekam sie einfach nicht mehr hin. Nein, ihr Chi wollte sich offenbar nicht unter Kontrolle halten lassen. Sie war sich selbst abhanden gekommen.

Das Regierungsgebäude kam in Sicht. Es verdiente wirklich nicht das angestaubte Wort »Amt« im Namen, so imposant und sachlich zugleich war es, so offen, so hell und so transparent wie wohl kein zweites auf der Welt. Mitten in der Stadt, direkt am Fluss, nach allen Seiten hin luftig, mit zarten Bäumchen, die aus dem Beton in den Himmel zu wachsen schienen. Nein, da konnte sie sich wahrhaft nicht beschweren: Das war ein Gebäude, das genau so aussah, wie sie sich fühlte – kein schnörkeliges Sanssoucis, eher ein aufgeklärtes Avecsoucis. Das passte zu ihr, sie war begeistert.

Sie sah das Parlament, die Glaskuppel, das Volk darin, und jetzt war da nichts, aber auch gar nichts mehr, das sie noch auf der Rückbank gehalten hätte. Es galt, diesen einen Tag mit wunderbaren Eindrücken zu füllen, auf dass diese irgendwie ihren Weg in die dafür vorgesehenen Hirnareale fanden. Und das hier war ein wunderbarer Eindruck. Sie dachte nicht mehr nach über den nächsten Schritt, sie tat ihn einfach, als ihr Fahrzeug an der roten Ampel hielt. Diese letzten Meter würde sie zu Fuß zurücklegen. Herr Bodega im Wagen dahinter, inzwischen vom Freizeit- zum Nonstop-Leibwächter aufgestiegen, kam so schnell gar nicht hinter ihr her.

Beinahe hätte sie die Wagenkolonne ihres Staatsgastes übersehen, die vor ihr und einigen anderen Leuten an der Fußgängerampel zum Stehen kam. Eine außerordentlich edle Limousine scherte aus, und die Scheibe fuhr herunter: »Bonjour, Madame. Ma chère, können wir disch vielleicht ein Stück mitnehmen? Isch nehme an, du willst dorthin, wo isch auch hin will?« Es konnte kein anderer sein. Er trug seine Frisur wie einen kleinen Helm, ein noch offen stehendes blaues Sakko und darunter ein weißes Hemd. Besser konnte man Verhandlungen über gemeinsame Ziele nicht eröffnen, fand sie, und sie stieg zu dem fremden Mann ins Auto. Herr Bodega ließ es fassungslos geschehen, denn er kannte den Mann.

Das gemeinsame Vorfahren und Aussteigen aus der Limousine mit dem kleinen Fähnchen brachte die Sicherheitsbeamten und das Protokoll an den Rand des Nervenzusammenbruchs, aber die Journalisten und Fotografen waren entzückt: ein genialer Schachzug der Regierungschefin. Hatte sie ihn bereits außerplanmäßig auswärts zum Frühstück getroffen? Nein, offenbar nicht, denn jetzt kamen die Bisous. Die Akten klemmten noch unter ihrem Arm, und sie konnte ihn deshalb nicht wie sonst auf Abstand halten, indem sie instinktiv ihre Hände gegen seine Schultern stemmte.

Er genoss das Blitzlichtgewitter, es war das reinste Morgentau-Getrete. Alles war irgendwie anders als sonst, aber das schien dem Gast, der sich wohl auch ständig irgendwie anders fühlte als noch im Augenblick zuvor, zu gefallen – endlich eine Umgebung, die mit ihm Schritt halten konnte.

Sie war aufgeregt. Dass dies ihrem Begleiter entging, lag vermutlich daran, dass er es selbst auch war, wenn auch vielleicht auf eine etwas grundsätzlichere Art und Weise als sie. Zunächst einmal war er offenbar mit sich selbst beschäftigt und schien keinen Verdacht zu schöpfen.

»Ma chère, warum warst du in Moskau, als Europa disch brauchte?«

»Nun, als ich das letzte Mal in Moskau war, wusste ich noch nicht einmal, dass mein Land mich braucht.«

Génial, auch hier gab es Parallelen, denn er hatte ebenfalls gewusst, dass sein Land ihn brauchte, lange bevor die Nation es wusste.

Sie wies ihm den Weg in das Gebäude, das sie nicht kannte, aber er. Man musste ihn nur laufen lassen und per Seitenblick unter Kontrolle halten. Er fand den Aufzug zur Terrasse und ließ ihr den Vortritt.

Auf dem Weg von der Terrasse ins Speisezimmer hatte man ihr in der Eile lediglich »1+3« ins Ohr geraunt, und sie fragte sich, was das bedeuten konnte: Aperitif und drei Gänge? Doch dann sah sie die anderen. Es waren viele, nämlich drei auf jeder Seite: allem Anschein nach Übersetzer, Berater, Europapolitik-Experten, allesamt eingeweiht in die Materie, wenn auch nicht so ganz in die derzeitige persönliche Disposition der Regierungschefin. Man nahm Platz.

Über den Gast hatte man ihr ganz eigentümliche Dinge erzählt. Er sei ein wenig speziell, eher das Gegenteil von ihr, und man müsse sich noch ein bisschen zusammenraufen. Momentan sei Zurückhaltung bei gleichzeitiger klarer Positionierung der nationalen Ziele angesagt.

Wie um Himmels willen sollte das gehen? Speziell war sie doch selbst schon, wenn auch anders. Zudem musste er ihr gegenüber einen gewaltigen, nämlich zwanzig Jahre umfassenden Wissensvorsprung haben. Sie kam also zu dem Schluss, dass ihr in Anbetracht dieser Tatsachen erst einmal nichts anderes übrig blieb, als ihm einfach zuzuhören, sich auf das Hier und Jetzt zu fokussieren und den eigentlichen Job der zweiten Liga, den Beratern am Tisch, zu überlassen – wenn auch ungern. Eh oui.

Der Flüsterübersetzerin neben sich hatte sie es zu verdanken, dass sie stets über ein paar Millisekunden verfügen konnte, bevor sie direkt auf ihn reagierte. Sie hätte zwar durchaus auf solche Dienste verzichten können, aber er reiste wohl stets mit Übersetzer, um die eigene Sprache nicht zu verlernen. Und sicher, auch sie war des Mandarin oder einiger Dialekte des Kaukasus nicht so mächtig. Man mochte es ein klein wenig verstehen.

Sie lehnte sich zurück und beobachtete ihn, denn wenn man eines Menschen Geist ergründen wollte, musste man nur darauf schauen, was er tat. Er schien unter dem Tisch mit den Beinen zu wippen, auf eine Art, die an ein entschärftes Tourette-Syndrom erinnerte, und sein Blick war, wie sollte man sagen, etwas volatil, inspizierte aus einem ihr unerklärlichen Grund jedes einzelne Tablett, das vom Servicepersonal an den Tisch getragen wurde. Die Gesichtszüge waren auf eine bemerkenswerte Art elastisch, wohl vom schnellen Wechsel der Mimik, nahm sie an. Nein, man konnte nicht sagen, dass es langweilig mit ihm gewesen wäre.

»Ma chère, warum hast du meine Briefe nicht beantwortet?«

Welche Briefe um Himmels willen? Schrieb man sich heutzutage noch Briefe und schickte sie mit Reitern über die Grenzanlagen? Sie schaute unsicher zum Wirtschaftsberater, der wiederum zum Pressesprecher schaute. Es half nichts: »Mon schär, ich lese Zeitung. C'est tout. Denn jedes Mal, wenn du einen Brief schreibst, steht er noch am selben Tag in der Presse, und dann denke ich mir, dass er nicht allein für mich bestimmt war.«

Man lächelte besänftigend über den Tisch. Sie griff nach dem Tellerchen mit der Butter, bevor der Gast, der noch mit seinem Brot spielte, eine Chance hatte.

Doch dann stellte dieser inmitten seines Redeflusses eine Frage politischen Inhalts: Wie denn aus ihrer Sicht die finanziellen Ungleichgewichte der rumänischen und bulgarischen Währungen zu bewerten seien.

Sie reichte ihm das Tellerchen: »Du beurre?« Zeit gewinnen. Es arbeitete in ihr. Waren die jetzt zwischenzeitlich der Europäischen Union beigetreten oder nicht? Und wie viel Euroländer gab es eigentlich?

»Nun, ich sage ganz klar, dies ist eine Herausforderung, der wir uns stellen müssen und die von unseren Währungsexperten aufs Genaueste, das heißt zügig und doch gründlich, analysiert werden muss, damit uns morgen nicht die Risiken von gestern einholen, n'est-ce pas?« Ihr Blick ging zu ihrem wirtschaftspolitischen Berater, der im Zustand steter, aber zurückhaltender inhaltlicher Hilfsbereitschaft neben ihr saß. »Nun, besonders erhellend war meine Antwort jetzt nicht, oder? Haben Sie dem noch etwas hinzuzufügen?« Ja, er hatte.

Der Gast hatte immer noch keinen Verdacht geschöpft, im Gegenteil, er wusste wohl diese bescheidene und doch ehrliche Antwort zu schätzen sowie insbesondere die uneitle, achtsame Geste, einem Dritten das Wort zu überlassen. Das hätte er auch gern gekonnt.

Sie konnte es nicht glauben. Es funktionierte tatsächlich. Dem Gast war offenbar an diesem Tag nicht besonders tiefgründig zumute. Ja, er hatte sogar eingangs erwähnt, dass er als Optimist stets nach vorne in den Tag schaue, statt selbstgrüblerisch zurückzublicken. Das kam ihr sehr entgegen. Und je länger sie sich mit ihm unterhielt, desto mehr hatte sie das Gefühl, in ihrer prekären Gedächtnislage nunmehr einen Gefährten gefunden zu haben, der sich offenbar ähnlich wie sie in mehr oder weniger kurzen Abständen neu erfinden musste. Er war ihr sympathisch, sie mochte ihn irgendwie. Das hätte sie gar nicht gedacht.

Sie wurde mutiger. Wie weit konnte sie gehen? Mit ihm mochte man sich nicht unbedingt über die Zukunft der Welt außerhalb seiner eigenen unterhalten, aber vielleicht über Tomaten? Eine Kommunikation, die allein eine soziale Funktion hatte und weniger bis gar keine inhaltliche, würde ihn sicher ein wenig beruhigen – und sie selbst wohl auch, so schwer ihr ein solches Konversationsniveau auch fallen mochte.

Als gratinierter Zander auf Tomatenmousse gereicht wurde, machte sie einen Vorstoß: »Die Tomate ist ein bemerkenswertes Nachtschattengewächs, ein rotes Wunder, nicht wahr? D'ailleurs, kennst du schon mein altes Schulküchenrezept für Tomatensoße, mon schär? «

Seine Miene hellte sich auf, die Augen groß, der Mund breit überdehnt. Sie schien mit der Tomate mitten in sein »Point perdu« gezielt zu haben. »Ma chère, weißt du eigentlich, dass misch das wirklich interessiert? Meine Gattin lässt kaum kochen, da sie kaum isst. Aber isch.« An diesem Tag schien er auf Themen, die »moins sérieuses« waren, durchaus ansprechbar zu sein, und sie mochte sich gar nicht vorstellen, über was er sich mit männlichen Staatsoberhäuptern nach Aperitif und Vorspeise sonst noch so unterhalten mochte. Männer wollten zwar die Welt verändern, aber nicht auch noch darüber reden, zumindest nicht im kleinen Kreis, wo es doch so viel nettere Themen gab. Es war ein einziger Zigarrenclub.

Sie neigte den Kopf zur Seite und flüsterte der Übersetzerin ins Ohr: »Nun, ich mache sie mit viel Zwiebeln, Schinkenschwarte und einer Mehlschwitze.« Das Wort »Mehlschwitze« bereitete in der Übersetzung geringfügige Schwierigkeiten, aber der Gast war begeistert.

»Schon seit unserer ersten Begegnung heute, ma chère, lerne isch ganz andere Seiten an disch kennen. Méhlschitzwe, c'est fameux, c'est intime. Weißt du, das tut auch mal gut, denn am Ende eines Tages weiß man in unserer Profession vor lauter Politik ja oft nischt mehr, wer Freund und wer Feind ist, n'est-ce pas?«

Sie spitzte den Mund: »Ich wusste es! Genau so geht es mir morgens!« Man hob die Gläser in der Gewissheit, eine historische Freundschaft neu zu besiegeln.

So ging es fort, draußen strich der Wind durch die angepflanzten Weiden, und die zwischenstaatliche Liebe schien erstmalig wieder richtig aufzuflammen. Und wo sonst vermochte man die Welt zu verändern, wenn nicht in der Küche dieses herrlichen, offenen neuen Gebäudes! Dort landeten am Ende die beiden Regierungsoberhäupter, samt einem halben Dutzend Fotografen.

Das Glockenspiel

Sie war schnell gewesen am nächsten Vormittag, hatte nur achtzig Minuten für die letzten zwanzig Jahre gebraucht. Zudem hatte man ihr an diesem Tag das aktuelle Kabinett mittels pappverstärkter kleiner Karten vorgestellt, die anschließend gemischt wurden und die sie sodann aufzudecken und zuzuordnen hatte – eine recht einfache Übung, wie sie fand. Mit ihrer eigenen Person verhielt es sich dagegen schwieriger, sie war immer noch verzweifelt auf der Suche nach ihrer eigenen Karte.

Doch bei aller Grübelei war da etwas, das ihr im Bauch kribbelte, das ihr unter den Fingernägeln juckte, und wenn sie sich von diesen Gefühlen leiten ließ, schien sie in einer verheißungsvollen Ecke ihrer Seele anzukommen, in der sie, so schien es ihr, auch vor zwanzig Jahren noch nicht gewesen war. Sicher, man musste sie ein wenig schubsen, wie man eben jemanden schubsen musste, der ohne gepackte Koffer plötzlich in ein fernes, unbekanntes Land reisen sollte. Doch aus dieser ihr bis dato unbekannten Ecke ihrer Seele wollte sie jetzt mal so richtig demokratisch aufbrechen. Einfach so. Ohne ein Morgen. An diesem einen Tag. Denn am nächsten würde sie wahrscheinlich alles schon wieder vergessen haben. Es war wie ein Spiel: Sie hatte nun mal nichts weiter als sich selbst – und das Spiel gegen sich selbst.

Mehr Zeit zur Muße blieb ihr nicht. Die Stylistin donnerte den Stecker in die Dose und warf den Föhn an. Heiße Luft, jede Menge heiße Luft plötzlich.

Sie hätte nicht allein in ihr Büro gefunden, aber ihre Büroleiterin machte ihrer Berufsbezeichnung auch wortwörtlich alle Ehre und manövrierte sie unauffällig schnellen, geschäftigen Schrittes über die Flure.

Man verlor keine Zeit: »Als Erstes haben wir heute die Morgenrunde, die machen wir jetzt immer etwas länger, Sie wissen schon, der kleine, eingeweihte Kreis. Hier können Sie so sein, wie Sie sind, wir wissen, was mit Ihnen los ist. Dann haben wir um 10.30 Uhr die erste Kabinettssitzung nach der Sommerpause, anschließend eine kurze Journalistenfragerunde in der Sky-Lobby vor Ihrem Büro für einen kurzen O-Ton.«

»Einen Oh-Ton?«

»Ja, Sie beschreiben kurz die Lage unter Berücksichtigung der jüngsten Vergangenheit und den sich daraus ergebenden Herausforderungen für die Zukunft. Das sagen wir Ihnen dann noch.«

»Hm. Und was steht sonst noch an?«

Die Büroleiterin balancierte einen Stapel Unterlagen kapriziös auf ihren Unterarmen. Sie musste jetzt noch mehr für ihre Chefin lesen als früher, ließ sich aber augenscheinlich nicht aus der Ruhe bringen: »Danach diverse Fraktions- und Beratertermine. Ab 18.00 Uhr dann Dimitrij mit dem Gedächtnistraining. Wir fahren noch den reduzierten Plan.« Ihr Termin-Stakkato schien ihr in Fleisch und Blut übergegangen zu sein, sie verzog keine Miene.

»Sind Sie echt?«

Die Büroleiterin ließ jetzt doch zwei Akten fallen. Sie fielen weich, man hörte es kaum. »Um Himmels willen, was wollen Sie denn damit sagen? Wir kennen uns schon seit Ewigkeiten!«

»Entschuldigung. Das war ein Witz.« Es tat ihr aufrichtig leid, sie brachte die Leute um sie herum wohl ein wenig aus dem Gleichgewicht. Und dennoch, es war so unendlich schwierig, sich jeden Tag aufs Neue sogenannten »Vertrauten« anzuvertrauen. Sicher, man musste Vertrauen schenken, um Vertraute zu haben, aber woher sollte sie wissen, ob diese Frau tatsächlich zum »kleinen Kreis« gehörte? Es gab so viele Realitäten, man konnte sich einfach nie sicher sein.

»Sagen Sie, was hat mich als Kind immer begeistert?«

Die Büroleiterin rollte mit den Augen. »O nein, das ist jetzt wohl der Zugangscode? Das werden Sie mich jetzt jeden Morgen fragen, nicht wahr?«

»Das weiß ich nicht. Kann sein. Nun sagen Se mal.«

»Das Lockern von Überwurfmuttern bei Dunlop-Fahrradventilen.«

Dies war eine äußerst beruhigende Antwort, aber man musste den Dingen auf den Grund gehen, letzte Vorbehalte aus dem Weg räumen, wenn Leute sagten, man könne sich ihnen anvertrauen. Also: »Und was konnte ich als Kind gar nicht?«

»Links und rechts auseinanderhalten.«

Auch das war nicht verkehrt, und es kam mit einer derart gelangweilten Selbstverständlichkeit, dass sie dieser Frau ein Stückchen kostbaren Glaubens schenkte und sich die Tür zum Büro aufhalten ließ.

Der MAV und der Regierungssprecher saßen bereits an dem großen schwarzen Besprechungstisch und wirkten etwas verloren. Es war still, und es war vorher wohl auch still gewesen. Im Auge des Orkans wurde offenbar nicht viel diskutiert. Als sie sich umblickte in diesem weiten Raum, entwich ihr ein: »Huch. Also. So modern, so viel Schwarz.« Sie ging zum Schreibtisch, tippte einen kleinen Globus an – »sogar die Ozeane sind da schwarz« – und steuerte dann auf das Gemälde hinter dem Schreibtisch zu. Den kannte sie, den Mann darauf. Sie strich mit der flachen Hand über die Unterkante des gemalten Sakkos und kratzte etwas daran. Dem MAV entwich ein »Vorsicht!«

»Sieht alles so aus, als würden sonst nur Männer hier arbeiten, nicht wahr?«

Die Herren grinsten und ruckelten ein wenig unbehaglich an ihren Krawatten, das konnte sie aus der Entfernung erkennen.

Auf dem Schreibtisch lag etwas einsam eine Unterschriftenmappe in tiefem Bordeauxrot mittig auf der Schreibunterlage, wie ausgemessen. Kollegen mochten eine ganze Batterie pfiffig bunter Briefbeschwerer oder neckische Kleinkunst auf dem Arbeitstisch haben, um allzu verdächtige Übersichtlichkeit ein wenig aufzulockern. Aber hier waren selbst die Auflockerungsgegenstände sehr übersichtlich, fand sie. War das tatsächlich ihr Schreibtisch? Ihr Büro? Sie tat einen Schritt zur Wand, klopfte dagegen. Massiv. Offenbar echt. Noch im Stehen klappte sie die Unterschriftenmappe auf und warf einen verstohlenen, seitlichen Blick hinein, als dürfe sie das eigentlich nicht. Ja, Unterschriften, an all die zu leistenden Unterschriften in ihrem Amt hatte sie noch gar nicht gedacht. Wie sollte das jetzt gehen?

Die Büroleiterin schien ihre Gedanken erraten zu haben und sprang ihr zu Hilfe: Eine Einladung zum Sternsingertreffen in vier Monaten liege obenauf, erklärte sie, danach ein Manager-Lunch in kleinem Kreis.

Sie schlug eine Seite zurück. Seltsam. Beide Schriftstücke ähnelten sich ganz frappant. Sie blätterte weiter.

»Eine Zusage für eine Tischrede anlässlich des diesjährigen Balls des Verbands der Steuerberater.«

Als sie sonst nichts mehr in der Mappe vorfand, wusste sie nicht, ob sie erleichtert aufatmen oder sich empören sollte. Lohnte sich dafür das Lesen- und Schreiben-Lernen? Es war ein etwas verlegener Moment.

»Sie sind zu weit oben für die kleinen Dinge, und es arbeiten zu viele Leute unter Ihnen.« Die Büroleiterin war schon einmal geschickter gewesen, das wurde ihr selbst jetzt auch klar: »Entschuldigung, das wissen Sie ja alles.« Und nochmals auf die Mappe zeigend: »Für die Unterschrift habe ich die Linien mit Bleistift vorgezogen. Sie müssen nur noch nachmalen.«

Sie wollte nicht. Nicht heute. Morgen wahrscheinlich auch nicht. Aber vielleicht gab es ja noch Spannenderes als eine Einladung an die heiligen drei Könige.

Sie kam hinüber zum Besprechungstisch in der anderen Hälfte des Büros, vorbei an drei überdimensional großen Schachfiguren, eine Dame und zwei Bauern. Sie lächelte aufmunternd in die Runde: »So, meine Herren. Man sagt mir, Sie seien eingeweiht, was immer das heißen mag. Also, ich weiß gar nichts. Nicht, wie man heutzutage ein Gesetz macht oder wie ein Ministerium funktioniert, geschweige denn, wie man vorschriftsmäßig regiert. Und nun sind Sie dran. Ich höre Ihnen zu.«

Schweigen. Der Minister guckte, als hätte er ihren letzten Satz zum ersten Mal gehört, kam zu sich und machte eine etwas improvisierte generöse Geste: »Das brauchen Sie jetzt nicht alles zu wissen. Das machen wir später. Vielleicht geht das ja auch alles so.«

Er versuchte zu lächeln, was ihm nicht so recht gelang, setzte stattdessen seine Brille ab, um diese mit einer Serviette zu putzen.

»Später machen?« Das alles behagte ihr ganz und gar nicht, wie konnte es auch, wenn man die noch zur Verfügung stehenden fünfzehn Stunden vor erneutem Gedächtnisverlust bedachte? Aber vielleicht war gerade das die Lösung an diesem einen flüchtigen Tage. Vielleicht musste sie tatsächlich neue Prioritäten setzen? Sie schaute zum Pressesprecher: »Nun, dann eben später. Haben Sie eine Idee, wie man Nichtwissen überzeugend und für alle Seiten zufriedenstellend ausdrückt?«

Der Regierungssprecher konnte perfekt und herzerwärmend lächeln: »Das lassen Sie mal meine Sorge sein, Chefin.«

Es kam Hoffnung in ihr auf: »Also, ich werde versuchen, mich so vernünftig zu verhalten, dass Sie möglichst wenig Ärger mit mir haben.«

Alle lachten. Niemand glaubte es. Doch momentan konnte man tatsächlich über kleinere Wissenslücken hinwegsehen, denn es galt, sich über höchst erquickliche Nachrichten zu freuen.

Der Regierungssprecher konnte die ihm auferlegte Zurückhaltung nun nicht länger im Zaum halten und donnerte wie ein alter Kartenspieler die Titelblätter der größten Tageszeitungen auf den großen Tisch: »Schauen Sie sich diese Bilder an, diese Presse, ist das nicht wunderbar? Und das am ersten Tag nach der Sommerpause! Frankreich wird begeistert sein, unser Land wird geradezu weniger kritisch sein!«

Sie versuchte, einen der schweren Besprechungsstühle auf dem stumpfen Teppichboden beiseitezuschieben, und stellte sich mit der Runde an den Tisch. Alle waren aufgestanden.

»Was mache ich da um Himmels willen?«

»Sie rühren eine Mehlschwitze an.«

»Und der Mann da im Vordergrund, der den Teig ausrollt?«

»Das ist Ihr gestriger Staatsgast.«

Sie zeigte auf das Nudelholz. »Warum macht der so etwas?«

»Nun, er wollte in der Küche eine möglichst flächendeckende Aufgabe wahrnehmen. Da haben wir ihm einfach das Teil da in die Hand gedrückt. Sie hatten viel Spaß miteinander. Und es war Ihre Idee!«

Sie roch an ihren Fingerkuppen. Knoblauch! Wenn man ganz genau hinroch, war da ein Rest von Knoblauch. Sie stand da und roch weiter, versuchte, einen Hauch Erinnerung zu erhaschen. Es funktionierte nicht, die Begeisterung blieb aus, sie ließ die Arme wieder sinken: »Ach. So. Und was steht da über den Bildern?«

Sie merkte sehr wohl, dass man untereinander verstohlene Blicke austauschte. Sie hätten ihr jetzt alles sagen können, das wusste sie. So sah komplette Auslieferug aus, aber sie durfte sich nichts anmerken lassen. Dies war ein Moment der Krise, aber sie hatte sich nun einmal vorgenommen, stärker denn je aus dieser hervorzugehen. Es war ein Experiment, nichts weiter als ein Experiment, und wenn sie es sich recht überlegte, war die ganze Politik ein einziges Experiment.

»Also, was steht denn da über den bunten Bildern? Sagen Se mal!«

Der MAV setzte seine Brille wieder auf und las vor: »Rezepte gegen die Krise« und »Die neue Pizza-Connection – sie rührt an, er rollt aus.«

Sie lächelte, war aber noch nicht vollends überzeugt: »Ja, aber das passt doch nicht zur Mehlschwitze, nicht war? Und Inhalte? Gab es denn gar keine Inhalte?«

Der Minister verlor jetzt doch langsam seine Contenance: »Nein, herrje, das tut doch alles nichts zur Sache. Ein paar Inhalte gab es vielleicht, soweit das möglich war, aber die werden nachher sowieso nach Belieben fragmentiert und verdreht. Was zählt, sind diese wunderbaren Bilder. Und die Schlagzeilen! Wer liest schon das Kleingedruckte! Und endlich mal kein Besuch ›in guter Atmosphäre‹, ›geprägt von beiderseitigem Verständnis‹ in ›entspannter Umgebung‹. Nein. Sie haben jetzt einen richtigen Kumpel in der europäischen Außenpolitik. Wurde auch Zeit. Ich sage nur: Küchentisch. Nudelholz. So läuft das. Pizza!« Beim letzten Wort schien er ins Grübeln zu kommen. »Wenngleich, und das muss ich tatsächlich kritisch anmerken, die ›Pizza-Connection‹ als Begriff ja schon besetzt ist. Mir persönlich liegt daran, das auch einmal zu sagen. Und da wir gerade dabei sind: Ich hege die ernsthafte Befürchtung, dass das irgendwelche ausgebufften Politprofis der Journaille wieder zu einer Keimzelle schwarz-grüner Fantasien machen, wie früher.« Und jetzt schien auch er verschollene Ecken seiner Seele zu entdecken, er wollte sich nicht mehr beruhigen: »Und dann auch noch überall diese rote Tomatensoße im Bild, ein ›rotes Wunder‹! Die drucken ja heute alles in Farbe! Ich sage Ihnen, das sieht alles verdächtig links aus. Wir müssen vorsichtiger sein! Mit diesem Staatsgast war das wohl gerade noch so möglich. Aber was machen wir das nächste Mal? Und wie konnten Sie sie an diesem Abend einen gelben Blazer tragen lassen? Hat denn keiner an Jamaika gedacht?«

Sie schaute zum Globus, dann wieder zurück. Welche Farbspielchen waren hier in den letzten Jahren nur gespielt worden? Sie hatte gehofft, diese Zeiten hinter sich gelassen zu haben. Sicher, die politische Landschaft schien bunter geworden zu sein, aber das machte die Sache wohl auch nicht einfacher.

Es kam noch zu einem erbitterten Wortgefecht innerhalb der personell ohnehin schon spärlich besetzten Morgenrunde, und man mochte sich nicht ausmalen, wie erst die Kabinettssitzung verlaufen würde.

Man hatte ihr gesagt, dass sich an diesem Tage die Kabinettsmitglieder trafen, weil es in der vorherigen Woche keine Sitzung gegeben hatte und es in der nächsten Woche keine geben werde. Und weil jetzt etwas entschieden werden müsse.

Als sie eintrat, saßen alle schon da, in der Tafelrunde, mit raumgreifend vor sich ausgebreiteten Dokumenten und beim jovialen gegenseitigen Einschenken diverser Getränke, bemüht um Heiterkeit und Kooperationsbereitschaft zumindest in Bewirtungsfragen. Locker, ganz locker, sich zurücklehnend und wippend im schwarzen Leder. Arme, die sich von hinten kollegial um Schultern legten, kaum ergraute Köpfe, die sich wie fürs Foto einander zuneigten. Auch sie neigte den Kopf leicht schräg, aber das Bild, das sich ihr bot, blieb schräg. Mein Gott, dachte sie, das sind sie nun, meine Kabinettsmitglieder.

Lächeln, sie versuchte zu lächeln, wohl wissend, dass das menschliche Gehirn echtes von unechtem Lächeln nicht unterscheiden kann und dass dies im Zweifelsfall nicht nur für die Anwesenden, sondern auch für sie selbst durchaus stimmungshebend sein konnte. Sie kam als Letzte, weil das eben so war, und musste außen um sie herumgehen, sah nur Hinterköpfe, marschierte am gerahmten »Frühstück der Bergbauern« vorbei, suchte ihren Platz mit der Glocke. Sie fand ihn und mitten auf dem großen Tisch auch die Uhr, die von vier Seiten die Zeit anzeigte. Sie konnte es kaum glauben! Ihr wurde warm ums Herz, und die Erinnerung kam. Dass beide Gegenstände, Glocke und Uhr, seit über zwanzig Jahren zum Inventar gehörten und deshalb nicht auf ihre fortschreitende Genesung hindeuteten, war ihr jetzt vollends egal. Was zählte, war die Erinnerung, sie nahm jetzt jede erstbeste.

Und bevor irgendjemand eingreifen konnte, schwenkte sie die Glocke befreit und so weit hin und her, wie es der Ärmelschnitt ihres Blazers zuließ. Es fühlte sich wunderbar an! Ja, sie war fit und fröhlich dabei. Perioden, lauter neue eingeläutete Legislaturperioden. Allein, die Tafelrunde schien sich nicht von ihrem Überschwang anstecken zu lassen. Man hätte auch sagen können, sie störte.

Es war, als hätte sie damit nicht nur die Sitzung, sondern auch die Sinne der Anwesenden eröffnet, denn die Glocke, so erinnerte sie sich, kam eben auch zum Einsatz, wenn demonstrativ um Ruhe gebeten werden musste. Nun war Ruhe. Die Gesichter, in die kurzzeitig echte, unkontrollierte Bewegung gekommen war, schauten jetzt wie versteinert auf die Dame im brombeerroten Blazer, die die Glocke wieder absetzte. Und die Dame im brombeerroten Blazer ließ ihrerseits den Blick über die Köpfe gleiten, in der Hoffnung, einen einzigen wiederzuerkennen, ein einziges Gesicht mit Geschichte zu entdecken, das ihr etwas erzählen, sie ins Grübeln bringen, ihr einen Anstoß, auch nur den Hauch einer Eingebung schenken könnte. Sie hing mit den Augen an ihnen, wartete auf einen wie auch immer gearteten Impuls, auf ein überspringendes Fünkchen. Aber nein. Man war, bis auf wenige Ausnahmen, erstaunlich jung und gab sich verdächtig makellos, war ganz bei sich selbst, keine einzige starke Schulter zum Anlehnen. Wenn das ihr Kabinett war, welches Bild würde dann erst die Opposition abgeben? Ach.

Der MAV neben ihr stupste unten ganz vorsichtig mit dem Fuß gegen ihren Unterschenkel, während er oben geschäftig seine Aktenmappe durchblätterte. Sie stupste zurück, presste die Lippen aufeinander und schaute immer noch fassungslos in die Runde. Sie wusste nicht, was sie eigentlich erwartet hatte, aber definitiv nicht das hier. Ein Blick auf die Uhr: 10.10 Uhr. Es half nichts.

Sie nickte unmerklich einmal mit dem Kopf, wie um sich selbst zu bestätigen und begann: »Liebe Kabinettsmitglieder, Sie sehen, mein Urlaub ist beendet und der Ihrige somit auch. Vor uns liegen große Herausforderungen. Ich weiß, wir können nicht so tun, als habe es die letzten zwanzig Jahre nicht gegeben. Ich konstatierte jedoch, dass wir uns schon wieder oder immer noch, da bin ich mir nicht so sicher, in einer moralischen, sozialen, ökonomischen, ökologischen und politischen Krise befinden.« Ihre Augen wurden schmaler, und ihr Nachbar schob diskret die Glocke außer Griffweite. »Ich sage Ihnen, hier schreit alles nach demokratischem Aufbruch, jetzt nach dem Urlaub und überhaupt, und zwar sozial und ökologisch!«

Stille. Sie schaute in die Runde und bekam es zum ersten Mal mit der Angst zu tun. Was war bloß in den letzten zwanzig Jahren passiert oder vielmehr nicht passiert? Aus dem, was sie bisher nur dunkel erahnt hatte, wurde plötzlich traurige Gewissheit: Es hatte sich nicht viel geändert. Die Probleme waren wohl immer noch dieselben, lediglich die Prozesse und die Menschen dahinter hatten sich geändert, doch auch nicht unbedingt zum Besseren. Und sie war eine von denen. Augenscheinlich hatte auch sie nichts geändert. Vielleicht war man tatsächlich aufgebrochen vor zwanzig Jahren, aber nun kampierte man irgendwo auf halber Strecke, und die Pferde wurden langsam fußlahm.

Die Anwesenden verfügten fraglos über mehr, sehr viel mehr als nur einen Tag Zeit, denn ihre Reaktionen waren eher gedämpft und ließen keine darüber hinausgehenden Aktivitäten erwarten. Die Aktenleser hatten zwar den Stift fallen gelassen, und der Rest der Runde war vorher schon ratlos ins schwarze Leder zurückgesunken. Doch niemand sagte etwas, nicht etwa aus Verblüffung oder Schockstarre, sondern weil anscheinend niemandem etwas Besseres einfiel und das alles wohl nichts Neues war.

Sie kam sich ein wenig gestrig vor. Dabei war sie noch gar nicht bei den Inhalten angelangt. Aber vielleicht ging es auch gar nicht um die Inhalte – Hundertschaften von Ministerialbeamten, Staatssekretären und Referenten waren schließlich schon damit befasst, die hatten vermutlich mehr Inhalte, als ihnen lieb war –, sondern vielmehr um die Art und Weise der Vermittlung? Ging es womöglich eher um das Wie als um das Was? Das wäre ihr in ihrer jetzigen Situation ja sehr entgegengekommen. Sie beschloss daher spontan, gar nicht mehr in Einzelheiten zu gehen, die sie sowieso nicht erinnerte. »Nun, meine Damen und Herren, ich würde gerne einige Ihrer grundsätzlichen Vorschläge für unser Konjunkturpaket hören wollen. Gehen wir das alles doch einmal ganz neu und unvoreingenommen an. Input bitte. Die besten Vorschläge übernehme ich mit Hinweis auf die Quelle.«

Allgemeines Gelächter nun doch. Von hinten links die Wortmeldung eines Herrn: »Vorschläge? An welchen Ausschuss soll ich die geben?« Vorne rechts ein Herr, betont langsam und souverän: »Nehmen Sie es mir nicht persönlich, werte Kollegin, aber so kommen wir nicht weiter.«

Sie hielt inne und zog den Keksteller weg, noch bevor der Kollege mit gravitätischen Bewegungen danach greifen konnte, hieb mit der Faust auf den Tisch, donnerte los: »Nicht persönlich nehmen? Was soll das, verdammt noch mal? Natürlich nehme ich das persönlich! Es nicht persönlich zu nehmen würde heißen, es in einen Kontext zu stellen, aber der kann morgen schon wieder weg sein. So viel Zeit haben wir nicht!« Sie löste die Faust wieder und schob die Hand vom Tisch. Wenn hier jede Diskussion gleich Streit war, dann musste es eben Streit sein. Der blieb vielleicht auch besser im Gedächtnis.

Erneutes Schweigen, auch der Herr vorne rechts gab Ruhe. Man bemühte sich um Input. Nicht alles wurde in die Runde geworfen, sondern eher per Smartphone abgesetzt oder höchstens mit dem direkten Nachbarn erörtert. Es wurde viel von Verantwortung gesprochen, und man schien es in der Hoffnung zu tun, diese nicht auch noch tragen zu müssen, wenn man sie nur oft genug erwähnte. Ja, es gab überhaupt eine gewisse Neigung, über wichtige Themen nicht mehr mit der notwendigen Ernsthaftigkeit zu diskutieren. Es klapperte, zischte und quirlte.

Im allgemeinen Stimmengewirr setzte sich unüberhörbar eine einzelne Stimme durch, der dazugehörige Herr wollte wohl auch etwas sagen. Sie hörte »nach Dänemark reisen« und war sich nicht ganz sicher. Er war nicht gerade der Typ Hotelzimmervernichter, fand sie. Sehr durchschnittlich, Dänemark hätte gepasst. Sie fragte nach: »Nun, was wollen Sie denn in Dänemark umsetzen?« Sie lächelte ihm aufmunternd zu, denn zumindest konnte man nicht sagen, dass dieses Vorhaben in irgendeiner Weise Schaden anrichten konnte, unkonkret oder fantasielos war.

Der Kollege blickte ihr in die Augen: »Der Zoll! Und ich möchte mich um die dänische Minderheit in Südschleswig kümmern, mit guter, sachlicher Leistung. Auch und eben gerade für unsere Bürgerinnen und Bürger.«

Sie neigte sich zum MAV rechts von ihr hinüber: »Wie lange ist der schon im Amt?«

»Oh, circa zwei Jahre.«

»Ach. Und sein Hippocampus?«

»Intakt, völlig intakt, befürchte ich.«

Es kam wieder gelassener Protest von vorne rechts: »Werter Herr Kollege, die deutsch-dänischen Beziehungen in Wirtschaft, Kultur und Gesellschaft sind eng und entwickeln sich in breiten Bereichen ohne staatliche Einflussnahme. Malaria-Medikamente können Sie auch mit anderen Reisezielen umgehen.«

Ihr Nachbar reagierte nun doch etwas angefasst: »Mein Arbeitsplatz ist die Welt. Ich hab's mir auch nicht ausgesucht, das können Sie mir glauben!«

Im Anschluss entbrannte ein heftiger Streit darüber, ob die Partei oder die Welt wichtiger sei, und es kam erstaunlicherweise niemand auf die Idee, dass das eine das andere nicht ausschloss. Während man also stritt und schlecht übereinander redete, war man gleichzeitig entsetzt darüber und konnte sich beim besten Willen nicht erklären, warum so schlecht übereinander geredet wurde.

Sie hatte immer gedacht, das Redenmüssen sei ausschließlich im weiblichen Genpool angelegt, aber davon konnte hier keine Rede sein. Manche Hähne schienen zu glauben, dass die Sonne ihretwegen aufging. Und war sie sich mit ihrer Gedächtnisstörung vorher schon allein vorgekommen, so fühlte sie sich jetzt regelrecht einsam. Es gab niemanden in dieser Runde, den sie um Rat fragen konnte oder wollte, hier würde sie keine Orientierung finden, mit niemandem abends am Küchentisch die Welt verändern, obwohl das doch eigentlich ihre Aufgabe war.

Von hinten rechts setzte sich eine Stimme durch: »Ich als Oppositionsmitglied sehe das ganz anders …«

Sein Nachbar stieß ihn gegen den Ellenbogen: »Pst. Wir sind hier in der Kabinettsitzung!«

»Oh, Entschuldigung.«

Ihr wurde langweilig. Die Projekte, die hier erörtert wurden, waren entweder so vorgärtnerisch, dass sie keiner Planung bedurften geschweige denn einer Sitzung, oder aber so komplex, dass keine Planung funktionierte. Es war der reinste Chirurgenkongress. Offenbar hatte sie ihre Kabinettsmitglieder in einem recht unsoliden Zustand hinterlassen, als sie nach Russland aufgebrochen war. Keine Spur mehr von demokratischem Aufbruch, keine Schweißperlen mehr auf der Stirn. Vielleicht hatte die Vergangenheit tatsächlich keine Zukunft. Es gab schon lange keine Mauer mehr und trotzdem kein Land in Sicht außer Südschleswig. Mit diesen Leuten würde das Politikmachen verdammt schwierig werden, im Vergleich dazu nahm sich ihr Gedächtnisverlust noch harmlos aus, fand sie. Sie redeten, als erlebten sie ein und denselben Tag jeden Tag aufs Neue, während bei ihr ein Tag den anderen auslöschte. Und sie wusste nicht, was schlimmer war.

Sie warf sich auf den Tisch und griff zur Glocke, um all dem vorerst ein Ende zu machen.

Noch während alle anderen ihre Dokumente zusammenräumten, war sie draußen und stürzte wie von einer Fliehkraft getrieben auf das Treppengeländer zu. Ja, die Fallhöhe dürfte ausreichend sein. Sie nahm Anlauf.

Das Interview –
Von der Entbehrlichkeit der Erinnerung

»Chefin, wo stürzen Sie denn so eilig hin? Da geht es nach unten, das ist die falsche Richtung!«

Sie spürte einen beherzten Griff am Oberarm und blickte sich um: »Nach unten, eben. Genau da will ich hin. Herrje, kann man sich nicht einmal in Ruhe das Leben nehmen?«

Der Pressesprecher meinte, sie habe aber Humor und gute Nerven. Ha! Die könne sie jetzt auch gebrauchen. Die Journalisten würden bereits oben warten.

Er schien die Situation nicht ganz erfasst zu haben, las lieber Wirtschaftsnachrichten als Todesanzeigen, obwohl es die in dieser Rubrik ebenfalls gab, wenn auch nicht schwarz umrandet.

Er war sehr aufgeregt und versuchte, sie zu beruhigen: »Denken Sie an das Wording, wir sind das heute Vormittag im Film doch alles durchgegangen, ja? Sagen Sie einfach genau das, was Sie vor Ihrem Urlaub auch gesagt haben, ja? Die Fragen müssen Sie nicht kennen, nur die Antworten, die Sie zu geben haben.« Und schon hatte er die Finger an ihrem Hals: »Verzeihung, darf ich Ihre Halskette ein klein wenig gerade rücken? So.«

Sie wurde nach oben abgeführt und vor eine blaue Wand gestellt, auf der »Politik direkt« stand. Das Erschießungskommando wartete bereits – ein »kleiner, ausgewählter

Kreis« –, jeder Journalist mit eigenem Kameramann, jeder Kameramann mit eigenem Kabelträger, alle Fluchtwege versperrt. Sie hatte noch nicht einmal vorher in den Spiegel gucken können, nicht einmal diese kleine Eitelkeit war ihr vergönnt.

Ihr war jetzt alles egal. Medienvermittelte Nähe zu den Menschen? Alles live? Das konnten sie haben! Die Mundwinkel klappten nach unten.

Die erste Frage kam von einem Herrn ganz vorn, als sie noch damit beschäftigt war, ihre zwei Standpunkte auf dem Boden zu finden, von denen der Pressesprecher gesprochen hatte: »... fühlen Sie sich nach Ihrem Urlaub bestärkt in neuen Ideen, neuen Ausrichtungen, um den Herausforderungen, die der politische Herbst mit sich bringt, zu begegnen?«

Der Pressesprecher stand neben der Wand, wie ein Tiger bereit zum Sprung ins Bild, ihm war offenbar nicht wohl. Denn genauso gut hätte man die Kapitänin einer Hurtigrouten-Fähre zu Tiefseebohrungen im südwestpazifischen Tongagraben befragen können. Aber es gab ja das Wording. Er hielt sich zurück.

Och, so schlimm sind die Fragen ja gar nicht, dachte sie. Sie nickte kurz, schob ein Lächeln ins Gesicht und sagte: »Och, so schlimm sind Ihre Fragen ja gar nicht. Nun, jede Herausforderung hat ihre spezifischen Umstände, und auch der Herbst kennt schöne Tage, nicht wahr?«

Die ersten Kameras schwenkten langsam nach draußen zu den Bäumen im Innenhof und suchten Motive. Sie räusperte sich: »Um zu Ihrer Frage zurück zu kommen«, die Kameras schnellten zurück, »so kann ich Ihnen sagen, dass Sie wahrscheinlich in diesem Moment gar nicht ahnen, wie neu mir das alles vorkommt. Also, ich sage ganz klar: Mir wird nichts anderes übrig bleiben, als jeden Tag so anzugehen, als gäbe es kein Gestern und kein Morgen. Sie dürfen gespannt sein, das kann ich Ihnen versichern. Ich bin es auch.«

Ein Raunen ging durch die Runde, die Finger des Pressesprechers hinterließen dunkelblaue Flecken auf der hellblauen Wand. Jedes Wort, das hier fiel, war wenige Sekunden später in den Foren, auf den Blackberrys, den iPads, den Tickern, es wog tonnenschwer, wenn es ein anderes war als das, was sie sonst immer benutzte. Vielleicht hätte er ihr das vorher noch einmal sagen sollen.

Ein anderer Journalist sah wohl die Schleuse, die sich da gerade geöffnet hatte, und kitzelte nach: »Das hört sich aber vielversprechend an. Können Sie schon mehr sagen?«

Sie zwinkerte in die Runde, steckte eine Hand in ihre Blazertasche und tat einen Ausfallschritt nach links: »Nun, nehmen Sie mich nicht zu wörtlich. Ich kann es morgen schon wieder vergessen haben, nicht wahr?« Wieder ein Zwinkern.

Allgemeines, zustimmendes Geschmunzel.

»Und wie wird sich für Sie ganz persönlich das nächste Jahr gestalten?«

Diese Presseleute schienen zu glauben, sie würde im siebten Stock in einem roten Samtzelt auf einem Schemel vor einer Kristallkugel hocken. Eigentlich müssten sie doch schon froh sein, die Zukunft bis zur nächsten Tagesausgabe ihrer Zeitung oder bis zur abendlichen Nachrichtensendung dingfest zu machen, dachte sie. Und jetzt wollten sie der Zeit auch noch möglichst weit entgegenlaufen.

»Ich sage ganz klar: Ich weiß nicht, was kommt. Das ist doch die ehrlichere und realistischere Sichtweise, nicht wahr? Nehmen Sie den Fall der Mauer, den Zusammenbruch Lehmans, die Euro-Krise, Griechenland, die Aschewolke, Japan – das alles habe ich noch so genau vor mir wie im Film, als hätte man es mir erst heute Vormittag präsentiert –, und niemand, wirklich niemand hätte das wenige

Tage zuvor vorhersehen können. Und Sie fragen mich nach dem nächsten Jahr? Morgen können schon wieder Themen auf der Tagesordnung stehen, von denen wir heute noch keinen blassen Schimmer haben. Unser Koalitionspartner wird mir zustimmen. Tut mir leid, meine Herren, wir müssen Tag für Tag flexibel sein und schnell denken!«

Sie schaute in die Runde. Gesenkte Köpfe, alle schrieben mit, keine Zwischenfragen. Langsam kam sie in Fahrt. Und die Treppe blieb ihr ja, die konnte sie sich auch noch später hinunterstürzen: »Also den Schlaumeiern, die zu wissen glauben, was in den Jahren, die vor uns liegen, alles auf uns zukommt, sage ich: Ich weiß noch nicht einmal, wo die letzten zwanzig Jahre geblieben sind! Wie soll ich da die nächsten zwanzig Jahre kennen?« Sie zog die Augenbrauen hoch und langsam ihre Lippen breit. »Ich bin im Gegenteil dazu übergegangen, und das halte ich für viel zeitgemäßer, mein Dasein jeden Morgen neu infrage zu stellen und mich einer strengen Selbstanalyse zu unterziehen. Haben Sie auch nur den Hauch einer Ahnung, was das eigentlich bedeutet? Versuchen Sie das mal selbst! Ich sage ganz klar: Wenn ich etwas ändern will, dann warte ich doch nicht erst noch ein Jahr! Ich weiß nicht, wie es Ihnen geht, aber ich persönlich verfüge über verdammt wenig Zeit!«

War die Stimmung vorher schon seltsam gelöst gewesen, so kam jetzt geradezu ausgelassene Freude auf und die Aussicht auf verheißungsvolle Schlagzeilen.

»Unter Berücksichtigung der derzeitigen personellen Konstellation in Ihrer Regierung und den damit verbundenen Auseinandersetzungen der letzten Monate – wie verhält es sich da mit Ihrer Richtlinienkompetenz, auch in der nachträglichen Betrachtung des Wachstumsbeschleunigungsgesetzes?« Eine weibliche Journalistin hatte sich durch die Front ihrer männlichen Kollegen nach vorne gekämpft und hielt ihr Mikrophon gegen die Kniescheibe der Regierungschefin.

Um Himmels willen, was war das für eine Frage? Zeit, sie musste jetzt auf Zeit spielen: »Meine Liebe, klimpern Sie nicht, spielen Sie die Botschaft bitte. Können Sie also Ihre Frage noch einmal etwas klarer wiederholen?« Die Journalistin tat es, zack, wenn auch für sie immer noch nicht klar genug.

Sie kam ins Stocken. »Richtlinienkompetenz«, »Wachstumsbeschleunigungsgesetz«? Wer hatte sich nur solche Wörter ausgedacht, die allein schon beim Aussprechen verdammt viel Zeit in Anspruch nahmen? Konnte man Wachstum per Gesetz regeln? Sie konnte sich absolut keinen Reim darauf machen. Also gut: »Ach Gott, wir haben ja alle unsere Frustrationen und unser Ego. Aber jetzt müssen wir die Summe unserer Einzelentscheidungen durch eine gemeinsame Überschrift zu einer erkennbaren Politik bündeln.«

Es gab keine Rückfragen. Erstaunlich, fand sie. Dann doch eine: Heuschrecken. Ob die Heuschreckenplage nun definitiv der Vergangenheit angehöre?

Um Himmels willen, was sollte denn diese Frage? Ein Blick zum Pressesprecher würde nichts nützen und vor allem mitgefilmt werden. Also Heuschrecken. »Nun ja, Wanderheuschrecken kommen auf fast allen Kontinenten vor, nicht wahr? Aber wissen Sie, sofern ich das bisher feststellen konnte, läuft keine vor mir und auch keine mehr neben mir. Und ich weiß, dass hinter marschierenden Heuschrecken eine wichtige Antriebskraft steckt, nämlich das einfache Bedürfnis, nicht vom Hintermann aufgefressen zu werden. Ich sage also: Abstand halten und schneller sein. So einfach ist das. Gibt es sonst noch Fragen?« Sie legte den Kopf leicht schräg und fuhr sich mit der flachen Hand durch die Haare.

Abschließender Applaus, die Journalisten verließen langsam das Foyer – ohne Inhalte auch dieses Mal, aber in bester Laune.

Der Pressesprecher warf sich fotogen ins Bild, um für klärende Antworten auf offene Fragen zur Verfügung zu stehen. Doch es gab keine mehr. Er war sich gar nicht sicher, ob er das alles jetzt katastrophal oder brillant finden sollte. Beides lag ja oft nahe beieinander, gerade in den Medien. Und das vermittelte er auch im Anschluss seiner Chefin: »Es war riskant, sehr riskant, von Anfang an, Sie vor die Kameras zu lassen, aber ich habe gedacht, dass Sie sich wenigstens an unser Wording halten? Sie haben kein einziges Mal ›Vertrauen schaffen – Wachstum stärken – Beschäftigung sichern‹ gesagt. Das muss ich jetzt auch mal sagen dürfen!«

Sie hörte ihn von Ferne, war von rechts aus dem Bild gegangen, um dann kurz von links noch einmal hineinzulaufen und in ein paar verbliebene Kameras zu winken. Sie fand es köstlich, hatte sich selten so amüsiert – so weit sie sich erinnern konnte.

Die Baikalwellen und der Abendpfirsich

Er war außer sich gewesen, hatte vorübergehend Bilder abhängen und Teppiche einrollen müssen. Es war einiges zu Tage gekommen dabei. Was für ein Aufwand wegen einiger weniger, winziger Abhörgeräte. Und dann in den eigenen vier Wänden, an einem privaten Ort also. Das Problem war endgültig zu Hause angekommen.

Die ganze Aktion bereitete ihm nun seit dem frühen Nachmittag Magenkrämpfe, die mit Kopfschmerz und Übelkeit einhergingen. Das Risiko akuter Unpässlichkeit war also enorm, wenn auch immer noch relativ zum Rest des ganzen Desasters, in dem sie steckten.

Bei den vier Wänden handelte es sich, genauer betrachtet, um das heimische Arbeitszimmer seiner Frau, wo der russische Therapeut therapieren sollte. Da wollte man schon mit einem Ohr dabei sein, hatte man ihm mitgeteilt, aus sicherheitstechnischen Gründen. Er hatte sich an ungute Zeiten erinnert gefühlt und anfangs entschieden protestiert. Doch der MAV hatte die Abhöraktion zu seiner persönlichen Mission gemacht – und natürlich: »Alle Bänder an mich. Ausschließlich. Das werden Sie doch verstehen.«

Er hatte auch um Himmels willen kein zusätzliches heimisches Ärzteteam hinzuziehen wollen – EKG, Kernspin, Transfusionen, neurologische Untersuchungen mit spitzen Nadeln und bunten Kabeln, Monitoren. Sie hätte in eine

Klinik gefahren werden müssen. Mehr als ein Mal. Das wäre ein gefundenes Fressen für die Presse gewesen. Krankheit kam ja immer gut. Und für die Opposition hätte es Tür und Tor geöffnet. Das müsse er doch verstehen, hatte der MAV gesagt.

Er war noch nicht überzeugt gewesen, hatte ernsthafte Bedenken geäußert, was die Genesung seiner Frau anging, weil so nicht alle medizinischen Möglichkeiten ausgeschöpft würden. Man wolle das Amt retten, aber nicht seine Frau. Schließlich könne man ja alles Mögliche mit ihr anstellen, ohne dass es selbst der eingeweihte Kreis merken müsse – sie hypnotisieren, verstrahlen, vergiften, auf Droge setzen, neurolinguistisch programmieren?

Der MAV hatte versucht, ihn zu beruhigen. Das sei alles nicht von Dauer, lediglich eine erste Notfallmaßnahme, aber selbstverständlich hoch professionell, medizinisch sowie politisch.

Dimitrij war sicherheitsüberprüft worden, hatte beste Referenzen, war auf vielversprechenden medizinischen Themengebieten unterwegs – und er hatte seine junge Familie daheim in Moskau. Damit war er auch das optimale Pfand, sollte es – wie der MAV mutmaßte – tatsächlich zu geheimdienstlichen Austauschaktionen kommen müssen. Und er würde keinen Verdacht erregen, wenn er täglich ihre Wohnung besuchte. Man konnte ihn für einen göttlichen Fitnesstrainer halten, groß, kräftig, blond, sanft. Er würde ihr gut tun, hatte man ihrem Gatten versichert. Er, der Gatte, war sich da nicht so sicher gewesen: Der Therapeut sah nicht nur gut aus, er hatte zudem Augen, in denen die russische Seele zu liegen schien, in Form des ganzen tiefen, klaren, blauen Baikalsees. Frauen würden darin baden wollen. Und er wirkte immer so fröhlich. Er, der Gatte, fand es unangemessen.

Als ihre Limousine um die Ecke bog, war sie froh festzustellen, so mitten im Leben zu wohnen. Andererseits hätte sie sich gern noch ein wenig weiterfahren lassen, um Abstand vom Tag zu bekommen. Doch der Abstand würde sich ja über Nacht sowieso sehr drastisch einstellen. Also gut. Der Wagen hielt vor der Haustür, es ging schnell, sie stieg aus, und die Limousine rollte um die nächste Ecke außer Sichtweite. Allein war sie dennoch nicht zwischen der ersten und der dritten Hauseingangstreppenstufe und dem Erreichen des Schlüssellochs. Nein, so einfach war nicht aus dem Schutzkokon zu schlüpfen. In diskreter Entfernung standen zwei Sicherheitsbeamte, die »Objektschützer« hießen und nicht sie, sondern in erhöhter Alarmbereitschaft ihre Umgebung abscannten. Dabei war doch gar nicht klar, von welchem Objekt mehr Gefahr ausging, von ihr selbst oder von ihrer Umgebung, dachte sie.

Sie ließ den Haustürschlüssel wieder sinken und steuerte auf die Beamten zu, vorbei an einem Saxofonisten mit Fellmütze und an Spaziergängern in kurzen Hosen, die mit ausgestrecktem Zeigefinger auf ihr Haus zeigten. Je näher sie jedoch den wachhabenden Männern kam, desto bewegungsloser wurden diese, in Dienstpflicht und Ehrfurcht erstarrt in etwa einem Meter Sprechentfernung.

»Pst«, machte sie und dachte im selben Moment: Wie blöd, wahrscheinlich habe ich die vorher nie angesprochen, und jetzt flüstere ich denen warm und feucht ein Pst ins Ohr. Einer der Beamten guckte so, als würde er genau das denken.

»Haben Sie eine Waffe?« Sie würde jetzt aufs Ganze gehen. Es war der einfachste und effektivste Weg.

Der Beamte schien aufzuatmen, löste die Anspannung, brachte sein Geehrtsein zum Ausdruck und ja, selbstverständlich habe er eine.

Geladen?

Ja, sicher.

»Könnten Sie die mir kurz leihen?«

Der Beamte lächelte verlegen, schaute kurz zu seinem Kollegen, vermutete wohl einen Test: »Nein, das darf ich leider nicht. Das tut mir leid. Wir sind im Einsatz.«

»Aber Sie wissen schon, wer ich bin?«

»Jawohl.«

»Da haben Sie mir immerhin einiges voraus. Und jetzt die Waffe, bitte.«

Er wurde panisch, schien hin und her gerissen zu sein zwischen seinem und ihrem Auftrag. Auf solch einen Zwiespalt war er nicht vorbereitet, die Rechtslage war gelinde gesagt unübersichtlich. Eine Schweißperle kullerte langsam aus seiner Kappe Richtung Halskragen.

Sie blieb direkt vor ihm stehen. Dass sie da jetzt so stand, das musste doch reichen, dachte sie. Wem um Himmels willen sollte er denn sonst seine Waffe geben, wenn nicht ihr? Sie war so nah am Ziel, so kurz davor, biss die Zähne aufeinander, dass man ihre Lippen kaum noch sehen konnte. »Hören Sie, Sie sind ein ganz schöner Existenzverkürzer.«

»Entschuldigung.« Er schien allen Mut zusammenzunehmen: »Das ist nicht ganz ungefährlich. Ich möchte Sie dieser Gefahr nicht aussetzen.«

»Ha, haben Sie eine Ahnung, welchen Gefahren Sie mich aussetzen, wenn Sie mir das Teil jetzt nicht geben?«

Er schien ins Grübeln zu kommen, die Augen waren das Einzige, was er jetzt noch bewegte, an ihr vorbei von ganz links nach ganz rechts in den erweiterten Gefahrenradius. Er fand nichts, so sehr er sich auch anstrengte. Und je länger dieser Zustand andauerte, desto fester umklammerte er seine Waffe. Er brauchte sie jetzt gerade sehr, die Waffe.

Sie tat sich leid, aber er tat ihr auch leid, und wahrscheinlich tat er sich ebenfalls leid. Nein, das war nicht souverän, fand sie. Es hatte so etwas Erzwungenes. So nicht. Also gut, in der Wissenschaft war ein negatives Resultat ja genauso aussagekräftig wie ein positives. Sie zog die ausgestreckte Hand zurück. Man musste ja auch kein Drama aus der eigenen Existenz oder der Beendigung derselben machen.

Sie versuchte zu lächeln, klopfte ihm kameradschaftlich auf die Schulter: »Kleiner Scherz. Entschuldigung. Ich wollte Ihnen nur sagen, toller Job, den Sie da machen, für mich und für alle. Mit Ihnen weiß ich mich in sicheren Händen, das ist für mich momentan sehr wichtig.« Es fiel so schwer. Sie wollte jetzt nur noch weg.

Der Beamte spürte offenbar ganze Gebirgsketten von seinen Schultern stürzen, und es kam ein Leuchten in seine Augen. »Entschuldigung«, er kramte einen Notizblock aus seiner Uniforminnentasche, klappte ihn auf und gab ihr leicht zitternd einen Stift. »Meine kleine Tochter verehrt Sie sehr, will Politikerin werden, würden Sie vielleicht ... ich weiß, ich darf das eigentlich nicht, aber jetzt dachte ich ...«

Ein Autogramm. Um Himmels willen, jetzt wollte der auch noch ein Autogramm. Ihr Blick glitt an ihm hinunter: Die Waffe, in genau diesem Augenblick war die Waffe frei und sie nah dran. Doch unglücklicherweise war jetzt seine Tochter drin in ihrem Kopf, und das war höchst hinderlich: Die Tante hat sich erschossen, als Papa ihr Zettel und Stift hinhielt. Wie sah das denn aus? Also gut, sie nahm den Zettel, setzte den Stift an, spitzte die Lippen, malte zwei Striche mit einer oberen Verbindung, dann einen kleinen, einen großen und noch einen Kringel, dazwischen willkürliche Verbindungslinien, bloß den Stift nicht zu früh absetzen. Es ging. »So. Das ist schon in Ordnung. Aber das bleibt jetzt unter uns. Am besten, ich tue morgen so, als würde ich Sie gar nicht kennen.«

Er lachte. Ja, das sei schwer in Ordnung.

Sie war bereits jetzt der Anstrengung müde geworden, und es war erst früher Abend. Schon früher Abend. Und dann der Russe.

An seine Augen hatte sie sich immer noch nicht gewöhnt, sie musste dauernd hineinschauen. Und warum musste sie dabei ausgerechnet an den Baikalsee denken? Ach ja, ertrinken, man konnte sich darin umbringen, vielleicht war es das. Aber es gab ja viele tiefe Seen. Warum also im Baikalsee? War sie dort gewesen? Lag der vor oder hinter Omsk? Sie entschuldigte sich kurz, ließ die blauen Augen im Arbeitszimmer stehen, noch bevor sie ihnen einen Platz angeboten hatte, und holte den Atlas. Er lag hinter Omsk.

Er hatte sich unaufgefordert hingesetzt und schaute sich um. »So viele Bücher. Sie scheinen eine belesene Frau zu sein.«

»Och, ja, irgendwie schon, aber irgendetwas in mir hat kürzlich diesen Kabelstrang kurzerhand gekappt, wenn Sie mich verstehen.« Sie tippte sich gegen die Stirn und sah ihn prüfend an.

»Ja, sicher, aber trotzdem sind Sie im tiefsten Innern Ihrer Seele unglaublich kreativ. Und das ist zugleich auch unsere einzige Chance.«

»Unsere Chance? Und dann auch noch die einzige? Hören Sie, Sie sollen mein Gedächtnis auf Vordermann bringen, mehr nicht. Ich würde daher vorschlagen, Sie lassen diese Lobhudelei und bleiben schön bei Ihren eigenen kreativen Chancen, nicht bei meinen.«

»Warum?«

»Warum? Na, Sie stellen Fragen! Wer hat Sie bloß gebrieft? Die Konkurrenz schreibt heldenhaft ganze Bücher über eine Finanzkrise, die ich schlichtweg vergessen habe! Dabei war ich doch auch dabei, so wie es aussieht. Und vom Schreiben ganz zu schweigen. Ist das jetzt unterm Strich ein wenig klarer für Sie?«

Er ließ sich offenbar nicht beirren, rückte seinen Stuhl näher an sie heran, als ihr lieb war: »Das Kreative ist irgendwo drin in Ihnen, aber bisher sind Sie noch nicht einmal mit den Fingerspitzen herangekommen. Doch jetzt, in Ihrer momentanen Verfassung, haben Sie die einmalige Chance, die zu werden, die Sie sind! Hier geht es um mehr als nur um verlegte Erinnerungen, wenn Sie mich verstehen.«

Was fiel dem ein? Sie guckte nun doch ein wenig düpiert, Augen hin oder her. War der von der Opposition? »Ich halte es nicht für einen allzu gesicherten, fest umrissenen Zustand, die zu sein oder zu werden, die ich bin oder sein soll. Ich weiß nicht, ob es so etwas wie mich überhaupt gibt. Ich muss das momentan etwas fließend gestalten, wenn Sie mich verstehen.« Sie schaute auf die Uhr.

»Das, was wir hier haben, ist der Glücksfall schlechthin.« Er war immer noch nicht von ihr abgerückt, und sie hörte die Baikalwellen ans Ufer schwappen.

»Nun hören Sie aber mal auf mit Ihrer Begeisterung. Bleiben Sie doch bei den Tatsachen. Ich habe Ihnen auch schon viel zu viel gesagt. Und jetzt sage ich ganz klar: Wenn hier jemand coacht, dann nicht Sie mich, sondern ich das Volk.«

Er zog die Augenbrauen hoch. »Bereitschaft und Zielsetzung müssen vom Auftraggeber ausgehen.«

»Eben.«

»Noch einmal, hören Sie doch einfach mal zu, denn es lässt sich neurologisch erklären: Wenn man eine neue Aufgabe angeht und dabei bekannte Denkmuster verlassen muss, dann werden weit entfernte Nervenzellen im Gehirn erstmalig miteinander verbunden.« Er griff nach ihren Händen, führte ihre Fingerspitzen zusammen und sagte: »So.«

Das war ihr Wort. Er benutzte einfach so ihr Wort. Sie zog ihre Hände zurück.

»Ihr Hirn ist eine Art biologischer Computer, der in der Lage ist, sich selbst zu verändern. Zellen können verschwinden oder nachwachsen, wandern, neue Funktionen übernehmen. Die haben jetzt freie Bahn, denn Ihr bewusstes Ego von 1990 bis heute ist gerade futsch.« Er klatschte in die Hände, hob sie dann mit weit ausholender Geste auseinander und guckte in die Luft. »Es ist alles in Ihnen drin! Sie wissen es bloß noch nicht!«

»Darf ich Ihnen eine Käseschnitte anbieten?«

Nein, er wollte keine, blieb stattdessen hartnäckig bei seinen Erklärungen. »Für eine solche Neuausrichtung und für all die Lernprozesse, die bei Ihnen auch noch jeden Tag stattfinden, braucht man jede Menge neuronale Energie. Und jetzt kommt's: Die schüttet nicht nur Stresshormone, sondern auch Endorphine aus. Ob Sie wollen oder nicht, die macht etwas mit Ihnen! Und genau daran wollen wir arbeiten!«

Sie strich sich einen Krümel vom Revers. »Also, das mit den Endorphinen verhält sich bei mir etwas anders.«

»Tatsächlich?« Er stand auf, nahm sich nun doch eine Käseschnitte, kam zu ihr herüber und kniff sie fest und gemein in den Oberarm. Sie schrie auf, wollte die Security oder doch zumindest ihren Mann rufen.

Er setzte sich wieder. »Sind Sie jetzt wütend?«

»Pah.«

»Schauen Sie, Wut ist mindestens so viel wert wie die Endorphine, die Ihnen nicht gefallen. Ich hoffe, Sie bekommen einen schönen blauen Fleck, der Sie morgen an mich erinnert. Verstehen Sie mich denn nicht? Emotionale Momente wie diese sind die einzige Chance, durch die Blockade zu kommen, die Ihnen Ihr Hippocampus gerade in den Weg knallt.«

Sie beugte sich vor, die Ellbogen auf den Oberschenkeln: »Sie haben keine Ahnung von Politik, nicht wahr?«

»Nein, genau deswegen sitze ich ja hier. Es geht um Sie, nicht um die Politik.«

»Warum?«

»Weil es hier nicht um Inhalte geht.«

»Das ist mir jetzt aber zu einfach.«

Der kleine Picasso-Druck hing schief. Sie ging zum Bild, nahm es ab, schaute dahinter und entdeckte das kleine Abhörgerät. Sie hängte den Picasso wieder hin und sagte: »Wir können auch gern Russisch reden.«

Er tat es: »Ihre größte Herausforderung kommt von innen! Vertrauen Sie mir.«

»Das würde ich gern, mein Lieber. Wissen Sie, der Platz für ehrliche Ratgeber ist noch relativ unbesetzt. Aber Entscheidungen aus erinnerungsstimulierenden Emotionen heraus sind unverantwortlich, so darf ich meine Arbeit nicht erledigen. Und dann gibt es da noch eine Kleinigkeit: Ich werde Sie morgen wieder vergessen haben, genau wie all das, was Sie mir hier erzählen. Für mich sind Sie Teil der Fata Morgana. Hören Sie, ich habe keine Ahnung, ob ich überhaupt entwicklungsfähig bin, selbst wenn ich es wollte!«

Er blieb unbeeindruckt und vor allem stur, was ihr fast schon wieder sympathisch war. »Lassen Sie sich doch mal einfach so darauf ein. Sie können es sich bei Ihrer derzeitigen Erinnerungslage doch leisten!«

»Hören Sie, ich hab's versucht. Ich habe wirklich versucht, das alles als Chance zu sehen. Aber gehen Sie mal in eine Kabinettssitzung, in nur eine einzige Kabinettssitzung des Jahres 2011! Da ist nix mehr mit Emotionen.«

Sie ahnte es, noch bevor er es ausgesprochen hatte: »Aber dann werden Sie die doch morgen auch schon wieder vergessen haben. Machen wir uns nichts vor. Noch arbeitet Ihr Hirn in einer Art provisorischen Kurzeitbetriebs. Und das ist doch auch mal schön, nicht wahr?«

»Ich weiß nicht. Ich regiere ein Volk, wenn ich Sie daran erinnern darf. Und ich würde das alles gern in einen etwas lösungsorientierteren Kontext bringen.« Sie atmete laut aus und sackte in sich zusammen, denn sie wusste, dass jeder ihr alles hätte erzählen können. Jeder hätte sie überallhin kneifen können. Ach. Er strahlte immer noch, und sie kam sich im Vergleich zu ihm schon ein wenig freudlos vor.

»Nun, Ihr Machbarkeitsoptimismus ist, gelinde gesagt, eine einzige Katastrophe. Haben Sie schon einmal versucht, einfach mit dem Denken aufzuhören?«

Das war nun doch zu viel. »Hören Sie, guter Mann, ich kann schon nicht mehr lesen und schreiben, muss mir Sorgen machen um meinen Platz in der Geschichte. Und Sie kommen mir mit solchen Vorschlägen? Ich muss schon sagen.«

»Mögen Sie Pfirsiche?«

»Das ist jetzt aber eine andere Frage als eben.«

Doch noch bevor sie Einwände erheben konnte, hatte er ihr einen dicken, weichen, flaumigen Pfirsich vor die Nase gehalten.

Er roch gut. Ferien auf dem Lande. Der alte Einmachkeller. Nachtisch. Bleikristallschälchen.

»Reinbeißen.«

»Raus.« Sie stand auf und hielt ihm die Tür auf. Er blieb sitzen.

»Wollen Sie Ihre Erinnerungen wiederkriegen oder nicht? Wetten, ich schaffe es in Ihr Gedächtnis?«

Das war ein Wort. Sie hielt die Klinke in der Hand,

zögerte, dachte an ihren Blazer. Was hatte ein verdammter Pfirsich mit ihrem Gedächtnis zu tun? Er würde tropfen, es würde unelegant aussehen.

Ihr Mann stand plötzlich im Türrahmen: »Oh, hier riecht's nach Pfirsichen. Kriege ich auch einen?«

Sie schloss die Tür vor ihm, ging zum Tisch, nahm den Pfirsich und biss hinein. Es dauerte eine Weile, bis sie wieder sprechen konnte.

»Hinterlässt einen guten Geschmack, nicht wahr?«

»Machen Sie das nie wieder mit mir.«

Sie durfte gar nicht darüber nachdenken, auf was sie sich da eingelassen hatte. Sicher, dieser Mensch mit den blauen Augen war sicherheitsdienstlich durchleuchtet und für gut befunden worden, vom engsten Stab, von russischen Ärzten, von ihrem eigenen Mann. Doch konnte sie all denen vertrauen, ohne zu wissen, was eigentlich in den letzten Jahren geschehen war?

»Wann sehen wir uns morgen?«

»Da müssen Sie meinen Mann fragen. So schnell werden Sie den Weg in mein Gedächtnis wohl nicht finden. Ich treffe jeden Tag so viele Leute. Wo käme ich denn hin, wenn ich mich da an jeden erinnern wollte?«

Sie spitzte die Lippen und betrachtete ihn aus dem Augenwinkel. Dieser Russe wandte unorthodoxe Methoden an, Pfirsiche, hatte von »emotionalen Momenten« gesprochen. Das klang verdächtig nach Glatteis. Sie kam sich plötzlich vor wie eingefroren, zögerte bei jedem Wimpernschlag, schaute auf die Uhr. Es war nicht mehr viel übrig vom Tag. Es half nichts. Sie strich ihre Hose glatt, erhob sich und sagte: »So, nun müssen wir aber zum Ende kommen, bevor jemand da oben das Licht ausknipst.«

Die Sache mit der Leidenschaft

Er hatte gehofft, einige wenige, unauffällige Konstanten herüberretten zu können in ihr Leben nach Omsk, Dinge, die emotionale Stabilität gaben, nichts Aufregendes, ein paar gute Diskussionen, gemeinsames Kochen und Zähneputzen, der morgendliche Blick in die Zeitungen. Er wollte wenigstens in den Momenten des Miteinanders so tun, als wäre nichts geschehen – nicht nur, weil ihm das sehr entgegenkam, sondern vielleicht auch, weil es seiner Frau, der Sache und somit ihrem Amt diente.

Die früheren Jahre mit ihr kamen ihm plötzlich wie entzaubert vor. Waren denn die gemeinsamen Erinnerungen daran so viel weniger attraktiv, nur weil sie älteren Datums waren, weil sie ihr nicht fehlten und man ihnen nicht permanent hinterherlaufen musste? Eigentlich waren sie doch gerade deswegen besonders kostbar, fand er. Aber so funktionierte seine Frau nicht. Er kannte sie viel zu gut.

Der Podcast war mittlerweile zeitlich etwas gerafft und psychologisch verfeinert worden, und es gab seit Kurzem einen virtuellen Rundgang durch das Amt, der ihr eine erste Orientierung erleichtern sollte. Man hatte außerdem in Erwägung gezogen, sie abends vor eine Handkamera zu stellen und gewissermaßen sich selbst erzählen zu lassen, was der Tag gebracht hatte. Mit einem Bild im Hintergrund, das Zuversicht und Dynamik ausstrahlte. Daran könne sie, so mutmaßte der eingeweihte Kreis, am jeweils nächsten Tag zwar neu, aber eben doch mit einer gewissen aufbauenden Kontinuität anknüpfen. Der interne Arbeitstitel war bereits gefunden worden: »Das war mein Tag«. Zuletzt hatte sie so vor »Madrid« gestanden, einem Gemälde mit einer animierenden Farblandschaft in Blau. Mehr konnte man beim besten Willen nicht tun.

Der Russe hatte beim Verlassen der Wohnung am vorherigen Abend einen Zettel in der Hand gehabt und ihm, dem Gatten, die höchst seltsame Empfehlung erteilt, seiner Frau an jedem Abend und an jedem Morgen einen reifen Pfirsich zu servieren. Wegen der Ausschüttung erinnerungsfördernder neuroplastischer Botenstoffe, hatte er gesagt.

Nun ja. Er aß selbst gern Pfirsiche, man konnte nichts falsch machen mit ihnen, aber an derartige Substanzen hätte er dabei nicht im Traum gedacht. Er hatte den Russen daraufhin etwas mitleidig angeschaut: »Hören Sie, die neuroplastischen Botenstoffe sind eigentlich mein Job.«

»Genau deswegen«, hatte der Russe geantwortet und ihm das klein gefaltete Stückchen Papier in die Hand gedrückt. Es hatte eine Weile gedauert, bis er entziffern konnte, was darauf stand. Und als er es dann gelesen hatte, dieses eine, harmlos daherkommende Wort, war ihm etwas unter die Haut gegangen, sehr intensiv, er würde sich noch lange daran erinnern.

»Was soll das? Worauf bezieht sich das? Auf wen bezieht sich das?«

»Es hat keinen Bezug. Es ist einfach da oder eben nicht.«

»Ach, hören Sie doch auf. Das bezieht sich doch auf ihr Amt! Worauf sonst? Sie werden mir jetzt ein bisschen zu anmaßend! Ich hätte Ihnen schon etwas mehr zugetraut als nur Zettelbotschaften.«

Er hatte das Wort unverfroren, perfide gefunden, hatte dem Russen seinen Mantel gegen den Bauch geschleudert und die Wohnungstür weit und wortlos aufgehalten. Wut mochte ein aufwendiges und meist nutzloses Gefühl sein, doch hier war sie angebracht gewesen.

Der so ungnädig entlassene Gast hatte ihm im Vorbeigehen noch zu bedenken gegeben, dass dieses schöne Wort nur in der deutschen Sprache einen negativen Wortstamm habe, hatte sodann den Mantelkragen hochgeklappt und war gegangen.

Seine Frau hatte von all dem nichts mitbekommen, war zu beschäftigt gewesen. Den kleinen Rest der Zeit, den sie früher mit Lesen und dem Studium der Akten verbracht hatte, füllte sie nun mit Aktivität, denn sie fand wohl, dass ihr nichts andres übrig blieb. So ganz unrecht hatte sie nicht damit, aber so kam eben noch mehr Bewegung in ihr Leben, das eigentlich schon bewegt genug war.

Sie war durch die Wohnung gelaufen, nachdem der Russe gegangen war, hatte ohne Unterlass telefoniert. Er vermutete, dass sie dem Tag dadurch Länge verleihen wollte. Doch das Gegenteil war der Fall. Und dann war sie mit dem Telefon in der Hand auf ihn zugekommen: »Der MAV will mit dir sprechen. Er sagt, es gehe um mein Briefing morgen früh.« Sie hatte ihm das Telefon gereicht und war in die Küche gegangen, wollte sich dem wohl nicht aussetzen.

Der MAV atmete schwer beim Sprechen: »Soll ich Ihnen mal was sagen? Ich höre hier nur Russisch auf den Bändern. Das geht so nicht! Da müssen Sie schon ein wenig Einfluss nehmen. Ich kann doch nicht noch mehr Leute in die Sache hineinziehen. Wo kommen wir denn hin, wenn wir auch noch dafür einen Übersetzer brauchen!«

Er hatte das Fenster ihres Arbeitszimmers geöffnet und sich weit hinausgelehnt: »Hören Sie, für unzureichende

Fremdsprachenkenntnisse im Regierungsapparat bin ich nicht zuständig.«

Der MAV stutzte: »Ach ja, Sie sprechen Russisch, ich vergaß. Kann ich Ihnen die Bänder schicken?«

Das war nun doch zu viel. »Nein, meine Frau und ich hören aufeinander, aber wir hören einander nicht ab. Wenn Sie das von mir verlangen, bin ich raus aus dem Spiel, und Sie können sie morgen früh selbst wecken.«

»Ist ja gut, ist ja gut. Hören Sie, ich habe mir das noch einmal grundsätzlich überlegt. Dieser Russe kommt aus einem Forschungsbereich, zu dem angeblich der KGB Kontakt hat. Wir finden das alles nicht so transparent und wasserdicht, wie wir eingangs dachten.«

Er wollte es nicht hören. Er wollte das alles nicht hören, doch hier ging es um seine eigenen vier Wände: »Er ist doch sicherheitsüberprüft, oder nicht?«

»Ja, schon, aber verstehen Sie mich bitte richtig, ich kann das alles nicht noch länger am Nachrichtendienst und am Verfassungsschutz vorbeilaufen lassen. Ich bin jetzt vielmehr auf der Suche nach einer höchst vertrauenswürdigen, diskreten und völlig unauffälligen, ja fast schon privaten Alternative zu diesem Dimitrij.«

Er hatte noch den Zettel des Russen in der Hosentasche, nahm ihn jetzt in die Hand und überlegte, wo er am besten und schnellsten geschmackvolle, reife Pfirsiche zum Reinbeißen auftreiben konnte.

»Hören Sie noch zu?« Der MAV wurde langsam ungeduldig.

»Ja, durchaus. Man kann nicht gleichzeitig zuhören und reden.«

»Also, lachen Sie jetzt bitte nicht, ich meine es verdammt ernst.« Der Minister hatte die Stimme gesenkt, was eigentümlich anmutete, denn es machte keinen Unterschied. Die sicherste Form der Kommunikation war immer noch, Dinge erst gar nicht zu sagen. Aber er sagte es: »Meine Schwägerin, studierte Soziologin, macht gerade eine Fortbildung zur Burnout-Therapeutin. Sie wissen schon, das volle Programm: Zeit- und Stressmangement, lösungsorientiertes Zentrieren und Dezentrieren, Konfliktmanagement, inneres Team, Führung in schwierigen Zeiten, Ressourcenfindung.«

»Sie kennen sich da aber gut aus.«

»Mitarbeiterführung, alles Mitarbeiterführung.«

»Wir bleiben beim Russen.«

»Nun, Sie sind zwar Ihr Ehemann, aber wenn man das Sorgerecht etwas umfassender auslegt, sind wir da nicht gänzlich außen vor, würde ich sagen.«

»Sie ist immer noch mit mir und nicht mit Ihnen verheiratet.«

»Herrje, was finden bloß alle an diesem Dimitrij? Die Frau, die ich hier habe, ist absolut wasserdicht, sehr down-to-earth, wenn Sie mich verstehen.«

Vielleicht lag es ja an den Pfirsichen oder an diesem verdammten Wort auf dem Zettel, aber er hörte sich sagen: »Mit Verlaub, Herr Minister, aber lassen Sie den Russen seinen Job machen und machen Sie Ihren. Da spiele ich nicht mit.« Er legte auf, ohne eine Reaktion abzuwarten, und ging direkt zu Bett, um etwas Ruhe zu finden.

Doch die LEIDENSCHAFT an und für sich, nachdem sie ihm so schwarz auf weiß präsentiert worden war auf diesem verdammten Zettel, ließ ihn nicht los, bereitete ihm schlaflose Nächte und machte ihrem Namen alle Ehre.

Pfirsich. Es roch nach Pfirsich, schmeckte sogar danach im Mund. Sie schlug die Augen auf und sah auf die Uhr. Auf ihrem Nachttisch stand ein kleiner Schälteller nebst Pfirsichstein und Pfirsichhaut. Und noch während sie versuchte, sich einen Reim darauf zu machen, musste sie an das tiefblaue Wasser des Baikalsees denken. Halt, nein, an zwei Seen, mit dem Ansatz eines Nasenrückens dazwischen? Denken war auch zu viel gesagt, es war vielmehr ein schnelles, kleines Streiflicht gewesen. Was um Himmels willen hatte das eine mit dem anderen zu tun? Sie musste wohl davon geträumt haben.

Und dann hörte sie ihn, laut, viel zu laut um halb sieben Uhr morgens, noch in der Aufwachphase: hohe, sphärische Streicherklänge, die zu einem mächtigen Höhepunkt hin geradezu explodierten – Wagner oder vielmehr ›Lohengrin‹. Wunderbar. Aber nicht am frühen Morgen. Sie zog sich ihren Morgenmantel an und ging dorthin, von wo die Musik kam, nämlich zur Küche. Sie lehnte sich in den Türrahmen, konnte es sich nicht verkneifen und zitierte:

»*Nie sollst du mich befragen,*
noch Wissens Sorge tragen,
woher ich kam der Fahrt,
noch wie mein Nam' und Art.
Nur denke bitte an die Nachbarn.«

Er fuhr herum und drehte den CD-Player etwas leiser. »*Du wilde Seherin, wie willst du doch geheimnisvoll den Geist mir neu berücken?* Guten Morgen, meine Liebe. Ach, Wagner kann man noch so oft hören, er geht einem doch immer wieder unter die Haut. Hat so was Neuroplastisches. Es tun sich ganze Welten auf, verborgene Leidenschaften, findest du nicht?«

Nein, fand sie nicht. Nicht morgens um Viertel vor sieben. »Habe ich gestern Abend Pfirsiche im Bett gegessen?«

»Wir sind früher sehr oft in die Oper gegangen, nicht wahr?«

»Ja, das tun wir.«

»Willst du noch einen Pfirsich? Ich habe gerade welche

vom Großmarkt geholt. Ich schäle dir einen.« Und schon war er aufgesprungen.

»Auf nüchternen Magen?«

»Warum nicht? Mach doch mal was anderes.« Er drehte Wagner wieder lauter.

Was war hier los? Und in welcher Disposition befand sich bloß dieser Mann, der jetzt mit Hingabe die Pfirsichhaut aufritzte, dass es spritzte. Es war unheimlich. Und so ganz nebenbei fing er an zu erzählen, von einer Reise nach Sibirien, von den letzten zwanzig Jahren, von dem, was aus ihr geworden war, wie zufällig und mit einer Nonchalance, die nicht ganz angebracht war, wie sie fand. Ihr wurde schwindelig, als er zu Ende erzählt hatte.

Ihr versagten die Beine, und sie aß den Pfirsich im Bett, während er das Notebook hochfuhr. Um halb neun kam der Fahrer. Sie riss die Autotür auf, noch bevor es jemand für sie tun konnte, und feuerte ihre Tasche auf die Rückbank, bevor sie vorne rechts zustieg.

Der Tag der offenen Tür

Der Park war um diese Uhrzeit noch menschenleer, die Luft rein. Es hatte in der Nacht geregnet, und die Temperaturen waren um diese Jahreszeit immer noch recht hoch. Es war ein wenig neblig. Als sie hinter dem Amt über die Brücke liefen, ging ein frischer Wind über den Flussarm, sodass sich kleine Wellen kräuselten, die ans Betonufer schwappten. Langsam kamen die Veranstaltungszelte in Sicht, alle edel in Weiß, Tische, Bänke und bunte Klappliegestühle waren bereits angeliefert worden.

Er konnte mittlerweile gut mit ihm mithalten, was nicht selbstverständlich war, denn der Regierungssprecher war von feingliedriger Statur, sehr durchtrainiert, und die entgegenkommenden Joggerinnen lächelten nur ihn an. Diese Morgenrunde hielt eine Reihe von Adrenalinschüben bereit, die man im Tagesgeschäft nicht mehr bekam oder vielmehr vor Omsk nicht bekommen hatte. Andererseits war es auch die optimale Gelegenheit für vertrauliche Gespräche, denn die Worte lösten sich sofort in frischer Luft auf.

Man war guter Dinge, die Chefin hatte sich mittlerweile ins Ablaufmanagement integriert und bereits einige Folgen von »Das war mein Tag« aufgenommen. Ausschnitte davon hatte man sogar den Öffentlich-Rechtlichen zugespielt, denn das umfangreiche morgendliche Programm, das die Darstellerin ja nun einmal zu absolvieren hatte, politisch wie therapeutisch, ließ bei Weitem nicht mehr so viel Zeit für öffentliche Auftritte wie früher. Alle anderen offiziellen Reden hatten aufgrund ihrer Leseschwäche unauffällig und bis auf Weiteres abgesagt werden müssen, da nutzten auch keine Teleprompter, keine Spickzettel. Und das war auch gut so. Erstaunlicherweise schien diese Indisposition gar nicht aufzufallen, noch nicht einmal innerparteilich. Die Umfragewerte waren paradoxerweise sogar in die Höhe geschnellt, was fast schon wieder Anlass zur Skepsis gab, fand der MAV. Denn mittlerweile schien es nicht mehr darum zu gehen, wie viel Amnesie dem Volk zuzumuten sei, sondern vielmehr darum, wie viel davon es tatsächlich wollte, wo doch die Begeisterung nicht abriss.

Der MAV richtete das Gummiband hinter seiner Sportbrille. »Also, das ist vordergründig alles gut und schön, aber ich finde sie mittlerweile etwas, wie soll ich sagen, zu keck.«

»Keck? Das ist keine politische Dimension. Radikal vielleicht?«

Der MAV wehrte ab: »Nein, Gott behüte. Obwohl – in einer milden Form durchaus. Sie sagt, nun ja, was sie denkt, einfach so, völlig autonom, ohne Bezug auf irgendetwas außer auf sich selbst. Wo nimmt sie das bloß her?«

»Nun, ich denke, sie schießt es aus der Hüfte.« Der Regierungssprecher grinste.

»Das ist unpolitisch, das ist irgendwie, wie soll ich sagen, unkonservativ?«

»Ein Ankuscheln an den öko-elitären Mainstream oder sozialdemokratisch vielleicht? Oder gar links?«

»Ist nicht dasselbe, oder?«

»Kommunistisch?«

»Keine Ahnung.«

Dem MAV wurde mulmig, und je schneller er lief, umso schneller kamen die Gedanken: »Das alles trifft es nicht wirklich. Es ist schlimmer. Da müssen wir aufpassen. Ein paar konservative Reflexpunkte müssen wir schon treffen, und zugleich muss es irgendwie besser, moderner, emotionaler rüberkommen. Aber gleich so? Und der Geheimdienst arbeitet nach wie vor auf Hochtouren.«

Der Regierungssprecher sprang über eine Pfütze, was ihm einen halben Meter Vorsprung verschaffte. »Die Mehrheit der Wähler ist nicht mehr konservativ und interessiert sich nicht für Etiketten. Die wollen geführt werden und ein gutes Gefühl haben, wenn sie ihr ins Gesicht gucken.«

»Ach, manchmal wäre ich auch gern einfach nur Wähler.«

»Was sagt denn der Therapeut?«

Von irgendwoher war ein Hund gekommen, hielt mit ihnen mit, und der MAV wäre fast über ihn gestolpert. Das Tier wich ihm fortan nicht mehr von der Seite. Langsamer laufen half nicht, schneller auch nicht.

»Na, der hat sich aber in dich verguckt, was?«

Dem MAV war es peinlich. »Ach, soll er doch mitlaufen. Wo waren wir? Ach ja, der Therapeut. Ja nun, der fördert das alles auch noch. Eine intensive, emotionale Herangehensweise an jeden neuen Tag erweitert die Grenzen des Geistes und setzt Erinnerungsanker, sagt er. Er nennt es ›Broaden-and-Build-Theorie‹.«

Der Regierungssprecher schien ins Grübeln zu kommen und verlangsamte das Tempo etwas: »Hat was von Bachblüte. Wie verträgt sich denn das mit unserer Politik? Muss ich da mitmachen?«

»Die Prognosen für ihre langsame Genesung sind gut, und sie scheint eine schier unglaubliche Lernfähigkeit zu haben. Kann man sich selbst gar nicht vorstellen. Auch die aktuellen Umfragewerte sprechen für sich, dabei haben wir noch nicht einmal ihr Outfit geändert. Und trotzdem, wir müssen verdammt aufpassen. Auf den Bändern reden die beiden immer noch Russisch miteinander.«

»Wie weit bist du mit deinem Unterricht im Sprachendienst?«

»Geht so.«

»Hm, Emotionen. Dann müssen wir die Kampagne eben anpassen, so im Sinne von ›Überzeugung aus Leidenschaft‹ statt ›Konsens aus Kalkül‹ oder so. Uns fehlt immer noch ein griffiger Slogan für ihre Amtszeit.«

»Das kann auch nach hinten losgehen und alles noch schlimmer machen. Die hat doch keine Übung in Emotionen! Und das Kind ist ja sowieso schon in den Brunnen gefallen.«

»Ich verstehe nicht.« Der Sprecher lächelte eine Dame an, die ihnen entgegenkam.

»Es ist diese neue Vitalität, die mir Sorgen macht. Die hat nicht nur ihre Erinnerungen, sondern auch ihren Langmut verloren, knallt die Tage so voll mit Aufgaben und Beschlüssen, als würde sie das nächste Jahr nicht mehr erleben.«

»Nun, jeder neue Tag ist für sie eben eine Kostbarkeit.«

»Na, deswegen müssen wir den doch nicht gleich zur Wundertüte machen! Lange können wir nicht mehr dagegen anplanen.«

»Stress, was?«

»Kann ich dir sagen. Zuerst habe ich gedacht, die macht das alles in dem Irrglauben, die Welt verändern zu können, neunziger Jahre und so, und ich war mir sicher, das würde sich ändern mit dem Blick in die erste randlose Brille. Aber mitnichten. Die sagt jetzt nicht nur, dass sie Klartext reden und mutige Impulse setzen will, die macht das auch noch!«

»Nun, das haben wir doch immer schon nach außen kommuniziert. Erinnere dich an die Steuersenkungen, die sie auf absehbare Zeit für nicht durchsetzbar hielt.«

Der MAV schlug sich sein Handtuch wie eine Peitsche um den Nacken: »Ach, Steuererhöhungen, Pipifax, die predigt öffentlich Blut, Schweiß und Tränen! Das kann ja durchaus seinen Charme haben. Aber das geht nicht. Das will keiner hören.«

»Wirklich? Unterschätze nicht die Leute da draußen im Lande, durch das wir gerade laufen. Die sind nicht dumm. Im Zweiten Weltkrieg hat jemand in England mit solchen Sprüchen ganze Wahlen gewonnen. Es gibt Schlimmeres als die Wahrheit.« Der Regierungssprecher strich sich die Haare aus der Stirn, schien gar nicht ins Schwitzen zu kommen.

»Churchill? Der hatte auch keinen Koalitionspartner.«

»Nein, der hatte eine Allparteienregierung.«

»Oh, Gott.« Der MAV machte einen Ausfallschritt zur Seite. Der Hund blieb, wo er war. Ganz nah bei ihm.

Die beiden Herren trabten vorbei am Informationszelt, langsam kam der Garten mit dem Hubschrauberlandeplatz wieder in Sicht, dahinter versammelte sich bereits die Bigband für eine erste Probe. Sie liefen schneller. Ein Handy vibrierte. Der MAV ging ran, lief dabei dynamisch und doch kontrolliert weiter. Aber die Nachricht trieb die sportliche Röte mit einem Schlag aus den Gesichtern. Die Bigband spielte auf.

Die luftige Glaskuppel auf dem wuchtigen Gebäude faszinierte sie, und alles spiegelte sich in der architektonischen Transparenz der neuen Abgeordnetenhäuser. Sie hatte es nicht glauben können, war zunächst Richtung Regierungsviertel gelaufen. Es war wie in dem Film, den ihr Mann ihr gerade vorgespielt hatte, die Welt war gläsern geworden.

Sie überquerte die Straße, betrat den Rasen und ging

bedächtigen Schrittes auf das Ensemble zu. Es war bereits Anfang September, das Licht war sanfter geworden, aber die Sonne besaß an diesem Tag noch so viel Kraft, dass sie ihren Blazer kurzerhand zu Hause gelassen hatte. Ein Kind hüpfte durch ein Feld mit kleinen Wasserdüsen, aus denen in unregelmäßigen Abständen dünne Fontänen in die Luft gepumpt wurden. Noch hatte es keinen Spritzer abbekommen. Sie lief weiter.

Wo waren bloß all die Jahre geblieben in ihrem Kopf? Sie konnte sich mittlerweile kurzzeitig an Dimitrij erinnern, nicht an seine Funktion, aber an ihn als Mensch. Das war wohl ein ungeheurer Fortschritt, und ihr Mann hatte ihr am Morgen versichert, dass sie dafür alles, wirklich alles, getan hätte. Letzteres fand sie fast schon wieder bedenklich, aber immerhin, die Mauer, die sich da um ihren Hippocampus herum errichtet hatte, bröckelte ein ganz klein wenig.

Sie ließ ihren Blick über das Gelände schweifen. Als sie zuletzt bewusst dort gestanden hatte, wo sie jetzt stand, war die Wiese vor dem alten Gebäude noch ein zugiger, braunrasiger Bolzplatz gewesen, und die in Stein gemeißelten Buchstaben hatten eine seltsame Mischung abgegeben aus Vermächtnis, Drohung und Durchhaltepropaganda – und einem kleinen bisschen Hoffnung, Dinge selbst in die Hand nehmen zu können. Tja, und das hatten sie getan. Doch es gab Orte, die nie ihre kalte Beklommenheit ablegten, dachte sie.

Schon um diese Zeit hatten sich die ersten Besucherschlangen gebildet, eine knallbunte Menschenmenge mit Wasserflaschen in den Rucksäcken und Stöpseln im Ohr, die sich wortlos von den Ordnungskräften in verschiedene Richtungen lenken ließ. Es herrschte ein fast schon babylonisches Sprachengewirr. Die Welt war nun endgültig angekommen in der Stadt. Und die Stadt offenbar wieder in der

Welt. Sie konnte sich kaum lösen von diesem Bild, aber der Verbrauchermarkt hatte bereits seit neun Uhr auf, und die Zeit lief ihr davon.

Ihr Gatte hatte in seiner Verzweiflung zuallererst Herrn Bodega angerufen. Weit konnte sie noch nicht gekommen sein, und man musste ja nicht gleich den ganzen Apparat in Alarmbereitschaft versetzen, wenn man seine Frau suchte. Auch nicht am Tag der offenen Tür im Regierungsviertel. Herr Bodega war stets Fels in der Brandung. Wenn er es war, der nach ihr suchte, würde es zudem nicht auffallen: Ein jüngerer Herr schaut sich nach einer Frau mittleren Alters um. Nicht mehr und nicht weniger.

»Bodega!« Er hatte seinen Namen schnell und mit einem kleinen Ausrufezeichen am Ende ausgesprochen, ahnte wohl schon, dass diese Mobilnummer im Display nichts Gutes verhieß.

»Sie ist weg.«

Pause am anderen Ende der Leitung. »Sie ist nicht weg. Sie wissen bloß nicht, wo sie ist. Das ist ein Unterschied. Das kriegen wir hin. Hat sie ein Taxi genommen?«

»Ich habe keine Ahnung. Mein Gott. Ich weiß gar nichts mehr. Ich bin schon wie sie.« Er war außer sich. Wie hatte ihm so etwas passieren können? Selbst jetzt durfte man sie immer noch nicht gänzlich unbeaufsichtigt lassen. Es war wie damals in Omsk, er hätte es eigentlich besser wissen müssen, hatte wieder zu lange geduscht. Dimitrij kam jetzt immer morgens direkt im Anschluss an die Podcast-Stunde, und dieses Mal war er vermutlich ein wenig früher gegangen, hatte sicherlich gegen die Badezimmertür geklopft. Er hatte es bei dem laufenden Wasser einfach nicht gehört. Jetzt war er frisch geduscht, aber ohne Frau.

Herr Bodega blieb grundsätzlich ruhig, auch wenn ihm

nicht danach war. Schon allein deswegen hatte er sich immer so gut mit ihr verstanden. »Denken Sie nach. Was könnte Ihre Frau aus dem Haus getrieben haben?«

»Sie sind lustig. Sie weiß seit etwa eineinhalb Stunden, dass sie Regierungschefin ist. Also, wenn das nicht zum Davonlaufen ist.«

»Ja, das ist es wohl.«

»Aber eigentlich ist sie gar nicht so, nicht so leichtsinnig, verstehen Sie?«

Sein Blick fiel auf die Garderobe. »Herrje, auch noch ohne Blazer!«

»Gut, sehr gut. Ohne Blazer wird sie kein Mensch erkennen.«

»Halt, die Einkaufstasche, die alte dunkelrote Einkaufstasche fehlt auch!«

»Shoppen?«

»Nein.« Er überlegte, und dann fiel es ihm ein: »Verbrauchermarkt! Es kommt nur einer infrage.«

»Das klingt nach Anscheingefahr.«

»Wie bitte?«

»Das, was Sie mir hier schildern, entspricht einer Sachlage, die bei einem objektiven Betrachter die Überzeugung erweckt, dass der Eintritt eines Schadens hinreichend wahrscheinlich ist, während bei nachträglicher Betrachtung eine solche Gefahr tatsächlich nicht bestand.«

»Wie Sie meinen, Herr Bodega.«

»Ich muss trotzdem im Amt Bescheid geben. Dazu bin ich leider verpflichtet.«

»Die machen dann daraus wieder die reinste Regierungskrise, als hätten wir die nicht schon längst. Aber tun Sie, was Sie tun müssen.« Er legte sein Handy wieder auf die Anrichte und gab die Pfirsiche ins kochende Wasser. Sie ließen sich anschließend bedeutend besser abhäuten.

Es würde nicht einfach werden, die Straße mit dem Supermarkt zu finden. Und es würde ein langer Weg sein, doch das machte ihr nichts aus, laufen, einfach laufen, der Erinnerung entgegenlaufen, sich durchfragen. Also vorbei am herausgeputzten Tor, an den Linden, dann in die Häuserschluchten, vorbei an den Ministerien und an großen Warenhäusern, die angeblich hießen wie Planeten. Sicher, sie war lange nicht mehr so durch die Stadt gelaufen. Es war auch wenig Zeit dafür übrig geblieben. Zwischen April und September 1990 waren im Rekordtempo einhundertvierundsechzig Gesetze in dreiundneunzig Sitzungen beraten und verabschiedet worden.

Um diese Uhrzeit waren verhältnismäßig viele Menschen unterwegs. Und sie schienen alle ein Ziel zu haben, das dem ihren entgegengesetzt lag. Die, die ihr entgegenkamen, schauten entweder gar nicht erst auf oder stutzten nur kurz, bevor sie weitergingen. Sie kam wieder ins Grübeln, fragte sich, ob das mit dem Amt nicht doch eine ausgebuffte Finte war. Im Schuhschrank hatte erstaunlich solides Schuhwerk gestanden.

Und dennoch, dieses Gefühl, das sie jetzt in sich ausmachte und das sie früher nie gekannt hatte, musste doch irgendwo herkommen, hatte Omsk wohl überlebt, so als Gefühl: Man konnte es am ehesten als eine unbestimmte Traurigkeit beschreiben, die sich über ihr Leben gelegt hatte. Ja, sie kam sich selbst und anderen geradezu unnahbar vor, wie wundgescheuert. Was war das? Einsamkeit? Oh, Gott. Es gab ja schließlich auch Bücher, an deren Inhalt man sich nicht mehr erinnerte, aber eben doch an das gute Gefühl, das sie einem beim Lesen gegeben hatten, einen Basis-Sound eben, der blieb. Ihr Basis-Sound dagegen war ihr unheimlich. Das war alles nicht normal, fand sie.

Sie blieb an einer roten Fußgängerampel stehen und zupfte ihr weißes T-Shirt zurecht. Es hatte einen halsfernen Rundausschnitt, aber das wir ihr jetzt auch egal.

Der MAV hatte nicht geduscht, lediglich den Anzug über ein frisches Hemd gestreift und die blaue Krawatte bis zum Anschlag gebunden, man sah kaum mehr die roten Stellen am Hals: »Es geht nicht mehr, es reicht, so kann kein Organisationsstab dieser Welt funktionieren. Ich bin sie so leid.«

Die Büroleiterin drückte den Lautsprecherknopf und gab in einem rhythmischen Fingerstakkato eine Nummer ein. »Wen sind Sie leid?«

»Wen? Na, diese Überraschungen. Die hat's früher nicht gegeben.«

»Was wir hier haben, ist eine Ausnahmesituation. Nicht erst seit heute. Und manchmal bin ich mir gar nicht so sicher, ob wir tatsächlich die einzigen weltweit sind mit einem solchen Problem. So schlecht stehen wir gar nicht da. Für heute müssen wir eben einen Ersatz finden«

Sie ließ sich verbinden, und er war sofort in der Leitung. Es war von Anfang an keine gute Idee gewesen, aber mit Abstand die praktischste und unauffälligste Lösung. Sie schilderte ihm kurz das Problem: Die Chefin habe kurzfristig zu einem geheimen Zweiergespräch ins Ausland reisen müssen. Man sei sich durchaus bewusst, dass dies ein ungewöhnlicher Vorschlag sei, aber das Volk stehe bereits am Eingang vor den Stahlgittertoren kurz vor den Detektoren. Der Stellvertreter und die anderen Minister seien am Tag der offenen Tür mit den Veranstaltungen in ihren eigenen Ministerien vollauf beschäftigt, und irgendwann am Nachmittag wäre es eben schön, wenn sich ein wahrhafter Volksvertreter oder doch zumindest ein bekanntes Gesicht als Gastgeber kurz unter die Menge mische.

Ob man ihm eventuell vorwerfen könne, er habe sich im Haus geirrt, wollte er wissen.

Nein, versicherte sie ihm, dies sei ein reiner Publicity-Termin, nichts Ernstes, nichts Formelles, ein fröhlicher Anlass, ein Sommerfest, wie er selbst es ja auch gebe. Man sitze doch schließlich in einem Boot.

Er willigte ein. Es blieb ihm wohl auch nichts anderes übrig.

Je mehr sie sich dem Verbrauchermarkt näherte, um so vertrauter kam ihr die Umgebung vor, wie eine kleine Insel mitten in der Stadt, über die Fortschritt und Konsum etwas allzu wuschig hinweggegangen waren. Sie bog nach links ab. Und tatsächlich, nach etwa zwanzig Metern stand sie vor dem Geschäft.

Es war fast so, als zucke ein Stückchen Erinnerung in ihrem Hinterkopf. Sie kannte diesen Supermarkt nicht, er musste erst Mitte der neunziger Jahre eröffnet worden sein. Sie strengte sich an, einen kleinen Fetzen ihrer Vergangenheit festzuhalten, ein Bild im Kopf abzurufen, starrte auf die Werbung im Schaufenster. Es gelang ihr nicht, aber sie war sich sicher: Ein Hauch von Erinnerung war dagewesen. Sie hätte vor Freude darüber am liebsten den nächstbesten Passanten umarmt, aber wenn man tatsächlich einmal Menschen brauchte, waren keine da.

Sie kam ein wenig aus dem Schwung, zögerte, schritt erst einmal das Schaufenster in voller Länge ab. Denn es war eine ganz andere Sache, den Supermarkt nun auch wirklich zu betreten. Was, wenn auch hier niemand sie erkannte, in einen Zusammenhang brachte? Oder sie in einen Zusammenhang brachte, der ihr nun so gar nicht passte? Sie bekam es mit der Angst zu tun, wollte es gar nicht mehr herausfinden, wusste nicht mehr, wohin mit der Einkaufstasche. Egal, sie musste jetzt etwas tun, entschlossen, schnell. Und hier lag das Problem.

Ein junger Mann lief auf sie zu, fasste sie am Oberarm: »Alles in Ordnung, Chefin?«

»Wer sind Sie? Lassen Sie mich in Ruhe. Ich habe niemandem etwas getan. Ich stehe hier nur so.«

»Entschuldigung, ich bin Ihr Sicherheitsbeamter. Man hat Ihnen heute Vormittag doch alles erzählt …?«

Mein Gott, sie waren überall. Sicherheitsbeamter. Ja, wahrscheinlich hatte sie einen, musste sie ja wohl. Sie fühlte sich überrumpelt, wurde trotzig: »Ich wäre schon rechtzeitig wieder da gewesen. Man wird doch wohl noch eigenverantwortlich einen Supermarkt besuchen dürfen!«

Er sagte nichts, legte nur den Kopf leicht schräg.

»Schon gut, ich komme mit, wohin soll ich auch sonst.« Sie stand auf und ging mit ihm zum Wagen, der mit laufendem Motor auf der anderen Straßenseite stand.

Er blickte um sich, bevor er ihr die hintere Wagentür aufhielt. »Na, Sie machen Sachen.«

»Das wird doch wohl von mir erwartet, oder?« Sie lief um den Wagen herum, nahm auf dem Beifahrersitz Platz und knallte die Tür zu.

Das Fahrzeug setzte sich lautlos in Bewegung.

Sie musterte ihn von der Seite, und es zuckte in ihren Mundwinkeln. »Sind Sie beides, Fahrer und Sicherheitsbeamter?«

»Manchmal und in Ausnahmefällen durchaus. Ihr Mann hat mich angerufen.«

»Hm. Geht denn das, auf den Straßenverkehr und auf mich achten?«

»Nun, der Straßenverkehr ist kein Problem.«

Es war ein stiller Sicherheitsbeamter, vielleicht Mitte oder Ende dreißig, dunkelblonde Haare, unauffällig, mit einem nicht besonders markanten, ja geradezu weichen Profil und einem leicht melancholischen Zug um den Mund, fand sie. »Sagen Se, kennen wir uns näher?«

Er schien zu überlegen, schien sich der Antwort nicht ganz sicher zu sein. »Ich würde sagen, ich kenne Sie recht gut inzwischen.«

»Ich Sie auch? Ich meine, bevor das alles passiert ist?«

»Mir steht es nicht zu, das zu beurteilen, aber ich denke schon.«

Sie schaute wieder zu ihm hinüber und bemerkte, dass er feuchte Augen hatte. Es war ein eigentümlicher Moment. Sie nahm ein Etui aus der Ablage, klappte es auf und reichte ihm seine Sonnenbrille. »Nehm' Se mal. Anfang September hat die Sonne noch viel Kraft, und tief steht se auch.«

Er fuhr mit ihr zu ihrer Wohnung, sie nahm ihre Einkaufstasche vom Rücksitz und rief ihm beim Zuknallen der Wagentür zu: »Ich mache mich nur schnell frisch, und dann fahren wir ins Amt.«

Er reagierte nicht, das musste er auch nicht, aber er fingerte am Lenkrad herum, als wolle er etwas sagen.

»Ja, bitte?«

»Nun, es ist Sonnabend ...«

»Ja und?«

»Es ist nur so, dass im Amt heute wohl nichts anfällt, das Ihre Anwesenheit unbedingt erforderlich machen würde. Sie könnten sozusagen«, er fuhr mit dem Finger über die Steuerungfläche der Automatikschaltung, schaute ihr nicht in die Augen, »einen Home-Office-Tag einlegen?«

»Einen was? Nun, wenn es das ist, wonach es sich anhört, fahren wir natürlich erst recht. My amt is my home, wenn Sie mich verstehen. Also, der Tag ist kurz, ich brauche meinen Podcast für morgen! Sie warten hier!«

Gerade hatte sie angefangen, ihm zu vertrauen, und dann so etwas. Sie schloss die Haustür hinter sich und stieg etwas widerwillig die Treppen hoch. Diese Seelentraurigkeit, von der sie nicht wusste, woher sie kam, war wieder da und breitete sich langsam in ihr aus. Wenn er nicht mehr unten war, wenn sie zurückkam, würde sie einfach nicht mehr die Kraft haben, sich immer wieder aufzurappeln, dachte sie. Dann würde sie auf unbestimmte Zeit zu Hause bleiben.

Er war noch da.

Als sie sich dem Regierungsviertel näherten, wurde es voller auf den Straßen. Keine Autos, nur Fußgänger. Er verlangsamte das Tempo, hupte. Die Leute hingen plötzlich mit ihren Blicken an der Windschutzscheibe und bildeten eine Gasse. Die ersten Handys und Kameras wurden gezückt.

»Nicht winken, bitte.« Herr Bodega war nun doch etwas angespannt.

»Ach, wieso denn nicht?« Sie hob den Arm. Mein Gott, es stimmte also wirklich. Nette Leute hier. Sie lachte, und es wurde zurückgelacht, zumindest sah es so aus.

Er konnte jetzt schneller fahren und glitt mit ihr wenig später lautlos in die Tiefgarage. »So, da wären wir.«

Der Aufzug in den siebten Stock befand sich direkt neben ihrem Parkplatz in der Tiefgarage. Als sie ausstieg, fand sie es hier fast noch stiller, als es schon im Wagen gewesen war. Es ging alles sehr schnell, und sie bemerkte erst jetzt die andere schwarze Limousine, aus der drei Sicherheitsbeamte stiegen, lautlos und schnell.

»Waren die die ganze Zeit hinter uns? Ich habe ja nur nach vorne und nicht zurück geschaut. Und was tun denn all die Menschen da draußen?«

Er hielt ihr die Tür zum Aufzug auf: »Das muss Sie nicht

weiter stören, nur eine etwas größere Besuchergruppe, alles angemeldet. Ist eben ein schöner Tag heute, vielleicht der letzte wirklich schöne in diesem Jahr. Da kann man schon mal vors Haus gehen.«

Sie schwieg, wollte ihn nicht weiter in Verlegenheit bringen. Man konnte ihr vieles erzählen, aber das nicht. Sie musste sich andernorts Aufklärung verschaffen.

Die siebte Etage war tatsächlich so beeindruckend groß und weit und lichtdurchflutet, nach oben fast offen, wie sie es im Film gesehen hatte. Die Wege waren ein bisschen lang, fand sie, das entschleunigte mehr, als ihr momentan lieb war. Sie schaute sich um, versuchte sich zu orientieren. Alles war nach allen Seiten so offen, dass sich jegliche Richtung, kaum hatte man sie zu finden geglaubt, wieder verlor.

Und dann war er plötzlich da, der Moment, eine dieser kostbaren Gelegenheiten, die es zu nutzen galt: Sie war allein. Herr Bodega hatte sich zurückgezogen, war mit dem Aufzug wieder nach unten gefahren, es surrte noch. Sie blickte sich um, keine Büroleiterin in Sicht, von MAV und Pressesprecher oder anderen Mitarbeitern keine Spur. Anscheinend nahm man tatsächlich an, sie würde einen Home-Office-Tag einlegen. Sie musste an Herrn Bodega denken. Das Verschweigen dieser Änderung im Plan wäre eine sehr großherzige Geste von ihm.

Sie konnte es kaum glauben, blickte hoch zur Skylobby, auch da niemand, lief schneller, blickte sich um, kniff die Augen zusammen. Jetzt nur ruhig bleiben. Es musste doch einen Weg zu all den Menschen da unten geben. Und tatsächlich, da war eine Tür. Dahinter begann ein kleiner Korridor, der auf eine weitere Tür zu führte, und als sie durch diese trat, entdeckte sie einen recht geräumigen Küchenaufzug. Egal, dachte sie, Hauptsache, erst einmal nach unten. Sie ging hinein, und soweit sie sehen konnte, gab es hier auch keine Kameras. Sie drückte den Aufzugknopf, und die Türen schlossen sich.

Ein Mann mittleren Alters in bequemen, vorne und seitlich offenen Schuhen und eine Dame in einer hellen, leichten Wetterjacke standen vor dem »Großen weißen Kopfzeichen« im Eingangsbereich. Es war aus porösem stumpfweißem Stein, mit einem kaum wahrnehmbaren Hauch von Rosa und einer eigenwilligen Geometrie darauf.

»Also, ich weiß ja nicht.«

»Haste schon ›die Philosophin‹ da hinten an der großen Treppe gesehen? Mutig, kann ich dir sagen, sehr mutig.«

»Du sollst sie ja nicht so nehmen, wie sie da so steht, sondern als Inbegriff des nachdenklichen Menschen sehen.«

»Dass die nachdenkt, da musste erst mal draufkommen. Warum sitzt die dann nicht da wie diese Figur in Paris? Und dass die immer alle nackt sein müssen.«

»Rodin?«

Die beiden waren mit der zeitgenössischen Kunst offenbar ein wenig überfordert und noch etwas indifferent. Sie hatte sich lange genug hinter dem »Großen weißen Kopfzeichen« versteckt, trat nun langsam hervor und versuchte zu lächeln.

Die beiden Besucher erschraken, schauten sich kurz um, murmelten ein »Oh, wir bitten vielmals um Entschuldigung«, so als hätten sie jemanden zu Hause gestört, und verschwanden in der Menge. Man verlor sich aus den Augen. Der erste Versuch einer Aufklärung vor Ort war somit fehlgeschlagen.

Drüben auf dem mintgrünen Teppich im Eingangsbereich standen mehr Menschen. Auf die steuerte sie jetzt zu.

Dadurch brachte sie allerdings das anwesende Organisations- und Überwachungsteam gehörig durcheinander. Das Personal war nun ausschließlich mit um Unauffälligkeit bemühten Abstimmungsversuchen beschäftigt – und verlor dabei gänzlich die Besuchermassen aus den Augen. Handys wurden jetzt über die Köpfe gehalten, Kameras blitzten.

Sie nahm Kurs auf einen jüngeren Sicherheitsbeamten an der Tür: »Alles in Ordnung, lassen Sie nur, bleiben Sie locker, ich bin es ja auch.«

Er nahm sein Headset ab und gab seinen Kollegen Zeichen, indem er mit der flachen Hand nach unten wippte.

Sie blieb vor ihm stehen. »Hören Se mal, was ist denn das für eine Veranstaltung hier?«

»Entschuldigung?«

»Na, was sagen Se denn, wenn Sie jemand fragt?«

Es war ihm sichtlich peinlich. Und dann kam es wie aus der Pistole geschossen: »Tag der offenen Tür. Schauen Sie sich ruhig um. Wir laden Sie ein.« Er machte eine ausholende Geste und versuchte zu lächeln.

»Was für eine schöne Idee, hätte es früher nicht gegeben. Weiter so!«, und sie ließ ihn etwas verwundert stehen, schritt stattdessen zu den Schaukästen, die unweit des Eingangs im Foyer aufgebaut waren.

Die Menschen traten zur Seite, als sie sich näherte, und gaben den Blick frei auf eine Reihe seltsamer Gegenstände: silberne Teller und Kannen, ein handbemaltes Schachspiel, eine alte Truhe mit kostbaren Ölen und Parfums. Exponate eines Museums, das man vielleicht sponserte? Nur welches? Eine einheitliche Stilrichtung, eine gemeinsame Epoche ließen sich nun wirklich nicht erkennen. Sie blieb vor einem alten Filmvorführapparat in einem eigens dafür angefertigten Holzkasten stehen. Daneben lag eine Reihe von seltsam bunten Filmkassetten. Sie legte den Kopf schräg, konnte winzige Buchstaben erkennen, aber nicht deren Sinn verstehen. Es war zu dumm.

Ein kleines Mädchen, wahrscheinlich schon im lesefähigen Alter, stand nah genug neben ihr. Sie sprach es an: »Wie heißt du?«

Die Antwort kam prompt: »Nicole. Ich bin acht Jahre und gehe auf die Albert-Einstein-Schule.«

Nun, das gab Hoffnung. »Schön. Nicole, was meinst du, was wir hier sehen?«

Die Kleine zeigte auf ein großes weißes Schild über den Vitrinen: »Das sind Staatsgeschenke!«

O Gott, sie hatte es befürchtet. »Tatsächlich? Nun, wenn du es sagst, wird es so sein, nicht wahr? Kannst du denn schon lesen, was hier auf der Vitrine mit dem großen Holzkasten und auf den Kassetten steht?«

Die Menge war begeistert, kam näher heran an die beiden. Nicole würde morgen in allen Zeitungen stehen. Etwas stockend las sie vor: »Hello Dolly«, »Singin' in the Rain«, »Guys and Dolls«, »Meet me in St. Louis«, »Mamma Mia«. Und dann beugte sie sich über das Schild: »Vom Präsidenten der Vereinigten Staaten George W. Bush anlässlich ...«

Das reichte völlig. Mitunter hatte eine Leseschwäche auch ihre Vorteile, und manche Erinnerungen waren entbehrlich. Sie legte die Hand auf die Schulter der Kleinen, bedankte sich, gab ihr einen Stups auf die Nase und ging langsam weiter.

O Gott, was sollten bloß die Leute denken? »Guys and Dolls«? Nein, darüber wollte sie unmöglich mit den Menschen ins Gespräch kommen. Sie schaute sich um. Im hinteren Teil des Foyers gab es ein wunderbares Gemälde einer Menschenmenge vor dem Parlament, als wäre es gestern gewesen, darunter Ausstellungsobjekte, die alte Erinnerungen weckten.

»Kommen Se mit.« Man musste die Leute mitnehmen, und die Leute folgten ihr tatsächlich, verwundert und mit hochgehaltenen Handys.

Lediglich ein etwas älteres Paar stand noch vor einer Glasvitrine mit einem Dokument darin. Der Herr schaute etwas orientierungslos in die Luft: »Well, which building is this here?« Die Dame hakte sich wieder bei ihm ein. »Oh dear, I am not quite sure, nice style, I think it's the President's House«, und man schritt an ihr vorbei. Weiter hinten hatten zwei Herren im Rentenalter ebenfalls noch nichts bemerkt. Sie kam näher, genoss den Moment. »Mensch, und ick hab die auch noch alle jewählt. Und was ham wa jetzt davon, außer dass mein Hund hier in keen See mehr baden darf?«

Sie neigte sich zu den Herren. »Wir sind bemerkenswert kreativ, wenn es darum geht, unser Elend verbal auszubreiten, nicht wahr? Ich verstehe Sie gut. Nur das hilft uns nicht weiter. Haben Sie vielleicht irgendwelche Vorschläge?«

Mildes Entsetzen auch hier. »Ach, Gott, nee.«

Sie mochte diese maskuline Form der Anrede nicht, erst Recht nicht in der Negation, lächelte trotzdem mit den Augen, was die Herren etwas lockerer werden ließ.

Vorschläge? Ob sie die wirklich hören wolle?

Ja, sie wollte.

Um sie herum hatte sich mittlerweile ein Pulk von etwa einhundert Personen gebildet, die Sicherheitsbeamten nicht eingerechnet. So ging das nicht. Sie benötigte einen gewissen Rahmen.

»Werden Sie die Dolmetscherkabinen brauchen oder die Videoaufnahme?« Die junge Dame, die für Fragen und für die Präsentation des internationalen Konferenzraums im ersten Stock zuständig war, rang um Fassung und offenbar auch um Worte beim Anblick ihrer obersten Chefin. »Wollen Sie wirklich mit dem ganzen Volk hier rein?«

Während im ersten Stock die spontane Volkskonferenz mit der Regierungschefin ihren Lauf nahm, schlugen im siebten Stock die ersten Büroeinrichtungsgegenstände gegen die Tür. Dem MAV ging es nicht gut.

»Herrje, nun hatten wir gerade eine Lösung gefunden, und jetzt ist sie plötzlich doch hier? Die ist ja wirklich für Überraschungen gut. Etwas mehr Kommunikation hätte nicht schaden können!« Sein Lachen klang leicht hysterisch. Er schaute auf die Uhr. »Er kommt in zwanzig Minuten. Wie kriegen wir das hin, ohne dass es wie abgeführt aussieht?«

Die Büroleiterin ging das kurze Ansprachemanuskript für den kurzfristig eingeladenen Herrn nochmals durch. Sie hatte den Text anderthalbzeilig in Schriftgröße 14 auf einen DIN-A5-Zettel geschrieben. »Wer soll abgeführt werden, sie oder er?«

»Na, sie natürlich!«

»Das wird nicht gehen. Das hier ist ihr Haus, nicht seines. Und was ist denn so schlimm daran, den Menschen nahe sein zu wollen, selbst wenn der Küchenaufzug der einzige Weg dorthin ist? Und das, was sie da unten jetzt veranstaltet, entspricht doch durchaus dem Anlass. Keine Sorge, sie kann gut mit Leuten, wenn man sie lässt, wie sie will.«

Der MAV konnte so viel Ruhe, die in seinen Augen geradezu an Kaltblütigkeit grenzte, nicht fassen: »Haben Sie eine Ahnung, was da alles passieren kann? Das wird aufgenommen, da ist unangemeldete Presse dabei. Und dann Facebook, Twitter, SMS-Ketten, so schnell können sie gar nicht gucken, und dann ist das in der Welt! Keine Kontrolle! Wir werden keines ihrer Worte zurücknehmen können!« Er sah auf die Uhr. »Es ist vierzehn Uhr, also quasi perfekt für die Berichterstattung in den Blättern für morgen! Mein Gott.«

Sie legte den Kopf schräg und sah nochmals mit etwas

mehr Abstand auf den Zettel: »Ob ich Probleme mit dem Protokoll kriege, wenn ich unsere Schrift verwende?« Sie legte ihn wieder zur Seite und schaute auf: »Soll ich Ihnen mal was erzählen? Angeblich hat Giscard d'Estaing im Versuch, den einfachen Leuten nahe zu sein, morgens um halb sieben den Müllfahrern aufgelauert, um sie in den Elysée-Palast zum Frühstück zu zerren. Das ist schon ein wenig entrückt, nicht wahr? Die armen Müllmänner. Ein solches Problem haben wir da unten jetzt nicht. Man muss flexibel sein in unserem Job. Ist sie selbst doch auch.«

Er schwieg, wollte nicht derjenige sein, der so etwas infrage stellte.

Doch sie hatte seine Einwände sehr wohl verstanden: »Lassen Sie ihr einfach sagen, der europäische Notenbankchef sei am Telefon. Ich könnte ihn anrufen.«

Es ging nichts über ein gut organisiertes, mitdenkendes Büro. Sie hatte das letzte Wort. Der Rest war Kopfnicken.

Im internationalen Konferenzraum hatte man die Blumenbouquets in der Mitte aus dem Saal schaffen lassen. Dort und auf den Stufen saßen die Leute mit Kindern, die fragten, ob sie echt sei, wo sie sich da doch selbst nicht so sicher war.

Die ersten brav gestellten Fragen kamen: Wann sie morgens aufstehe, welches Handy sie benutze, ob sie schon wisse, von wem sie sich malen lasse irgendwann einmal. Und sie gab Auskunft, soweit sie es zu wissen glaubte. Doch ganz langsam beschlich sie ein Verdacht, denn sie spürte eine eigenartige Erwartungshaltung, so als wolle man etwas ganz Bestimmtes sehen und hören, um nachher sagen zu können, dass man genau das gesehen und gehört hatte, was zu sehen und zu hören man sich vorher schon gedacht hatte. Und die Antworten auf die Fragen, die nicht gestellt wurden, schien man gar nicht hören zu wollen, weil man sie schon zu kennen glaubte. In den Köpfen der Leute war ihre ganze Person bereits fertig, fix und fertig. Sie war ein Luftgespinst, ein einziger Spuk!

Die Menschen guckten, sie guckten einfach! Und wahrscheinlich guckte sie selbst schon so, wie die Leute erwarteten, dass sie guckte. Nein, so ging das nicht.

Sie hatte sich an einen der Konferenzplätze gesetzt und instinktiv ein weißes Blatt Papier von dem Block, der vor ihr lag, in die Hand genommen. Sie nickte in die Runde, räusperte sich und wartete auf ihre Worte. Irgendetwas würde sich schon nach vorne kämpfen. Sie schloss den oberen Knopf des Blazers. Und dann fiel ihr etwas ein, das noch ganz frisch drin war in ihrem Kopf. Damit konnte sie nicht allzu viel Schaden anrichten, fand sie, und es war durchaus der Rede wert: Thema der Französischen Revolution, aller bisherigen US-Präsidenten, Friedensnobelpreisträger und des Demokratischen Aufbruchs. Sie hob den Kopf und begann.

Zehn Minuten später hatten die ersten Zuhörer bereits alle Fotos gemacht, die sie hatten machen wollen, und verließen den Saal. Ein junger Mann lief an ihr vorbei, und sie hörte ihn zu seiner Begleiterin sagen: »Von was redet die denn? ›Keine Freiheit ohne Verantwortung‹? Schiss, wa?«

Sie wurde lauter, variierte ihre Worte leicht. So abstrakt war die Freiheit doch gar nicht, mit etwas Vorstellungsvermögen konnte man ganze Revolutionen damit vom Zaun brechen. Das musste doch noch drin sein in den Köpfen. Wie brachte man das denn rüber, damit der Funke übersprang? Allein über den Kopf schien es nicht zu gehen. Also gut, Gefühle. Was gab es da? Langsam, ganz langsam kam ein wenig Wut hoch. Vielleicht lag es an der Wärme in diesem Raum mit all diesen Menschen. Ja, es musste die Hitze sein, die sie wieder überkam. Wozu gab es eine Klimaanlage? Sie konnte nichts surren hören, wo doch sogar die kleinen roten Lichter an den Pulten der Dolmetscherkabinen blinkten. Alles lief, auch der Schweiß. Sie wartete noch ein wenig darauf, dass die Wut ihr auf der Zunge lag, und es funktionierte. »Ich sag Ihnen mal was. Sie wollen Gewissheit gegen die Verunsicherung, aber vollständige Sicherheit kann niemand auf der Welt geben. Es gibt keine Lichtgestalten hinter den Mikrophonen, die alles richtig machen und sich kümmern. Vergessen Sie's! Nichts ist selbstverständlich, auch die Freiheit nicht!«

So. Sie dachte, dass das jetzt wohl reichte mit der Wut. Doch die blieb hartnäckig, und bevor sie noch etwas dagegen tun konnte, öffnete sich ihr Mund wieder: »Wissen Sie eigentlich überhaupt, dass Unsicherheit ein Luxus ist im Vergleich zur bloßen Verordnung? Wahrscheinlich nicht, wahrscheinlich wollen Sie sich gar nicht freiheitlich entscheiden. Also, ich sag Ihnen jetzt mal was: Ich bin's leid mit Ihnen! Schiss, wa?«

Als sie aufhörte zu reden, trat Schweigen ein. Ob kurz oder lang, da war sie sich nicht sicher. Aber immerhin blieben die sitzen, die noch da waren. Es ging also doch, manchmal reichte es, einfach zu sagen, was man dachte. Und es stand ihr bis zum Halskragen: »Haben Sie eigentlich eine Ahnung davon, wie schwierig es mitunter für mich ist, die Wahrheit zu erfahren? Dann mal her damit! Ich will etwas von Ihnen hören, denn das ist meine einzige Chance, den Tag hier halbwegs informativ abgewickelt zu kriegen. Glauben Sie mir, ich meine es ernst, ich zeichne das auf, ich sehe mir das gleich morgen wieder an! Denn ich will mich daran erinnern können!«

Wortloses Staunen, erster Applaus erhob sich. Und dann kamen sie, die ersten Wortmeldungen, zögernd, vereinzelt zunächst, dann mehr, dann lauter. Nach zwanzig Minuten war so etwas wie ein Dialog zustande gekommen. Sicher, das mit der Basisdemokratie war wie mit den wilden Tieren, einmal frei gelassen, war das Chaos vorprogrammiert. Aber alles besser als Stille.

Der MAV versuchte an Giscard d'Estaing zu denken, um sich etwas zu beruhigen. Doch es funktionierte nicht, und seine Anweisung ins Headset kam gefaucht: »Gehen Sie um Gottes willen dazwischen. Jetzt redet die von Quereinsteiger-Quoten, nur weil sie selbst eine war, von Strukturen und neuen Köpfen! Sagen Sie ihm, dass er da jetzt rein muss. Erklären Sie ihm, die Auslandsreise sei urplötzlich gecancelt worden, verfrühte Schneestürme in den oberen Luftschichten des Kaukasus oder so. Er soll schleunigst Brücken bauen!«

Die Mitarbeiterin des Bürostabs schlängelte sich mühevoll durch die auf dem Fußboden sitzenden Menschen und erreichte irgendwann das Ohr der Chefin. Sie wartete den Applaus ab. Es dauerte länger.

»Wir haben Brüssel am Telefon.«

»Ich rufe zurück.«

»Das geht nicht. Man will nicht warten.«

»Ich habe hier zu tun. Und wenn hier eine nicht warten kann, dann ich! Wird das hier eigentlich alles aufgenommen? Checken Se mal.«

Die junge Frau verschwand durch die Tür, die sich gerade in diesem Augenblick von außen ganz weit auftat. Ein hochgewachsener Mann mit dezenter Brille kam mit großen, langsamen Schritten herein, eskortiert von einer blonden Frau und einem beeindruckenden Mitarbeiterstab. Er bahnte sich seinen Weg zu ihr und nahm ihre Hand in seine Hand.

»Es ist schön, dass ich heute hier sein darf. Man hat mich gerufen, und jetzt bin ich da. Aber wie ich sehe, ist meine Anwesenheit gar nicht erforderlich. Sie, werte Kollegin, sind gerade dabei, Ihr Volk zu einem diskutierenden Volk zu machen.« Er lächelte in die Runde, und es war, als lege sich eine Daunendecke über die Reihen, die die Stimmung im Saal nun wieder ein wenig dämpfte. Wie schade.

Sie musterte ihn von der Seite. Wer hatte den denn geschickt? Er kam ihr bekannt vor. Er trug eine ausgesucht schöne Krawatte und hatte etwas durchaus Freundliches, sehr Ausgleichendes an sich, wie es Leute haben, die Gartenschauen eröffnen. »Sind Sie auch ein Gast hier?«

Er schaute verwirrt, schien dann zu verstehen und erwiderte: »Nun, sind wir nicht alle Gäste in unseren Ämtern?« Es klang mehr entschuldigend als geistreich.

Sie durchlöcherte ihn mit Blicken. Es war nicht so, dass sie mit diesem Menschen keine Emotionen verband, und sie konnte sich mittlerweile ja durchaus an einige wenige Personen erinnern, Bruchstücke erahnen. Aber hier war es doch recht schwer. Er war wie seine Brille: randlos. Verdiente weder Hoffnung noch Verzweiflung, denn er war so neutral, und wenn man ihm nahe kam, fühlte man sich plötzlich auch neutral. Sie ahnte, dass man ihn mit Absicht zu ihr und den Leuten geschickt hatte.

Es kam Bewegung in den Saal, Aufbruchstimmung, und man schritt mit dem Strom der Menschen durch die weit geöffneten Türen wieder ins Foyer. Die Fotografen waren begeistert.

Beim Bad in der Menge fragte sie ihn: »Hören Sie, man hat doch mal einen ›Arbeitskreis Demokratischer Aufbruch‹ innerhalb der Partei ausgehandelt, nicht wahr? Gibt es den eigentlich noch?«

Er versicherte ihr, er würde dies recherchieren lassen, was

Anlass zu der Befürchtung gab, fand sie, dass auch ihm einige seiner Erinnerungen abhanden gekommen sein mochten. Denn so etwas hätte man doch wissen müssen.

Bevor sie wieder in den Wagen stieg, ließ sie Herrn Bodega die Videoaufnahme aus dem Konferenzraum holen, nach der noch niemand gefragt hatte. Sie war schneller gewesen, und das war besser so, dachte sie. Bei den Podcasts an diesem Morgen hatte sie festgestellt, dass sie auf dem einen bedeutend längere Haare hatte als auf dem anderen, das angeblich am Tag darauf aufgenommen worden war. So schnell wuchs kein Haar der Welt.

Zu Hause lag ein Hauch von Kohl in der Luft. Er musste in der Küche sein, und sie ging zögernd durch die Wohnung, streifte ihre Jacke ab und steckte den Kopf zur Tür herein.

Ja, es war Kohl. Ihr Mann war so vollends mit ihm beschäftigt, dass er sie erst jetzt bemerkte. »Liebes, ich habe gedacht, ich koche uns heute mal etwas richtig Sinnliches.«

»Kohl?«

»Ja, und zum Nachtisch habe ich die Pfirsiche dieses Mal püriert und eine leichte Karamellschicht mit etwas Calvados darübergelegt. Ich schau mal, ob ich die flambiert kriege. Unvergesslich, kann ich dir sagen.«

Der halbe Rittberger

Er hatte sie flambiert bekommen, die Pfirsiche, und es war seit Langem einmal wieder spät geworden zu Hause. Für einen Moment war es so gewesen, als hätten sie beide das Vergessen vergessen, und er hatte schnell seine alte Kamera geholt, um ein Foto von ihnen zu machen, mit Selbstauslöser, vor den noch lodernden Pfirsichen, am Küchentisch. Ihm war ganz einfach danach gewesen, und sie hatte sich gar nicht über ihn gewundert, es hatte wohl den Selbstauslöser nicht nur in der Kamera, sondern auch in ihnen selbst gegeben. Die Tageszeitung allerdings, die er noch schnell ins Bild geschoben hatte, würde wohl nur ihn darauf hinweisen, wie aktuell diese Erinnerungen waren. Man hätte fast glauben können, dass die verloren gegangenen Jahre seiner Frau durchaus auch positive Elemente bargen, genauer genommen nicht die Jahre, sondern der Verlust derselben.

Seine Tage waren kürzer geworden, normalerweise ging er nun früher ins Bett, was sich in der einfachen Tatsache begründete, dass er morgens vor ihr aufstehen musste, um das Material und die Technik startklar zu machen. Der MAV hatte am Abend zuvor noch höchstpersönlich vorbeigeschaut und nach einer Aufnahme vom Tag der offenen Tür gefragt. Man hatte die Wohnung auf den Kopf gestellt und nichts gefunden. Die Dinge nahmen langsam eine eigenartige Wendung, fand er. Irgendetwas stimmte nicht.

Peach Garden. Das Raumspray stand griffbereit im Bad, und er unternahm damit seinen allmorgendlichen Gang durch die Wohnung, um hier und da einige dezente olfaktorische Erinnerungsanker zu setzen, als es klingelte. Man ließ ihm wahrlich keine Chance, den Kopf freizukriegen, da bewunderte er schon ein wenig seine Frau, die gleich aufwachen würde.

Herr Bodega stand vor der Tür. »Entschuldigen Sie vielmals die frühe Störung, aber ich dachte, dass ihr das hier ein wenig auf die Sprünge helfen könnte.« Er kam herein, öffnete seinen Mantel und entnahm der Innentasche eine CD-Rom. »Das ist die gestrige Aufnahme aus dem internationalen Konferenzraum. Tag der offenen Tür, Sie verstehen. Die war gestern Abend noch bei mir, ich habe eine Kopie erstellt und das Original wieder ins Amt gebracht.«

Er schloss die Tür hinter dem Gast, stellte Peach Garden auf dem Sideboard im Flur ab. Was ging hier vor sich? »Ich verstehe nicht recht, glauben Sie, dass sie die heute schon sehen will? Ist das abgesprochen?«

Herr Bodega versuchte etwas zu bemüht, neutral zu bleiben: »Oh, ich denke, dass sie sich das wünschen würde.«

»So, denken Sie. Hat sie Ihnen die gestern gegeben?«

»Ja, ich sollte sie noch aus dem Videosystem holen, kurz bevor wir fuhren. Es ist vertraulich.«

Ihr Gatte hatte keine Lust, sich näher mit dem zu beschäftigen, was ihm gerade durch den Kopf ging. »Kommen Sie ins Wohnzimmer. Sie wird gleich wach werden. Es kann dauern. Möchten Sie einen Kaffee oder einen Pfirsichsaft?«

Der MAV versuchte, sich auf die Vorbereitung der nachrichtendienstlichen Lagebesprechung zu konzentrieren. Es ging nicht. Sein erster Gedanke nach dem Aufwachen hatte seiner Chefin gegolten, und er ließ ihn nicht los. Er wählte die Nummer der Büroleiterin, hätte es am liebsten in die Welt geschrien, und doch blieben ihm nur zwei Personen, denen er sich anvertrauen konnte.

Sie sei gerade erst aufgewacht, sagte sie, und ihr erster Gedanke kreiste wohl eher um Kaffee oder Dusche als um ihre Chefin. Ihr reichte es wahrscheinlich schon, wenn sie die Kollegen morgens in der Tiefgarage traf, man musste sie nicht auch noch gleich beim ersten Augenaufschlag am Telefon haben. Aber hier verhielt es sich anders. Dies war erstens seine, zweitens ihre und drittens eine nationale Angelegenheit.

»Ich habe jetzt die Aufnahme. Können Sie sich vorstellen, was passiert wäre, wenn die Opposition oder gar der Koalitionspartner das in die Hände gekriegt hätte? ›Neue Strukturen, neue Köpfe vor neuen Inhalten‹ – mein Gott, ich darf gar nicht darüber nachdenken. Ich sage Ihnen, wir müssen als allererstes diesen Therapeuten mit seiner Gefühlsduselei aus dem Wege schaffen. Der betreibt die reinste Gehirnwäsche mit ihr!«

»Kann das nicht noch bis halb acht warten?«

»Nein, verdammt noch einmal. Ich muss vorher noch in die nachrichtendienstliche Lage. Ich muss denen langsam erklären, warum ich die Kollegen plötzlich auf den KGB in Zusammenhang mit dieser Klinik ansetze. Die kommen da so nicht weiter. Mein Gott, und der Außenminister will jetzt auch genau so einen Coach, sagt er, ob ich ihm die Adresse geben könne. Und dann die Presse! Haben Sie schon die Zeitungen gelesen? Ich werde hier noch verrückt.«

Sie versuchte hörbar, ein Gähnen zu unterdrücken, und er fühlte sich genötigt, sein Handy etwas vom Ohr weg zu halten. So nah wollte man den Menschen ja nun auch nicht kommen. Die Büroleiterin war ihm sowieso ein wenig unheimlich, lebte innerhalb des Amts in einer seltsamen

Zwischenwelt, war Tür und Mauer zugleich. Dieses Mal jedoch öffnete sich die erhoffte kleine Tür.

»Hören Sie, ich befürchte, Sie schätzen unseren Einfluss auf die Situation völlig falsch ein. Sie müssen erst einmal bei ihr selbst weiterkommen. Sie ist der Schlüssel, noch ist sie die Chefin. Und sie scheint diesen Dimitrij inzwischen wiederzuerkennen. Keine Ahnung, wie er das geschafft hat, aber wenn sie ihn behalten will, können wir gar nichts tun. Dann machen wir die Dinge nur noch schlimmer, und sie legt Wutausbrüche vor laufender Kamera hin.«

»Hm.« Der MAV kam ins Grübeln.

»Mehr will ich dazu auch gar nicht sagen, steht mir ja sowieso nicht zu.«

Sie klang ein wenig pikiert, der Tonfall kam ihm bekannt vor. Doch er gab noch nicht auf: »Und wenn wir ihn ihr ausreden?«

»Sie können ihr vielleicht einen Halbsatz oder die Schuhabsatzhöhe ausreden. Aber doch nicht einen leibhaftigen Menschen!«

»Nun, ich dachte da an eine Art Halluzination, ein kleines Durcheinandergeraten der Erinnerungen, verstehen Sie? Passiert uns doch auch schon mal. In der Medizin nennt man so was traumabasierte Scheinwelt.«

»Na, Sie kennen sich aber aus.«

»Mitarbeiterführung, alles Mitarbeiterführung. Das einzige Problem wird ihr Mann sein.«

Nichts als Unglauben auf ihrem Gesicht, apathisches Hinstarren, wie man es von Überlebenden einer Naturkatastrophe kannte. Erst als er seiner Frau die letzten Aufnahmen vom Tag der offenen Tür vorspielte, hellte sich ihre Miene etwas auf, schien sie den Menschen, der sie geworden war, auch ein wenig zu mögen. »Ist das offiziell, läuft das online?«

Er legte ihre Garderobe heraus, um zu vermeiden, dass sie an zwei aufeinanderfolgenden Tagen dasselbe anzog. Inzwischen war er dazu übergegangen, lediglich die Farben ihrer Blazer zu wechseln statt des kompletten Outfits. »Offiziell? Nein, ich befürchte nicht. Das würden die nie tun. Herr Bodega hat das heute Morgen mitgebracht, heimlich, als Kopie.«

»Wer?«

Er überging ihre Frage. »Wieso hast du ihm die CD mitgegeben gestern? Vertraust du mir nicht mehr?«

Damit schien sie nicht gerechnet zu haben. Wie auch. »Ich weiß es doch nicht mehr! Herrje, vielleicht wollte ich sehen, ob ich mich an ihn erinnere.«

»Ach, und bei mir reichen dir deine alten Erinnerungen?«

»Das ist unfair, das weißt du genau. Ist er noch hier?« Bei der letzten Frage überschlug sich ihre Stimme fast, sie schien mit den Gedanken schneller zu sein als mit den Worten. »Hat er dunkelblonde Haare, eine runde Nase und eine Piloten-Sonnenbrille?«

Er ließ die schwarze Hose vom Bügel rutschen, ahnte jetzt, welchen Unterschied alte und neue Erinnerungen ausmachten. »Ja! Liebes, die Erinnerung, sie kommt!«

Sie konnte sich vor Freude kaum zurückhalten, spürte das langsame Kippen der Angst in Mut, hatte erstmals das Gefühl, Gestalterin ihrer eigenen Identität zu sein, und sagte: »Nun, bleiben wir gedämpft optimistisch. Ist er noch hier?«

Ihr Mann war schon ins Wohnzimmer gestürmt und kam mit jemandem zurück, der es in Bruchstücken in ihren Hippocampus geschafft hatte.

Und jetzt stand dieser Mensch vor ihr und bekam schon wieder feuchte Augen. Er war ihr vertraut, als teilte er nicht nur eine gemeinsame Erinnerung an den vorherigen Tag mit ihr, sondern ein Geheimnis, die Intensität eines Moments, der ihr geblieben war. Dabei sah er doch so unauffällig aus. Er hätte ebenso gut Sockendesigner oder Schneeflockenforscher sein können, fand sie. Und das hatte etwas wundervoll Beruhigendes.

Sie faltete ihre Frühstücksserviette drei Mal und strich mit der flachen Hand darüber. »Herr Bodega, ich danke Ihnen für diese CD. Ich werde mir diese Aufnahmen ab jetzt jeden Morgen ansehen. Die Filme, in denen ich so kurze Haare habe, können Sie gleich wieder mitnehmen. Das falsche Erinnern ist der Feind des Denkens.«

»Wie bitte?«

»Wären diese Aufnahmen nicht auch für die Allgemeinheit interessant?«

Herr Bodega knetete seine Hände, sah zu Boden. »Ich weiß nicht, was Sie hören wollen.«

»Nun, ich möchte das hören, was Sie sagen wollen.«

»Ich würde sagen, dass das nicht ganz ungefährlich ist.«

»Ah, das hört sich gut an. Haben Sie Kinder, Herr Bodega?«

»Wieso?«

»Ja, herrje, warum hat man wohl Kinder? Sind die schon im netzfähigen Alter?«

Ja, er hatte Kinder. Drei. Und drei PCs. In jedem Kinderzimmer einen. Flatrate.

Sie war inzwischen ins Bad gegangen, hatte die Tür offen gelassen und versuchte, gegen den laufenden Föhn anzubrüllen. »Wie kriegt man das in die Kiste, sodass es alle sehen können?«

»Sie haben eine Internetseite, Chefin.«

»Ach die, die guckt wahrscheinlich niemand an außer mir. Aber was gibt's da noch?«

»Youtube?« Er köpfte sein Ei.

»Herr Bodega, Sie sollen antworten, nicht fragen. Ich weiß es doch nicht. Geben Sie die CD am besten Ihrem ältesten Sohn.«

»Chefin, da komme ich in Teufels Küche.«

»Nun, Herr Bodega, da sind wir doch schon längst. Aber so lange ich da bin, kommen Sie da auch wieder heraus. Wir machen nichts weiter als eine kleine Agitation, etwas Propaganda – sozusagen animierte Flugblätter!«

Keine Antwort.

Hatte sie etwas Falsches gesagt? »Haben Sie irgendetwas, Herr Bodega? Das ist doch eine wundervolle konspirative Idee, ein schöner Auftrag, völlig legitim.«

»Kann ich das Licht anmachen? Es ist plötzlich so dunkel hier, und mir sind ein paar Eierschalen auf den Teppich gefallen.«

»Aber selbstverständlich, machen Se nur. Und was ist jetzt?«

Man hörte wieder eine Zeit lang nichts und dann: »Nun ja, sicher, Internet. Das Netz vergisst nichts. Aber gleich Youtube? Propaganda – ich weiß nicht. Können Sie damit niemand anderen beauftragen?«

Sie stellte den Föhn auf Stufe 1. »Aber warum denn? Mögen Sie mich nicht?«

»Doch, natürlich. Irgendwie sehr. Aber ich wähle Sie nicht.«

Sie überlegte kurz. »Ach, das ist nicht schlimm. Es kann mich ja schließlich nicht jeder wählen. Vielleicht will ich auch gar nicht wiedergewählt werden.«

»Das ist es nicht.«

»Herrje, nun sagen Se schon.« Männer konnten wahrlich um den heißen Brei herumreden.

»Also, ich wähle auch niemand anderen. Das ist mir alles zu politisch. Ich wähle gar nicht. Schon lange nicht mehr.«

»Was, Sie gehen nicht wählen? Um Gottes willen!« Sie ließ den Föhn in die Wanne fallen, und aus dem Bad war kein Laut mehr zu vernehmen.

Herr Bodega nutzte die Gunst der Stunde, um durch die Wohnungstür zu verschwinden, die CD-Rom in der Innentasche seines Mantels.

Am darauffolgenden Montagmorgen stand schon wieder ein Mann vor der Tür. Dimitrij ging gleich ins Arbeitszimmer, und es war wie immer ein spannender Moment, zu sehen, wie sie auf ihn reagieren würde. Denn man konnte sich nie wirklich sicher sein, ob ihre Erinnerung an ihn schon so verlässlich und nachhaltig war. Bis jetzt hatte sich ihre Miene immer mit einem leichten, wiedererkennenden Lächeln aufgehellt, es war wie ein Gütesiegel, einerseits eine wundervolle Nachricht, andererseits doch ein wenig gewöhnungsbedürftig – zumindest für ihn, den Gatten. Er konnte sich des Gefühls nicht erwehren, dass die Verteilung ihrer Aufmerksamkeit in solchen Momenten und in einem derart privaten Rahmen doch ein wenig unausgewogen war. Gemeinsame Erinnerungen von höherer Wertigkeit – wenn auch nicht neueren Datums – hatte er ja schließlich auch zu bieten.

Zur selben Zeit hatte der MAV die nachrichtendienstliche Lagebesprechung halbwegs unauffällig hinter sich gebracht. Ärgerlich fand er allerdings, dass sich einfach nichts finden ließ gegen diesen Dimitrij. Ja, das medizinische Personal der zu durchleuchtenden Klinik war offenbar absolut sauber, wenn es auch bei genauerer Betrachtung einen bemerkenswerten Kundenstamm pflegte, der höchste Regierungskreise ebenso wie den KGB selbst einschloss. Nun hatte das an sich noch nichts Beunruhigendes, auch in Russland herrschte wohl freie Arztwahl für Privatpatienten. Aber waren diese Patienten wirklich so privat, wenn sie sich rein beruflich zufällig an der Spitze eines Landes befanden, und dieses Land zwischenstaatliche Beziehungen zum eigenen Land pflegte? War das alles Zufall? Der MAV war da sehr in Zweifel.

Zudem war ihm die Idee gekommen – und die hatte er bereits auch innerparteilich vorgebracht –, dass man dem Außenministerium unbedingt eine Ministerreise nach Russland vorschlagen solle, bei der es unter anderem auch um die Zusammenarbeit in der medizinischen Forschung gehen müsse. Somit würden sich recht schnell die nachrichtendienstlichen Ermittlungen mit eben jenem Besuch in der Klinik erklären. Eine sich direkt anschließende transatlantische Reise des Ministers, also in die entgegengesetzte Richtung, sei zudem aus diplomatischen Gründen dringend anzuraten. Diese würde zwar nicht unbedingt außenpolitische Vorteile bringen, aber Nachteile brachte sie wahrscheinlich auch keine. Weitere Nachfragen des Außenministers, insbesondere in Richtung des Coaches der Regierungschefin, würden sich somit vorerst erledigen. Und darauf kam es an. Man musste ihn beschäftigen, ihn vor sich selbst schützen. Doch bei all dem gab es noch etwas, das den MAV wirklich umtrieb, ihm schlaflose Nächte bereitete.

Dimitrj und sie hatten im Wohnzimmer Platz genommen und konnten kaum die Blicke voneinander lassen. Sie war um Fassung bemüht, schwelgte in der Wiedererkennung, in kostbaren, da noch ganz frischen Erinnerungen, und er stellte fest, dass sie einen kirschroten Blazer trug, etwas höher geschlossen, ohne T-Shirt darunter. Dazu eine kirschrote Hose.

Sie spitzte die Lippen: »Wissen Sie, das mit der abendlichen Podcast-Aufnahme war eine gute Idee von Ihnen. Sie wissen schon, die, bei der ich von drei Dingen erzähle, die am Tag gut gelaufen sind, und von drei Dingen, die schlecht gelaufen sind, und dann erkläre, warum ich das so empfinde.«

Er wehrte ab. »Die Idee kam von Ihrem Mann, nicht von mir.«

»Oh, tatsächlich? Und wofür sind Sie dann gut? Sie müssen irgendetwas besser können als andere, denn ich habe Erinnerungen an Sie.« Sie legte ein Grinsen in ihre Augen. Es würde bei ansonstiger Bewegungsstarre kaum wahrnehmbar sein und bei jedem aufmerksamen Beobachter seine Wirkung genau deswegen nicht verfehlen.

Er zeigte auf einen Stapel Zeitungen auf dem Sideboard neben der alten Stereoanlage: »Haben Sie die schon gesehen?«

»Ja, gesehen. Aber nicht gelesen.«

»Es widerstrebt Ihnen, nicht wahr?«

»Durchaus. Mir widerstrebt so einiges, wenn ich das mal so sagen darf. Meinen Sie etwas Bestimmtes?«

»Ja, das Nicht-Lesen-und-Schreiben-Können.«

Sie blickte aus dem Fenster, hinter dem sich der Himmel langsam auflockerte. Sollte er ruhig. Wenigstens etwas. Es war weniger das Schreiben, sondern vielmehr das Lesen, das ihr wirklich fehlte. Wenn nicht das Auge, sondern der Geist die Fähigkeit zu lesen verlor, war es besonders schlimm, fand sie. Es tat weh, war fast so, als trüge sie unbewusst etwas von dieser Enttäuschung wie ein Déjà-vu in jeden neuen Tag hinein. Sie hatte an diesem Morgen schon beim ersten Augenaufschlag die unbestimmte Befürchtung gehabt, dass ihr Mann ihr genau das sagen würde, was er ihr dann sagte. Es war wie ein drohendes Unwetter, das man schon vorher in den Knochen spürt, nicht die Erinnerung selbst, sondern das Gefühl einer Erinnerung. Immerhin. Und doch blieb das Problem ein Problem.

Ihr Gatte hatte alle Bücher von ihrem Nachttisch entfernt. Sie lagen jetzt im Wohnzimmer. Schwarze Zeichen auf weißem Papier, möglicherweise unterschiedlich in Größe, Form, Anordnung, Abstand. Nichts weiter. Keine Landschaft mehr im Kopf. Nicht mehr die Möglichkeit, unbemerkt Gefühle zu riskieren, innerlich zu heulen wie eine Schlosshündin, auch Dinge in einem anderen Licht zu sehen, zu untersuchen, zu hinterfragen, zu wissen. Wissen war Macht, war Freiheit. Ja, bei der Lektüre konnte man die Beschränkungen von Körper, Raum und Zeit überwinden, auch wenn ihr Letzteres schon mit einem herabfallenden russischen Brett gelungen war. Doch es ging um mehr, es ging um jene Momente, die einem beim Lesen ganz alleine gehörten, wenn die Augen mit kleinen, präzisen Bewegungen über die Zeilen eilten. Momente, in denen man nicht befürchten musste, Anstoß zu erregen oder jemanden zu kränken, weil man sich gerade anderweitig konzentrierte. Sie hatte sich immer sehr gern konzentriert.

Jetzt aber war ihr Urteilsvermögen auf fatale Art und Weise eingeschränkt, sie musste sich vortragen lassen, was andere glaubten den Zeichen zu entnehmen. Sie hatte morgens eine so genannte SMS bekommen, man hatte es ihr erklärt. Verstanden hatte sie nur den Smiley am Ende. Das Einzige, was ihr blieb, war ihre Intuition, die sie jetzt trainieren musste wie eine vernachlässigte Muskelpartie. Natürlich, daraus konnte mit etwas Übung so etwas wie Vertrauen erwachsen, aber so richtig sicher konnte sie sich nie sein. Sie taumelte von Situation zu Situation, von Mensch zu Mensch. Es tat weh. Ja, sie vermisste das Lesen.

Ihr Blick ging wieder ins Zimmer. »Nun, ich wollte immer wissen, was auf mich zukommt, Informationen aufnehmen und abrufen, jedes Detail. Und jetzt das. Das ist nicht schön. Das muss ich ganz klar sagen.«

Er lehnte sich zurück, wollte sie offenbar reden lassen. Aber sie war schon am Ende mit ihrem Satz.

»Wollten Sie jemals ein Buch schreiben?«

»Gott behüte, nein. Mir reicht schon, dass ich mich irgendwann malen lassen muss für diese Herrenrunde an der Wand, der Kunst mein Gesicht geben, mit ein paar Jahreszahlen darunter. Wie vermessen eigentlich. Doch man darf es wohl nicht allzu ernst nehmen, nicht wahr? Ich könnte mit Pink liebäugeln, vielleicht mit einem Hauch von Roy Lichtenstein?«

»Flüchten Sie gern in andere Welten?«

»Wie jetzt? Außenpolitisch?«

»Nein, literarisch.«

»Och.«

Dieses Mal ließ er sie nicht zu Ende reden, stand auf und ging im Raum umher. »Ich halte das Lesen in Ihrer derzeitigen Verfassung für pure Zeitverschwendung. Ich weiß, ich komme in Teufels Küche, wenn ich so etwas hier und jetzt verlauten lasse. Aber lesen ist nicht tun. Sehen Sie, Sie brauchen durchschnittlich eine Sekunde für sechs Wörter. Das ist zu lang, viel zu lang für Sie. Und ich frage Sie: Warum hat unser Primatenhirn erst vor fünftausendvierhundert Jahren plötzlich das Lesen erfunden, nach millionenjähriger Evolution?«

Sie war sich nicht sicher. »Keine Ahnung. Keine Zeit? Früher Tod?«

Ihr Mann steckte den Kopf zur Tür herein: »Sorry, aber die Zeit ist um. Du musst ins Amt.«

Die regelmäßigen Joggingrunden mit dem Pressesprecher gaben dem Leben einen Hauch von Normalität, nach innen wie nach außen. Man blieb ständig in Bewegung. Und wem sonst sollte sich der MAV denn anvertrauen? Die Büroleiterin arbeitete wie besessen und verließ das Amt kaum, hatte Arbeitszeiten, wie man sie nur aus indischen T-Shirt-Fabriken kannte. Man kam einfach nicht in Ruhe an sie heran.

»Ich mache mir Sorgen, große Sorgen.« Er fand nur schwer in den Laufrhythmus.

Der Regierungssprecher hatte bereits die ersten Pressespiegel überflogen und war wieder einmal bester Laune: »Was zählt, sind die Bilder, ihr Gesicht, wie sie was macht und nicht, was sie macht. Die Berichterstattung ist unwidersprochen positiv, und in den Umfragen standen wir nie besser da!«

»Es sind ihre Umfragewerte, nicht unsere.«

»Wo liegt denn da der Unterschied?« Er kam ins Schwärmen: »Hast du schon bemerkt, dass sie ihre Fingerspitzen gar nicht mehr zusammenführt? Dieses neue Element an ihr, dieses Echte, Unbeschwerte, Geschmeidige, kommt gut an.«

Der MAV fühlte sich nicht abgeholt. »Na, du musst es ja wissen.«

»Ich weiß gar nicht, worüber du dich aufregst. Wir müssen doch nichts an den Inhalten ändern oder gar am Grundsatzprogramm. Vergiss es! Es gibt schließlich kaum einen führenden Politiker, der nicht auch in einer anderen als seiner eigenen Partei führender Politiker sein könnte. Nein, nur die Art und Weise der Vermittlung, die Verpackung ändern wir. Ich sage nur NEUSTART! Ein Wort, ein einziges, klares Wort, rot auf schwarzem Grund und die erste Silbe in Gold.« Er war vorangelaufen, man verstand ihn kaum noch.

Der MAV konnte so viel Optimismus kaum fassen: »Du hast es immer noch nicht verstanden.«

»Charisma, endlich ein Hauch von Charisma!«

»Ach, und die restlichen Kollegen sollen sich dafür entschuldigen, dass ihnen in Sibirien keine Bretter auf die Köpfe gefallen sind? Es geht doch um etwas ganz anderes!«

»Aha? Um was denn dann?«

»Ist dir klar, was passiert, wenn die länger macht, als ursprünglich geplant, wenn die jetzt fern aller Inhalte eine strukturelle Debatte lostritt? Dann hast du deinen Neustart, und zwar deinen ganz persönlichen. Die zweite Liga wartet doch schon, die machen Druck! Das, was wir hier machen, sollte doch nur eine Notfallmaßnahme, eine Übergangslösung sein, mit ihr als Wegbereiterin. Und jetzt marschiert sie einfach durch.« Sein Blick ging in die Ferne. »Manchmal denke ich, sie ist wirklich ausgetauscht worden in der Klinik.«

»Und die Opposition? Die gibt es ja auch noch. Vielleicht kommt sowieso alles ganz anders.«

»Wahlausgang hin oder her, aber im Apparat würde ich schon gern bleiben.«

»Ja, aber darum musst du dich schon selbst kümmern. Wir müssen schließlich alle den Übergang schaffen von der quantitativen Gläubigkeit hin zu einer qualitativen, für jeden zufriedenstellenden Zukunftsvorstellung.«

»Verstehe ich nicht.«

»Da kannst du mal sehen.« Der Regierungssprecher bog bereits jetzt Richtung Zielgerade ein und kürzte ab.

»Und soll ich dir sagen, was der absolute GAU ist?« Es musste jetzt heraus, fand der MAV, die Zeit war knapp. »Die haben herausgefunden, dass sie mit ihrem Mann Economy von Moskau zurückgeflogen ist! Da hilft alles Charisma dieser Welt nicht mehr.

Der Sprecher stoppte und trippelte auf der Stelle. »Wer macht denn so was?«

»Na, sie! Sie macht so was! Und das wird erst der Anfang der Recherchen sein, die man so anstellen wird. Spürfüchse gibt es überall, sage ich dir. Überall. Das Eis ist verdammt dünn.«

»Nun bleib doch mal auf dem Boden. Sicher, die besten Geschichten schreibt das Leben, aber glücklicherweise sind wir ja in der Politik.«

Dimitrij schien die Zeit zu vergessen, und das machte sie nervös.

Er setzte sich wieder. »Kümmern Sie sich nicht um Buchstaben, sorgen Sie für Erlebnisse, denn hier liegt die Lösung. Der einzige Weg, der für Sie infrage kommt, führt über die Zukunft, nicht über die Vergangenheit. Ich weiß, das mag Ihnen wie ein Umweg erscheinen, aber einen anderen gibt es nicht.«

Er war gut darin, ihre Aufmerksamkeit auf sich zu ziehen. Gelangweilt hatte sie sich bereits mit vielen Menschen. Er war anders, hatte einen Zugang zu den Dingen, die man nicht auf den ersten Blick sah, war oft schon zwei Gedankenschritte weiter als sein Gegenüber. Sie kannte das. Und doch schien es ihr, als sei sein Zugang ein anderer als ihrer. »Also, über mangelnde Erlebniswelten kann ich mich nun wahrlich nicht beklagen.«

»Das meine ich nicht.«

Ihre Frage war ihr wohl ins Gesicht geschrieben, und er fuhr fort: »Ich würde gern von Ihnen wissen, was Sie wirklich gern einmal tun würden. Haben Sie einen Kindheitstraum, den Sie nie gewagt haben, zu verwirklichen?«

Sie guckte, war fassungslos, aber er nahm seine Frage nicht zurück, im Gegenteil: »Hören Sie, Sie sind Regierungschefin, da können Sie sich doch ohne großen Aufwand auch einmal ein paar unorthodoxe Wünsche erfüllen.«

»Das sagen Sie so. Regieren Sie mal ein Land, und dann auch noch als Frau. Es gab Zeiten, da habe ich genau das für einen unorthodoxen Wunsch gehalten. Alle anderen Wunscherfüllungen wären in meiner Position wohl eher kontraproduktiv!« Das ließ tief blicken, und sie bereute es in dem Moment, in dem sie es sagte.

Er überging es. »Denken Sie an Ihren Mandelkern.«

»An was? So was habe ich nicht.«

»Doch, sogar zwei davon, mitten im Hirn. Der Mandelkern ist Spezialist für emotionale Angelegenheiten und dürfte sich bei Ihnen, mit Verlaub, zu Tode langweilen. Verstehen Sie mich nicht falsch, die Erinnerung kommt nicht von allein. Sie müssen rausgehen und sie sich holen. Das wissen Sie.«

Sie presste die Lippen aufeinander, versuchte ruhig zu bleiben.

In diesem Moment steckte ihr Mann wieder den Kopf zur Tür herein, schaute, wie ihr schien, leicht prüfend zu Dimitrij, dann langsam zu ihr und wieder zurück. Sie werde erst in drei Stunden im Amt erwartet, sagte er, die Büroleiterin habe soeben angerufen. Der Therapeut habe um etwas mehr Zeit gebeten. Man sah ihrem Mann an, dass ihm die Sache nicht geheuer war, ja, dass da sogar etwas war, das ihm wirklich zu denken gab. Er stockte, bevor er die Erklärung lieferte, die er selbst nicht zu glauben schien: »Nun, er will mit dir zum Schlittschuhlaufen gehen.«

Stille. Nun schaute sie von einem zum anderen.

Ihr Mann, der immer noch in der Tür stand, kam ihr zuvor: »Das hätten wir doch früher auch mal zusammen tun können. Warum hast du nie ein Wort gesagt? Und jetzt wird daraus gleich eine ganze Therapie gemacht! Ich dachte, ich könnte das alles verstehen, aber ich schaffe es einfach nicht. Ich werde hier noch irre.«

Er schien wirklich aus der Fassung zu sein, mehr als sie selbst, und er stand dort in der Tür, halb im Raum, halb doch nicht, als wolle er abgeholt werden. Ihr Blick ging zu Dimitrij: »Woher um Himmels willen wissen Sie das?«

»Ganz am Anfang, als wir uns kennenlernten, haben Sie

mir erzählt, dass Sie als kleines Mädchen davon geträumt hätten, Eiskunstläuferin zu sein, den dreifachen Rittberger zu schaffen. Sind Sie denn als Kind Schlittschuh gelaufen?«

»Nein. Keine Ahnung. Hören Sie, das ist lächerlich.«

»Was reizte Sie damals an dieser Vorstellung?« Er ließ wieder nicht locker.

Und tatsächlich, das Bild war drin in ihrem Kopf: »Nun, ich denke, es waren die Beweglichkeit, der Charme, die Anmut.«

Die Tür wurde zugeknallt.

Sie lehnte sich im Sessel zurück und lachte, lachte laut los. »Hören Sie, das ist ja putzig, dass Sie und ich jetzt an das kleine Mädchen denken. Aber das ist inzwischen etwas größer und schwerer geworden. Nein, mich kriegen Sie nicht mehr aufs Eis. Vergessen Sie's, ich hab's auch abgehakt. Es stehen wichtigere Dinge an.«

Die Büroleiterin beendete das Gespräch und blickte genüsslich auf die Postberge. Es hatte sie wie immer nur einen Anruf gekostet, doch dieser war anders gewesen, hatte einen Termin betroffen, den man nicht alle Tage machte. Herr Bodega hatte ihr den Tipp mit der alten Eissporthalle etwas außerhalb der Stadt gegeben. Man müsse das Gelände nicht unbedingt eine Stunde lang für die Öffentlichkeit sperren, denn die Öffentlichkeit sei ohnehin schon lange ausgeblieben, hatte man ihr gesagt. Und natürlich fühle man sich geehrt, so hatte man diskret versichert, dass die Regierungschefin an Ort und Stelle ein sportliches Vorbild abgeben wolle, wenn auch gänzlich privat.

»Oh, hier links, nein, doch rechts.« Er fuhr viel zu schnell. Das war das Einzige, das sie verlässlich sagen konnte, denn von dort, wo sie saß, konnte sie nicht nach vorne schauen, ohne sich allzu weit nach links oder rechts zu lehnen. Am schlimmsten war es in den Kurven. Außerdem zwickte bei jeder Bewegung der Motorradhelm im Nacken. Sie hielt sich dann doch einfach nur fest, hinten am Soziusgriff.

Also gut. Das Leben war wie immer ein Wagnis, und dies war schließlich nicht Afghanistan. Wenn es der Weg war, ihr Gedächtnis wiederzufinden, diente das wohl zudem einem höheren Zweck, war im Grunde eine Staatsangelegenheit, auch wenn es weder auf den ersten noch auf den zweiten Blick danach aussah.

Nach einer Weile hätte sie da hinten auf dem Motorrad immer so weiterfahren können, steckte die Nase in den Fahrtwind und schloss die Augen, wenn auch nur ganz kurz. Was hätte sie auch sonst tun sollen? Ein Schauer lief ihr über den Rücken, und sie konnte noch nicht einmal sagen, dass sich das schlecht anfühlte. Bei genauerer Betrachtung der Lage konnte man gar zu dem Schluss kommen, dass man sich auf diesem Sozius schon ein wenig bedeutsam fühlte, ohne dass man bedeutsam sein musste. Und das war ein nicht zu vernachlässigender Unterschied.

Die Halle mutete trotz all der Scheinwerfer unter der Decke gespenstisch an. Sie hatten einen Hintereingang benutzt und gingen nun langsam an den Tribünen vorbei Richtung Eisfläche. Sie war wunderschön, eine große Kristallkugel hing von der Decke, und die Scheinwerfer reflektierten jede ihrer Bewegungen mit einem beachtlichen Farbspektrum aufs Eis – eine gigantische Projektionsfläche, die vor allem eines war: verdammt glatt.

Sie verlangsamte dann doch ihr Schritttempo und blieb schließlich kurz vor der kleinen Zugangspforte stehen, schüttelte den Kopf: »Hören Sie, das ist verantwortungslos. Ich riskiere hier einen Ausfall. Es stehen Haushaltsgespräche, Klausurtagungen, Staatsbesuche an, sagt man. Weißrussland, Südostasien. Das geht nicht.« Sie versuchte, möglichst entschlossen zu gucken, was ihr nicht ganz gelang, denn ihr Begleiter hatte sich bereits hingesetzt und war dabei, eines der bereitgestellten Schlittschuhpaare anzuziehen. Er schien gar nicht zuzuhören.

»Geht nicht, gibt's nicht. Kommen Sie, eigentlich sind Sie doch schon seit Jahren auf dem Eis. Was macht das jetzt noch für einen Unterschied?«

Sie schaute ihn von der Seite an. Er erwies sich als äußerst ungeschickt beim Schnüren der Schuhe, schien das tatsächlich zum ersten Mal zu machen, was ein wenig im Gegensatz zu seiner sonstigen Selbstsicherheit stand, fand sie.

Aber dann erhob er sich langsam, und die Baikalseen glitzerten: »Sie müssen nur ein wenig an den Figuren arbeiten.«

»Sie kennen meine Figuren nicht.«

»Wussten Sie übrigens, dass Frauen bis zum Anfang des letzten Jahrhunderts der Eiskunstlauf untersagt war, aus medizinischen und natürlich sozialen Gründen?«

»Ich kann das nicht.«

»Ja, aber das macht es doch so reizvoll, seien Sie ehrlich. Sie können alles, wenn Sie wollen. Es sind nicht Ihre Füße, es ist Ihr Kopf.«

Er kam zu ihr herüber, setzte sie auf die Bank, nahm ihr den Helm aus der Hand und zog ihr die Schuhe aus, um sie anschließend aufs Glatteis zu führen.

Herr Bodega kam wie gerufen, fand er. Er hätte seinen Obstkuchen jetzt wirklich mit jedem geteilt – nur nicht allein sein mit all den Gedanken und, was sich noch schlimmer ausnahm, mit den Gefühlen, die in ihm tobten, seit seine Frau die Wohnung auf dem Motorrad verlassen hatte. Er nahm ihm die Jacke ab und führte ihn in die Küche. »Mögen Sie ein Stück? Habe ich gerade erst gebacken, irgendwo muss man ja hin mit all den Pfirsichen.« Er lächelte.

Herr Bodega setzte sich gleich an den Küchentisch und schob die Kopie der CD-Rom vom Tag der offenen Tür über die Tischplatte: »Wir haben das jetzt online gestellt, aber mehr möchte ich da wirklich nicht tun.« Es schien ihm großes Unbehagen zu bereiten. »Wissen Sie, mich überfordert das alles etwas, ich meine, menschlich. Und wenn das jetzt auch noch politisch wird, weiß ich nicht, wie lange ich das alles noch mitmachen kann.«

Ihr Mann nahm die Topflappen und setzte den Kuchen im noch heißen Blech behutsam auf den Tisch. »Tja, meine Frau ist nun mal nicht ohne Politik zu haben. Aber Sie sprechen mir aus der Seele, Mann. Manchmal kommt sie mir vor wie ein alter Kassettenrekorder, bei dem jemand die Fast-Forward-Taste gedrückt hat. Wissen Sie, was ich meine?«

Er griff sich ein Messer aus der Küchenschublade und fuhr fort, ohne eine Antwort abzuwarten: »Sie hört auf mich, wissen Sie, aber ich kann viel sagen, wenn sie nicht mitmacht und wenn wir nicht bestimmte Dinge auch gemeinsam unternehmen.« Er stach mit dem Messer in den Kuchen. »Und jetzt ist sie mit diesem Therapeuten unterwegs. Sicher, ich stecke ihr zuliebe auch mal zurück, und ich kann der Therapie im Ansatz und so allgemein auch durchaus positive Seiten abgewinnen, aber ich brauche meine Frau eben auch ein wenig. Sie kommt mir langsam abhanden.«

»Haben Sie Milch im Kühlschrank? Und soll ich die Teller richten?«

»Teller, ja sicher, Teller. Das ist sehr aufmerksam von Ihnen, Herr Bodega. Vielen Dank.« Der Kuchen war noch warm, aber er würde rasch abkühlen, wenn man ihn erst einmal gänzlich in Stücke geschnitten hatte. Er schnitt weiter. »Und wissen Sie was, Herr Bodega?«

»Nein?« Herr Bodega sah sich nach einer kleinen Schüssel für die Schlagsahne um und wurde fündig.

»Ich weiß nicht, was ich tue, wenn dieser Dimitrij ihr jetzt auch noch eine dieser Schneekugeln kauft. Die gibt's da nämlich. Steht im Internet.«

»Aber die hat dann vielleicht einen therapeutischen Wert – so als, wie soll ich sagen, Erinnerungsprothese?«

»Ich weiß nicht. Eigentlich komme ich mir selbst gerade so vor.«

»Wie in einer Schneekugel?«

»Nein, wie eine Erinnerungsprothese in einer Schneekugel.«

»Ach so.« Herr Bodega war froh. Das Reden half. Er nahm das Milchkännchen und tröpfelte in beide Kaffeetassen ein kleines Wölkchen. »Wissen Sie, ich mag Ihre Frau. Ich mag sie sehr. Sicher, sie lügt nicht, zieht nicht in den Krieg, lässt nicht foltern. Aber das meine ich gar nicht. Wie soll ich sagen? Mit ihr habe ich das Gefühl, dass ich zu etwas beitragen kann, das mir wichtig ist. Ich wollte sie immer ein bisschen netter machen, als man glaubte, dass sie sei – ganz einfach dadurch, dass ich selbst nett zu ihr bin. Und das hat mir eigentlich schon gereicht. Mehr will ich gar nicht tun.«

Er verstand Herrn Bodega und war doch mit seinen Gedanken ganz woanders. »Eigentlich hasse ich ihn, diesen Dimitrij, diesen Bewährungshelfer.«

»Aber für Ihre Frau ist er doch eine große Hilfe, nicht wahr?«

Da hatte er nicht unrecht. Das Ziel war durchaus in Ordnung, aber der Weg dahin ganz und gar nicht.

Herr Bodega blickte versonnen in seine Kaffeetasse, er hatte sich wohl irgendwann abgewöhnt, direkt in Gesichter zu schauen. Es ging auch so, und es machte ihn deswegen nicht zu einem schlechteren Gesprächspartner. »Vielleicht nehmen wir uns einfach zu sehr zurück?«

»Durchaus. Wer denkt eigentlich an uns? Wie sollen wir, frage ich Sie, dieses Problem korrekt lösen, wenn wir dabei selbst eines bekommen?« Er schlug sich mit dem Messergriff auf die Brust. »Nehmen Sie mich: Haben Sie eine Ahnung, wie es sich anfühlt, wenn man jeden Morgen als Erstes gesagt bekommt, dass man alt aussieht? Das ist nicht einfach, auch für mich nicht, kann ich Ihnen sagen, wo sie selbst doch auch nicht so jung aussieht, wie sie denkt.«

»Da verstehe einer die Frauen.«

»Wollen Sie noch ein Stück? Also, ich finde sowieso, dass es diese ganze Diskussion um Frauen in Wirtschaft und Politik ja gar nicht gäbe, wenn es uns Männer nicht gäbe!«

Sie hatte zuletzt tatsächlich als kleines Mädchen auf dem Eis gestanden. Doch es ging noch erstaunlich gut, mit achtsamen Schritten, nicht hastig, einer nach dem anderen. Es funktionierte, und sie nahm an, dass dies an den fehlenden zwanzig Jahren lag. Eine andere Erklärung fand sie nicht. Sie lief einfach nur, überließ sich den Schritten, versuchte, die Bewegungen zu verlängern, behauptete sich auf dem Eis, bald mit leichtfüßigen und fast schon geschmeidig gesetzten Abfolgen, tat dies allein, wollte auch gar nicht gestützt werden. Und je länger sie lief, desto mehr Spaß bereitete es ihr, wobei sich die Gefahr, bei der kleinsten Unachtsamkeit im Bewegungsablauf zu stürzen, als durchaus ambitionsförderndes Element erwies. Sie glitt dahin, wurde schneller.

Und dann fiel er ihr ein. Es war einen Versuch wert, sie musste es tun, versuchte, den Bewegungsablauf vorher im Kopf abzurufen, machte eine halbe Drehung um die eigene Achse und glitt rückwärts über das Eis.

»Wann muss ich abspringen?«

»Das müssen Sie irgendwie im Gefühl haben, befürchte ich.« Dimitrij hatte vorsichtig eine zweite Runde an der Bande entlang gedreht, dieses Mal ohne Stürze. Er hielt sich jetzt erst einmal daran fest und starrte auf den im Fahrtwind flatternden Blazer.

Sie rauschte mit einem leichten, lautlosen Luftzug an ihm vorbei. Und dann versuchte sie es tatsächlich, nahm noch im Rückwärtsfahren ordentlich Schwung, verlagerte das Gewicht auf das rechte Bein, presste es in der Rechtskurve fest ins Eis. Und dann sprang sie im entscheidenden Moment nach hinten ab, nicht hoch, aber immerhin, drehte sich in der Luft und kam so entschlossen wieder auf dem linken Bein auf, dass das Eis knirschte.

Er glaubte seinen Augen nicht zu trauen, aber sie hatte ihn tatsächlich hingelegt, den halben Rittberger. Sicher, er war ausbaubar, aber er war vor allem eines: eine wahrhaft gute vorweggenommene Erinnerung.

Sie half ihm vom Eis. »Das war sehr zufriedenstellend, und ich hoffe, dass ich das Ergebnis unserer Bemühungen morgen früh abrufen kann. Ich danke Ihnen. Mir geht es wunderbar, wenn ich das noch bemerken darf. Und jetzt müssen wir uns langsam auf den Heimweg machen, nicht wahr? Wir wollen es schließlich nicht übertreiben.«

Er konnte wenig mehr für sie tun, als ihr beim Verlassen der Halle eine dieser kleinen Schneekugeln zu kaufen, als Andenken. Denn dies war der Tag, an dem sie anfing, Erinnerungen zu sammeln.

Unglück im Glück

Er kam erst jetzt dazu, die Küche aufzuräumen und abzuspülen, wollte dies nicht der Putzfrau überlassen, die zwei Mal in der Woche kam. Denn man konnte beim Einlassen des Spülwassers, beim Betrachten der Bläschen, wie sie langsam zu Schaum wurden, und schließlich beim Reinigen des Backblechs und der Pfannen auch ein wenig mit sich selbst ins Reine kommen. Er ließ den Drahtschwamm übers Teflon kreisen. Man musste nur das genaue Gegenteil von dem tun, an das man gerade dachte, und es ergaben sich mit etwas Glück völlig neue Impulse. Wie viele bahnbrechende Entwicklungen mochten in den Küchen dieser Welt ihren Anfang genommen haben. Das Problem war nur, dass man sich viel zu selten in Küchen aufhielt, fand er.

Er dachte nur an sie, als er das Blech vorsichtig aus dem Wasser hob. Genauer gesagt, dachte er an das, was der MAV von sich gegeben hatte, als er vor etwa einer Stunde vorbeigeschaut hatte. So viel Besuch hatten sie vorher nie bekommen, die Wohnung war zum reinsten Taubenschlag geworden, und man konnte sich auf rein gar nichts mehr konzentrieren.

Herrn Bodegas Tasse war noch warm gewesen, als sich der MAV davorgesetzt hatte, keine Chance auf Spülgang. Ob er ihm etwas zu trinken anbieten könne, hatte er gefragt. Ja, gern, ob man einen Petersiliensaft habe. Nein, er hatte keinen. Also hatte der MAV zu erzählen begonnen, schien sich in etwas hineingesteigert zu haben, das auf den ersten Blick völlig absurd schien, und doch blieb eine dunkle Ahnung, dass ein Bruchteil von dem, was er behauptete, wahr sein konnte. Und bereits das wäre schlimm genug gewesen.

Er habe ihm das nicht per Telefon mitteilen wollen, hatte er gesagt, man könne sich nie sicher sein, und zudem habe er mutige Aussagen zu treffen, denn er sei Politiker, habe weitergedacht, weiter als alle anderen. Es kursiere nämlich ein Video vom Tag der offenen Tür im Internet – nicht eines dieser kleinen, harmlosen Handy-Filmchen, die Amateure einstellten oder Journalisten, die das Gespür für den richtigen Augenblick mit der Kunst des Weglassens kombinierten. Nein, dieses Video sei der offizielle Mitschnitt der Gesprächsrunde der Regierungschefin mit dem, nun ja – hier hatte er gezögert – dem Volk eben. Das ließe vermuten, dass es einen Maulwurf im Amt gäbe, der nun das vollends öffentlich gemacht habe, was fatalerweise öffentlich gewesen war.

Er hatte den Kaffeelöffel von der Untertasse genommen, um damit auf die Tischplatte zu klopfen, und es hatte sich angehört wie ein Trommelwirbel für das, was er anschließend noch zu berichten hatte. Das alles sei ja nicht das eigentliche Problem, kein außerordentliches Vorkommnis im eigentlichen Sinne. Vielmehr habe man bei Ansicht des Materials festgestellt, dass die Regierungschefin auf dem besten Wege sei, eine nicht ganz konforme Wandlung zu vollziehen, sie sympathisiere plötzlich mit der Basisdemokratie, demonstriere eine gefährliche Spontaneität dabei, und so etwas könne ihren Wiedereingliederungsprozess in die Politik doch ein wenig erschweren. Sie sei, so sei sein Fazit, einfach nicht wiederzuerkennen. Und das sei so ziemlich das Schlimmste, was einem Politiker widerfahren könne.

Nun, mitunter sei es doch auch schlimm, einfach so wiedererkennbar zu sein als Politiker und überhaupt, hatte er dem MAV geantwortet und anschließend versucht, ihn ein wenig zu beruhigen. Er hatte ihm von Dimitrijs Therapieansätzen erzählt und zu bedenken gegeben, dass seine Frau momentan recht beeindruckende Fortschritte mache, auch wenn das vorübergehende Begleiterscheinungen habe. Er wisse schließlich – und das hatte er ein wenig verdrießlich hinzugefügt –, wovon er spreche. Sie verlange einem eben viel ab. Doch schließlich gehe es doch um ihre Persönlichkeit. Bei den Inhalten könne er nicht so mitreden.

Genau damit hatte er jedoch das Fass zum Überlaufen gebracht, denn der MAV hatte seinen Oberkörper auf die Tischplatte geworfen und ihm aus etwa zwanzig Zentimeter Entfernung zugeraunt: »Die Persönlichkeit! Genau das ist es doch! Ich sage Ihnen jetzt einmal was: Unser Geheimdienst ist immer noch an dieser Klinik dran. Denken Sie an die medizinischen Möglichkeiten heutzutage! Da sind Manipulationen des Gehirns längst Routine! Von wegen Gedächtnisverlust.«

»Hören Sie, sie ist vielleicht vom Werdegang her ein bisschen anders sozialisiert, aber gleich so?«

»Ach was, heute können Hirne mit darin platzierten Elektroden stimuliert und Teile der Hirnfunktionen verfügbar gemacht werden. Es tut mir sehr leid, dass ich Ihnen das jetzt einmal so vor Augen führe, aber ich sage Ihnen: Da handelt es sich um Geräte, die man ein- und ausschalten kann!«

Ob er meine, dass seine Frau gerade eingeschaltet sei, hatte er gefragt.

»Das weiß ich nicht. Ich gebe nur zu bedenken, dass wir eine Manipulation nicht ausschließen können. Ich möchte Sie bitten, nochmals genau hinzuschauen. Kommt Ihre Frau Ihnen irgendwie fremd vor? Gibt es Spuren eines, nun ja, operativen Eingriffs? Ich bitte Sie hier um Ihre Mitarbeit.«

Nun, hatte er versichert, er kooperiere ja schon, seit seine Frau ihr Amt bekleide, sein ganzes Leben sei ja zu einer einzigen Kooperation geworden, warum nicht auch hier. Er konnte sich allerdings nicht verkneifen zu bemerken, dass sich das alles schon ein wenig nach Honeckers später Rache anhöre.

Damit hatte er den MAV jedoch nicht sonderlich erheitern können, dafür war die Lage viel zu ernst.

Dessen Vorschlag, den Therapeuten unmittelbar zu entlassen, hatte er hingegen ganz und gar nicht lustig gefunden. Und dass er selbst seine Liebe zu Pfirsichen entdeckt hatte, das hätte er dem MAV wohl unmöglich sagen können.

Es zwickte wieder im Nacken. Sie lockerte den Helm leicht. So kurz vor Mittag wurden die Straßen voller, die Luft schlechter. An einer roten Ampel schlängelte Dimitrij sich mit ihr vorsichtig durch die wartenden Autoreihen. Sie kamen neben einem gelben Kleinwagen zum Stehen, und der Junge auf der Rückbank machte eine Fratze, steckte ihr die Zunge heraus. Sie tat es auch, und merkte es zu spät.

Herr Bodega hatte seine Pilotensonnenbrille in ihrer Wohnung vergessen, und die trug sie nun, zusammen mit dem blauen Motorradhelm. Sie kam sich schon ein wenig verkleidet vor, und das wiederum schien Folgen auf ihr Verhalten zu haben. Sonnenbrillen gehörten nicht gerade zu ihrer Grundausstattung, sie verdunkelten die Sicht auf die Dinge, fand sie. Schließlich war sie nicht in irgendwelchen Truppentransportern unter brennender Sonne unterwegs. Sie saß lediglich auf dem Sozius eines Motorrades und fuhr durch die Stadt. Doch genau hier fing wohl die Daseinsberechtigung der Brille auf ihrer Nase an. Da konnte man schon einen Blick wagen und ein wenig mehr aus sich herauskommen.

Die Ampel schaltete auf Grün, und Dimitrij gab Gas. Sie ließen den gelben Kleinwagen schnell hinter sich.

Sie musste zugeben, dass sie schon ein wenig aufgeregt war, da war so etwas wie ein Glücksgefühl, bemerkenswert. Zumindest war sie sich sicher, eine höchst geeignete Erinnerung für den nächsten Tag gewonnen zu haben. Diese Unternehmung war keines dieser wirkungsneutralen Dinge gewesen, die sie sonst so anstellte und am nächsten Tag vergessen hatte. Sie überlegte. Vielleicht war es auch die Erleichterung, heile vom Eis gekommen zu sein, oder die Vorfreude auf anstehende Erinnerungen. Aber Glück? Sicher, man musste damit rechnen. Mein Gott, musste er erst aufs Eis mit ihr gehen, um das aus ihr herauszuholen? Wer wusste überhaupt, was anderer Leute Glück sein mochte, geschweige denn das eigene? Die Umstände, unter denen dieses Gefühl in ihr entstanden war, waren doch recht ungewöhnlich gewesen, dachte sie, hatten etwas sehr Spontanes, ja fast schon Archaisches gehabt. Vielleicht war diese Regung dann doch nichts weiter als ein simpler Reflex, eine Reiz-Reaktionsverbindung wie beim Pawlowschen Hund?

Trotzdem hätte sie jetzt gern einen Blick in den Himmel getan, aber mit diesem sperrigen Helm ging es nicht. Stattdessen starrte sie auf Dimitrijs Rücken. Wieso, fragte sie sich schließlich, sollte die gesamte Glücksenergie dieses Planeten auch immer von anderen Leuten aufgebraucht werden? Sie konnte ja auch mal etwas riskieren. So. Er fuhr rechts um die Kurve, und sie lehnte sich weit nach links hinaus.

Der Motor heulte leicht auf, als Dimitrij den Gang hochschaltete. Und dann kam wieder eine Ampel, er wurde schneller, fuhr noch bei Gelb daran vorbei, aber bei ihr war es dann doch schon rot. Kurz darauf tippte sie ihm auf die Schulter und rief: »Es kann nicht mehr weit sein! Wir werden schon eskortiert.«

Es war keine Eskorte, es war die Straßenverkehrspolizei, die an ihnen mit herausgehaltener Kelle vorbeifuhr.

Er schloss die Wohnungstür hinter sich, wollte jetzt nur noch raus. Der Rest würde sich dann schon ergeben, er musste an Clint Eastwood denken. Im Institut war viel Arbeit liegen geblieben, und genau auf die würde er sich jetzt konzentrieren. Er hatte ihr einen Zettel geschrieben, »Bin im Institut«, und hatte darüber lachen müssen. Wo sonst hätte er denn hin sollen? Niemand schrieb morgens auf einen Zettel »Bin zur Arbeit«, bevor er oder sie das Haus verließ. Aber er tat es, obwohl seine Frau nicht mehr lesen konnte. Vielleicht würde sich ja beim optischen Gesamteindruck des Wortes »Institut« etwas in ihr regen.

Dimitrij verlangsamte das Tempo und fuhr rechts heran.

Ein junger Polizist stieg aus seinem Fahrzeug und näherte sich ihnen, sagte, er wolle die Fahrzeugpapiere sehen. Dimitrij öffnete seine Lederjacke, griff in die Innentasche. Die Schneekugel saß im Weg. Er nahm sie und gab sie dem Polizisten. »Wenn Sie die freundlicherweise kurz halten könnten.« Er bekam die Papiere zu fassen und reichte sie ihm ebenfalls.

Der Beamte betrachtete indes Brueghels »Jäger im Schnee« in 3D unter der kleinen Kunstglashaube und schien sich nicht sicher zu sein, ob eine Schneekugel um zwölf Uhr mittags Anlass gab zur Vermutung von Alkoholkonsum oder genau das Gegenteil erwarten ließ. Er schüttelte sie gedankenverloren, besann sich dann aber, ein wenig peinlich berührt. Also nun die Papiere. Er gab die Kugel zurück, nahm die Dokumente, und noch während er sie prüfte, ließ er verlauten, dass mit Führerscheinentzug für einen Monat, einer Geldbuße und vier Punkten zu rechnen sei.

Dimitrij bemerkte, er habe gar kein Konto in Deutschland, weder für Punkte noch für Geld.

Daran solle es nicht scheitern, war die Antwort. Die anschließende Alkoholprobe fiel negativ aus. Der Beamte machte seine Notizen und reichte die Papiere zurück. Sein Blick ging zu ihr. »Ihre Motorradbraut hat ihren Helm nicht richtig auf.« Und direkt zu ihr gewandt: »Ihnen ist schon bewusst, welcher Gefahr Sie sich damit aussetzen und welche Konsequenzen das haben kann? Festhalten alleine reicht nicht.«

Nun konnte sie sich doch nicht mehr länger zurücknehmen, schließlich hatte sie ja auf die Zeit gedrängt, um Tempo, Tempo gebeten, und schlussendlich erfüllte diese ganze Unternehmung ja einen höheren Zweck, den der doch etwas forsche Beamte da vor ihr noch nicht einmal ansatzweise erahnen konnte. Sie sah auch in der ganzen Situation keine ansehensmindernden Elemente von erheblichem Gewicht. Im Gegenteil, es hatte etwas Gewöhnliches. Rote Ampeln waren nicht das Problem. Es wurde etwas schwieriger, wenn man über sie hinwegfuhr und dabei auch noch beobachtet wurde. Aber auch das war noch weit weg von dem, was sie unter einem Problem verstand. So war es schon ganz anderen Beifahrern ergangen. Sie nahm erst die Brille, dann den Helm ab und fuhr sich durchs Haar.

Dimitrij konnte nicht mehr tun, als hilflos von einem zum anderen zu schauen.

Und die Zeit schien plötzlich stillzustehen. Der Beamte guckte, sagte kein Wort, gab keine Regung von sich.

Sie sah ihm fest in die Augen: »Ja, herrje, ich bin es. Wir hatten es ein wenig eilig. Es tut mir leid. Es ist meine Schuld.«

Sein Blick ging weg von ihr, hastig, unsicher, hilfesuchend, in die Umgebung.

Diese Augenblicke hasste sie. Er schien Ausschau zu halten nach Sicherheitspersonal, Eskorte, Kameras, Unterstützung zu Land und in der Luft. Doch es gab nur hochgehaltene Handys von Passanten, die die Delinquentin bereits erkannt hatten.

Der Polizist fand seine Sprache wieder: »Nun, dieser Vorgang hier unterliegt natürlich dem Datenschutz, wenn Sie mich verstehen.« Ein Handy wurde direkt zwischen sein und ihr Gesicht gehalten, und es klickte. Er ließ sich nicht beirren und schob den fremden Arm beiseite: »Ich muss das erst noch mit meinen Kollegen abklären.« Und dann auf Dimitrij und seine schon etwas in die Jahre gekommene Maschine blickend: »Benötigen Sie einen Fahrer?«

Sie verstand die Frage nicht und ging dazwischen: »Hören Sie, wir haben es bis hierher geschafft, und wir werden den Rest der Strecke auch noch schaffen, wenn Sie gestatten. Machen Sie sich keine Sorgen. Er ist in guten Händen.«

Noch bevor sie den Helm wieder ganz aufgesetzt hatte, war das Klicken zu hören gewesen, gefühlte hundert Mal. Und an dieses Klicken hatte sie eine Erinnerung, es ging einem durch Mark und Bein. Sie blickte sich um. Der gelbe Kleinwagen war auf der anderen Straßenseite herangefahren, der Junge auf der Rückbank streckte wieder die Zunge heraus, und seine Mutter zielte auf sie ab.

Die Maschine kam in der Nähe ihres Hauses zum Stehen, unauffällig und nah genug, dass sie den Rest der Strecke bis zur Haustür zu Fuß zurücklegen konnte. Sie stieg ab und behielt den Helm noch an, man konnte sich recht gut mit ihm anfreunden, fand sie, er zwickte nicht mehr. Als sie sich von Dimitrij verabschiedete, bemerkte sie, dass dieser blass und ernst geworden war, es hatte sich etwas zusammengebraut über den Baikalseen.

»Ich habe einen Fehler gemacht. Es tut mir leid.« Er konnte ihr nicht in die Augen sehen.

»Nun fangen Se sich mal wieder. Das passiert eben. Vielleicht werde ich mich sogar daran erinnern können, und das ist doch eine gute Nachricht, finden Se nicht?«

Er war nicht überzeugt. »Es geht nicht um den Fehler an sich. Es geht vielmehr um seine Folgen für Ihr Amt. Ich möchte Ihnen keinen Ärger machen, das ist das Letzte, was ich will.«

Sie nahm den Helm jetzt doch ab und erklärte, während sie den Kinngurt im Innern verstaute: »Hören Sie, Sie können nicht immer alles richtig machen, und Sie werden niemals von allen geliebt werden. Dummerweise fällt das, was man richtig macht, oft nicht weiter auf. Einer meckert immer. Wenn Sie Pech haben, tut es die ganze Nation.« Sie lief um die Maschine herum und blickte ihm in die Augen: »Doch an eines müssen Sie immer denken: Ein Fehler wird erst ein Fehler in der Beurteilung der anderen. So einfach ist das. Ich nenne es den radikalen Konstruktivismus, damit es sich etwas schwieriger anhört.«

Er nickte ein wenig erleichtert, wie es ihr schien, und fuhr davon.

Als sie am frühen Nachmittag durch die Tiefgarage ins Amt kam, war sie doch ein wenig überrascht. Sie hatte es sich längst nicht so lebendig vorgestellt, es lag eine bemerkenswerte Geschäftstüchtigkeit in der Luft, und draußen vor dem Zaun standen Kamerawagen mit daran verkabelten

Korrespondenten, die in große, grelle Mikrophone sprachen. Auf dem Flur kamen ihr Mitarbeiter entgegen, die nicht zu wissen schienen, was sie zu ihr sagen oder wohin sie blicken sollten. Man lächelte, nickte kurz, lief schnell vorüber an ihr in andere Räumlichkeiten. Sie ahnte es, während sie in den Trakt einbog, in dem sie ihr Büro vermutete: Dieser ganze Zirkus hier galt ihr, keine Frage. Andererseits, dachte sie, hatte sie eigentlich nichts Verwerfliches getan. Gut, da war dieser Film, der jetzt im Internet zu sehen war und in dem sie lediglich ein paar gängige Thesen von sich gegeben hatte, die man in der heutigen Zeit offenbar als fahrlässig bezeichnete. Und sie hatte sich über eine rote Ampel fahren lassen. Das war dem Volk doch wohl halbwegs sympathisch zu vermitteln, fand sie, viel einfacher als keine Steuersenkungen in 2012.

Als sie eintrat, wartete bereits das komplette Team am Tisch und klapperte mit den Instrumenten. Die Patientin war auf die Intensivstation zurückgekehrt. Sie spürte, dass ihr langsam schwindelig wurde, als der MAV das Notebook vor sie hinstellte, es aufklappte und die Online-Meldungen startete. Kaum Text, nur Fotos, geschossen wie im Reflex, eine einzige Abfolge von Reflexen. Sie kam mit den Augen gar nicht so schnell hinterher.

Doch sie war gut getroffen, fand sie, flott, die Sonnenbrille noch auf der Nase, den Helm in den Händen. Und auch auf dem Eis war der entscheidende Moment kurz vor dem Absprung hervorragend festgehalten worden. Irgendjemand musste sie beobachtet haben, und schlagartig ließ ihr Hippocampus das Bild eines gelben Kleinwagens passieren, der vor der Eishalle gestanden hatte …

Der MAV schwieg, wollte die Bilder für sich wirken lassen. Sie machten jeden Kommentar überflüssig, fand er. Er betrachtete seine Chefin eingehend, Gesicht, Kopf, Hals,

Arme. Nichts. Kein Einstich, keine Erhebung auf der Haut. Er atmete lauter als sonst, scrollte immer schneller mit dem Finger auf der Maus.

Die Bilder lebten, was an sich noch keine schlechte Nachricht war, fand sie.

Was sie sich um Himmels willen dabei gedacht habe, wollte er wissen, und ob sie meine, dass man Politik glaubhaft vermitteln könne über youtube, auf Schlittschuhen und auf der Straße in der Alkoholkontrolle, in Begleitung von unbekannten Männern?

Sie presste die Lippen aufeinander, gab zu bedenken, dass die Kollegen doch fast dasselbe taten in den Filmen, die man ihr gezeigt hatte, in Lederhosen und mit Federn am Hut im Bierzelt, auf Fahrrädern, in Hubschraubern. Wo sei denn der Unterschied zwischen Schlittschuhlaufen und Fahrradfahren?

Sie sei der Unterschied, sie allein, erwiderte er. Außerdem sei ihre jüngste Aktion mit einem Verkehrsdelikt verbunden gewesen, und angesichts der gesamten Fotoreihe könne man noch nicht einmal mehr eine kurzweilige Verfügung erwirken.

»Einstweilig, einstweilige Verfügung«, korrigierte der Regierungssprecher.

Der MAV überhörte das und fuhr fort: »Unter diesen Umständen können Sie unmöglich weiter mit diesem Therapeuten zusammenarbeiten. Wie wir den der Presse erklären, ist noch eine ganz andere Frage. Der muss ja von allen guten Geistern verlassen sein, dass er so etwas mit Ihnen veranstaltet!«

»Ich funktioniere sechzehn Stunden am Tag, solange mein Gedächtnis eben mitspielt. Da brauche ich auch mal Leute um mich herum, die nicht funktionieren! Das Leben ist Mischung.« Sie war aufgestanden, lief umher. Eine der großen

Schachfiguren auf dem Boden war nach einer unachtsamen Bewegung umgefallen. Sie gab ihr einen Tritt.

»Mit Verlaub«, der MAV wurde jetzt auch lauter, »es geht hier nicht darum, was Sie brauchen, sondern was die Regierung braucht, wenn ich Sie daran erinnern darf. Es geht jetzt darum durchzuhalten, bis wir eine Lösung gefunden haben. Wir sind noch nicht ganz so weit.«

Sie hielt inne und wiederholte: »Noch nicht ganz so weit? Eine Lösung?«

Die Büroleiterin versuchte mit dem Schlimmstmöglichen einzulenken: »Nun, es sieht so aus, als wollten Sie sich jetzt nur noch auf sich und Ihre Genesung konzentrieren und partout den Vizechef zum Chef machen.«

Schweigen im Raum.

Die Tür ging auf, und ihr Mann schaute herein, machte einen Schritt nach vorn, einen Picknickkorb im Arm. Er merkte wohl, dass dies der falsche Augenblick war, zog sich zurück und schloss die Tür wieder von außen.

Der MAV lehnte sich zum Regierungssprecher herüber und raunte ihm zu: »Das kann nicht so weitergehen. Wir müssen beschleunigen, die Gespräche vorantreiben.«

Sie hatte es nicht gehört, war mit sich selbst beschäftigt gewesen, denn sie bekam einfach den Unterschied noch nicht so richtig hin zwischen ihrer Verhaltensweise einerseits und dem Amt andererseits. Früher hatte sie nie das Gefühl gehabt, dass sie da etwas in Deckung bringen müsste. Sie war sie gewesen. Fertig. Und wer war sie jetzt? Und musste sie sich jetzt ändern, oder musste sich das Amt ändern? Doch eines war klar, und das war so ziemlich das Einzige, was sie noch wusste: »Noch habe ich das Sagen, zumindest offiziell, oder?«

Es klopfte wieder an der Tür. Der Assistent des Regierungssprechers trat ein und schleifte eine Liste mit Interviewanfragen hinter sich her. Man kam überein, der Presse nicht unmittelbar noch am selben Tag Rede und Antwort zu stehen, um nicht den leisesten Anschein von vorauseilendem Gehorsam oder gar schlechten Gewissens aufkommen zu lassen. Sollte die Opposition ruhig ihr Pulver zuerst und unreflektiert verschießen. Am nächsten Tag würde alles anders aussehen, besonders im vergesslichen Kopf der Chefin.

Ebenso würde man »Das war mein Tag« ausfallen lassen, da dieser mittlerweile sowieso schon auf allen Kanälen lief. Nein, jetzt würde man sie erst einmal nach Hause schicken, ein Statement formulieren und es ihr erklären, wenn sich die Erinnerung an ihre Taten etwas verflüchtigt hatte.

Ihr Gatte setzte den Picknickkorb in den Kofferraum und ließ sich mit ihr nach Hause fahren. Ein Blick in das Gesicht seiner Frau hatte gereicht, und er hatte das Abendessen unter freiem Himmel gestrichen.

Die Pfirsiche rochen bis ins Wageninnere und machten sie noch trauriger, als sie ohnehin schon war. Sie würde Dimitrij verlieren und mit ihm die Aussicht auf nachhaltige Genesung. Für den Moment wusste sie noch nicht einmal, was schlimmer war.

Da sie nie sicher sein konnte, welche Art von Realität ihr am nächsten Tag wieder serviert wurde, war sie dazu übergegangen, noch ein paar Abendsätze in die Videokamera zu sagen. Sie tat es meistens vor dem »Nächtlichen Fischfang in Antibes«. An diesen kleinen Picasso-Druck im Arbeitszimmer hatte sie Erinnerungen, die, so vermutete sie, zeitlich sehr kurz vor denen lagen, die ihr abhanden gekommen waren. Sie hatte zudem beim späteren Betrachten der Filme festgestellt, dass so ein Gemälde im Hintergrund ein probates Mittel darstellte, um dem Auge in Momenten größter Langeweile oder größten Schreckens einen Fluchtpunkt zu bieten, etwas, in das man schauen konnte, wenn man es mit dem Gesicht davor nicht mehr aushielt. An diesem Abend jedoch setzte sie sich an den Küchentisch und stellte die Schneekugel vor sich, bevor sie anfing zu sprechen. Das war mein Tag. Es war wie Yoga im Kopf, würde länger dauern dieses Mal, denn man konnte nicht behaupten, dass die Palette vorhandener Gefühle klein gewesen wäre.

In diesem Moment klingelte das Telefon. Er ging ran, so wie Männer ans Telefon gehen, deren Frauen gerade Yoga betreiben.

Es war der Regierungssprecher. »Guten Abend. Wie geht es Ihnen?«

Was war das für eine Frage, und die Antwort darauf wollte man bestimmt nicht gerade dem Regierungssprecher anvertrauen. Die Kategorien »gut« oder »schlecht« waren zu einfach, hätten nicht auf das gepasst, was er gerade fühlte. Und »Geht so« oder »Muss ja« hätte er nie über die Lippen gebracht. Er spielte den Ball zurück: »Das frage ich Sie.«

»Schlecht, ganz schlecht. Wissen Sie, wir sind gerade dabei, die morgigen Eskalationsstufen durchzuspielen. Momentan gehen wir von Stufe 3 aus. Ich werde morgen den Redaktionen die Regierungssicht erklären, eine andere, gefahrlose Linie ins Spiel bringen, vielleicht mit einem exklusiven Zitat Ihrer Gattin, bevor wir dann zu anderen Themen überleiten. Wir wollen den Ball flach halten.«

Er verstand nicht recht, sah weder das Problem noch den eigentlichen Grund des abendlichen Anrufes: »Hören Sie, meine Frau macht gerade ihre Videoaufnahme für morgen früh. Da möchte ich sie nicht stören.«

Der Regierungssprecher eskalierte stufenlos: »O Gott,

das müssen Sie sich heute Abend noch angucken, checken, schneiden!«

»Das werde ich nicht. Ich kann meiner Frau ihre Erinnerungen nicht einfach so wegnehmen!«

»Hören Sie, wir haben uns die Fotos von der Polizeikontrolle noch einmal angeschaut. Ihre Gattin ist zwar, wie soll ich sagen, eine sehr singuläre Erscheinung, aber rein optisch könnte es auch irgendjemand anderes sein. Wir könnten das regeln mit der Polizei, Datenschutz, Sie verstehen, und sie war ja nur Beifahrerin.«

Das war naiv und mutig zugleich, fand er. Doch er verstand natürlich: »Sie wollen leugnen, dass sie es war?«

»Bingo! Wir richten damit keinen Schaden an, das tangiert weder die Arbeit Ihrer Frau noch das nationale Wohlbefinden. Wir stärken einfach ein wenig, wie soll ich sagen, ihr Distanzierungspotential?«

Dem Regierungssprecher schien tatsächlich nicht klar zu sein, welche Fortschritte sie immerhin schon gemacht hatte und welche Hoffnungen und Risiken zugleich damit verbunden waren, denn er fügte hinzu: »Viele Dinge werden nicht gerade besser, wenn man sich an sie erinnert. Sehen Sie, die wahre Kunst liegt in der Reduktion, manchmal gar im Weglassen. Auch das ist verantwortungsvolles Handeln.«

»Weglassen? Und wenn sie sich morgen an die Motorradfahrt und die Kontrolle erinnert?«

»Kommen Sie, warum sollte sie sich ausgerechnet jetzt an so etwas erinnern, wenn ihr ganze Regierungsprogramme abhanden gekommen sind, wenn ihr der Koalitionspartner jeden Tag neu vorgestellt werden muss. Ich bitte Sie, mit Verlaub.«

»Ich kann das nicht. Das hat was von Betrug.« In ihm sträubte sich alles. Sicher, er wollte helfen, unterstützen, vielleicht sogar den Therapeuten ersetzen, aber doch nicht das. Sie würde es ihm verübeln, tief enttäuscht von ihm sein.

»Kommen Sie, sie wird es nie erfahren. Wir müssen verhindern, dass die Sache Fahrt aufnimmt, solange wir intern noch nicht bereit sind. Sie hat seit Omsk doch schon so tolle Umfragewerte eingefahren. Es wäre schade, wenn sich das jetzt ändern würde. Man wird wissen wollen, wer das war in ihrer Begleitung. Nicht schön, gar nicht schön. Denken Sie an die Regierung, an unser Land. Wir sind doch nicht Italien!«

Sie war früh zu Bett gegangen an diesem Abend. Als er ins Zimmer schaute, schlief sie tatsächlich schon, wahrscheinlich aus reiner Erschöpfung. Er hätte gern gewusst, ob sie es jemals spürte, wie sich die Erinnerung langsam aus ihrem Körper schlich und sich etwas in ihrem Kopf wieder völlig neu aufstellte, ob sie den neurologischen Neustart, die totale Regeneration wahrnahm. Wahrscheinlich wollte sie genau das nicht bewusst miterleben, dachte er. Geschah es Punkt Mitternacht? Vielleicht war es auch über die Nacht verteilt oder ereignete sich erst in den frühen Morgenstunden? Eines stand fest: An Wahlkampfzeiten mit drei oder vier Stunden Schlaf in der Nacht war nicht zu denken, geschweige denn an Reisen in andere Zeitzonen. Herrje.

Er kam näher, betrachtete sie im Schlaf etwas genauer als sonst. Nein, dies war seine Frau, äußerlich unversehrt und im Originalzustand. Sie war ihm gänzlich vertraut, es war alles in Ordnung an ihr, es gab nichts Fremdes, das gestört hätte – wenn sich das auch ändern würde, so bald sie am nächsten Tag den Mund auftat. Aber auch dieses Problem mochten andere Ehemänner ebenso haben.

Sein Blick fiel auf ihren Nachttisch. Sie hatte den Pfirsich gegessen, der kleine Teller stand noch da und würde dort auch bis zum Morgen bleiben. Davor, noch näher am Bett, entdeckte er sie dann: Jäger im Schnee, made in Taiwan. Er nahm sie in die Hand, kippte sie und ließ es schneien, schüttelte sie hin und her, immer heftiger, Schnee, alles voll Schnee, bis sich Schaumbläschen am Himmel bildeten und das Plexiglas matt wurde. Scheißteil. Er hatte sie ihr tatsächlich geschenkt, diese Kugel. Sie wäre nie auf die Idee gekommen, sich so etwas zu kaufen, dachte er. Und dann hatte sie sie auch noch auf ihren Nachttisch gestellt. Es gab schließlich weniger intime Orte – selbst wenn es sich bei diesem Ding um eine Art Erinnerungsgenerator handelte, um mehr also als einen simplen, flachen Erinnerungszettel, den man an den Kühlschrank klebte. Schneestürme am Bett eben. Doch, und das machte die Sache delikat, diese konservierten Erinnerungen stammten eben auch von einem anderen Mann. Er hielt die Kugel noch immer in der Hand. Den Pfirsich brachte sie mittlerweile, spätestens seit der gelungenen Flambierung, eher mit ihm in Verbindung, aber diese Kugel machte nichts von dem aus, was ihn ausmachte. So wie es aussah, würde Dimitrij sowieso nicht wieder kommen dürfen. Er bewegte sich mit der Kugel in der Hand Richtung Tür. Die Versuchung war groß.

Als sie am nächsten Morgen die Augen aufschlug und sich aufsetzte, war alles noch komplett abrufbar. Sie ließ sich zurück in die Kissen fallen und blickte versonnen zur Decke, denn dieses Mal hatte sich ein merkwürdiger, eigentlich recht unpolitischer Traum ins Bewusstsein hinübergerettet: Eiskunstläuferin, sie war eine Eiskunstläuferin gewesen, verrückt eigentlich, hatte ein langes hellblaues Kleid getragen, oben geschickt diagonal gerafft, weit fließend nach unten ausgestellt, es hatte wunderbar geflattert. Mit ihr war ein Mann in stahlblauem Anzug auf dem Eis gewesen, mit an den Schlittschuhen festgeklemmten Hosenbeinen, sehr elegant. Er hatte nach ihrer Hand gegriffen, sie zu sich herübergezogen, sie war ihm nah gekommen, aber nur ganz kurz. Dann hatte er sie mit einem kräftigen Schubs wieder von sich geworfen. Seltsamerweise hatte sie einen Motorradhelm getragen, was ein wenig unpassend gewesen war, aber durch den Sichtschlitz hatte sie ihn erkannt: Es war Dimitrij gewesen. Sie hatte ins Publikum geschaut, dort hatten Punktrichter gesessen, nichts als Punktrichter, Hunderte, Tausende, Millionen, mit kleinen Schildchen, und in jeder fünftausendsten Reihe hatte es eine kleine Wahlurne gegeben. Irgendwann danach war ihr Mann plötzlich auf dem Eis zu ihnen herübergeglitten, in Schwarz, entschlossen, stilvoll, etwas kantig – es würde Abzüge in der B-Note geben –, aber durchaus beeindruckend.

»Liebes, du musst aufstehen, schau mal her.« Ihr Mann war ins Zimmer gekommen und stand jetzt mit aufgeklapptem Notebook an ihrem Bett. Sie sah ihn, wusste nicht, welcher Tag war, aber dieser Mann da vor ihr sah noch immer aus wie in ihrem Traum. Es rettete ihren Tag und seinen auch, und es hätte den Tag eines jeden Mannes gerettet, als sie sagte: »Ah, du siehst aus wie in meinem Traum.«

Er war begeistert. Ja, er musste in ihrem Traum tatsächlich alt ausgesehen haben, zumindest älter als vor zwanzig Jahren. Das wiederum bedeutete, dass sich die Erinnerung langsam in ihr vorzukämpfen schien. Er konnte ihre Antwort kaum erwarten, als er fragte: »Was war gestern, Liebes? An was erinnerst du dich?«

Sie blickte ihn an, als hätte er und nicht sie das Gedächtnis verloren. Die Schneekugel auf dem Nachttisch kam in ihr Blickfeld, und dann tauchten plötzlich die Bilder auf in ihrem Kopf, danach die Erinnerung. Es brach aus ihr heraus: »Um Himmels willen, ich war tatsächlich Schlittschuhlaufen! Und zwar mit, warte mal«, sie legte den Finger an die Lippen, »mit Dimitrij! Diesem Russen! Woher kenne ich den? Und warum habe ich so was getan, dann auch noch mitten in der Woche? Das kann nicht sein.«

Er legte seine Hand an ihren Oberarm: »Das ist sensationell, es war alles genau so, und an mehr musst du dich vorerst nicht erinnern.« Er stutzte und sah sie genau an: »Oder war da noch etwas?«

Nein, nichts mehr, beteuerte sie, völlig verwirrt, unsicher, was den Unterschied zwischen Traum und Wirklichkeit betraf.

Gedanklich befand sie sich in der Gegenwart, doch immerhin war sie schon ein bisschen in der Vergangenheit verhaftet. Wie schön, fand er. Früher war das eher umgekehrt gewesen. Vor allem aber schien keine Gefahr zu bestehen für das geplante Durchlaufen der Eskalationsstufe 3.

Das bin ich nicht

Sie wurde früh abgeholt an diesem Morgen, ohne dass sie auch nur einen Blick auf die Bilder in den Tageszeitungen hatte werfen können. Doch immerhin hatte sie unter den Memory-CDs, die für diesen Tag vorgesehen waren, auch ihre Videoaufnahme vom Vorabend gesehen und sich in ihr wiedererkannt. Sie glitt ins Amt.

Ruhe hatte sie wirklich nur während der Autofahrten. Es dauerte etwa acht Minuten bis zum Ziel, acht Minuten, um sich zu der Person zu machen, von der man sagte, dass sie sie sei. In der Tiefgarage knallten mit ihr noch vier Sicherheitsbeamte die Autorentüren zu, eine nahezu unheimliche Choreographie. Sie blickte sich erstaunt zu ihnen um, sah nicht das große Mikrophon mit den drei Buchstaben darauf, das ihr plötzlich von der Seite an den Mund gehalten wurde, noch bevor die Sicherheitsleute an ihrer Autotür waren. Es waren Bruchteile von Sekunden, sie rechnete mit allem, mit einem feuchten Tuch, getränkt mit Chloroform, Würgegriff, Schusswaffe an der Stirn, Messer an der Kehle. »Kommen Sie nicht näher!«

Es kam dann doch nur eine Frage: »Was sagen Sie zur roten Ampel?«

Die Sicherheitsbeamten hatten den Frager überwältigt und zurückgedrängt, noch bevor er Luft holen konnte. Sie stand allein da. Wovon sprach der? Rote Ampel? Sie überlegte. Nun. So weit, so gut. Wie war das noch einmal mit den anderen Parteien? Konnte es sein, dass man hinter ihrem Rücken, womöglich unter Ausnutzung ihrer Amnesie, eine Ampel-Koalition plante, Gelb mit Rot und Grün statt mit Schwarz? Denn grün war doch auch irgendwie rot. Wie wahrscheinlich war das? Nicht sehr, musste sie zugeben. Wer wollte schon mit denen? Und dennoch, so etwas wurde ja gern schon einmal vor dem Wahlkampf ausgehandelt.

Vielleicht war die rote Ampel auch nichts weiter als das Hirngespinst eines Einzelnen, wirres Geschwätz, eine zufällige Verkettung von Missverständnissen, alles Zufall, dachte sie. Aber waren Zufälle nicht immer unwahrscheinlich und ereigneten sich trotzdem, ließen Bahnhofsschilder auf Regierungsoberhäupter niedergehen? Sie donnerte dem Mann mit dem Mikrophon ein verdächtig ehrliches »Ich weiß nicht, wovon Sie reden« hinterher, als er aus der Garage geführt wurde. Man sollte später nicht behaupten können, dass sie zu dieser Frage gänzlich geschwiegen hätte. Scheißspiel. Während sich die Aufzugtüren hinter ihm schlossen, hörte sie ihn noch rufen: »Wollen Sie jetzt auch zurücktreten?«

Einer der Sicherheitsbeamten kam auf sie zu und fragte, ob alles in Ordnung sei. Sie wandte sich ab. Nichts war in Ordnung, was wusste der schon. Sie ärgerte sich über sich selbst, wie konnte man nur so anfällig sein, sie versuchte, sich zu konzentrieren, blickte gegen die Wand, in die Ecke der Garage, alles sauber ausgefegt, kein einziges Stückchen Müll, nichts, an dem das Auge hängen bleiben konnte. Was und wer um Himmels willen hatte diese neue Koalitionsausrichtung ins Spiel gebracht? Den einzigen Anstoß konnte ihr Unfall in Omsk und dessen Folgen gegeben haben. Hatte das irgendjemand doch an die Presse gegeben? Das konnte ihr Ende sein.

»Ist Ihnen nicht gut?« Der Sicherheitsbeamte schien sich Sorgen zu machen.

Sie ließ sich weiter wortlos von ihm zum Aufzug begleiten, war noch immer in Gedanken. Es hatte ja durchsickern müssen, alles war sowieso nur noch eine Frage der Zeit gewesen, Omsk schien endgültig in der Politik angekommen zu sein.

In dem Büro, in das man sie geführt hatte, wartete die Morgenrunde an einem großen schwarzen Tisch, den wohl alle kannten, nur sie nicht. Sie saßen dort, als hätten sie in letzter Zeit oft, sehr oft dort gesessen, wippten in ihren Stühlen. Die Luft war bereits schlecht, wie nach einer langatmigen Besprechung, und offenbar hatte man kaum gefrühstückt. Sie spürte, dass hier etwas in der Luft lag, und knallte die Aktentasche mit den Pfirsichen auf den Tisch: »Was ist hier los, verdammt noch mal? Sie sind die Morgenrunde, nicht wahr?«

Widerwilliges Nicken, als habe sie diese Frage nicht zum ersten Mal gestellt, und ein erstes Statement des Regierungssprechers: »Wir haben alles im Griff, Chefin.«

Er sah nicht so aus, wie er sich anhörte, fand sie. »Das behaupten Sie so nett, aber das glaube ich nicht. Wissen Sie, an manchen Tagen bin ich mir gar nicht so sicher, an was ich mich eigentlich erinnern möchte! Also, jetzt mal Klartext, was soll das mit der roten Ampel? Und ist irgendjemand vor mir zurückgetreten?«

Die Blicke gingen wieder weg von ihr, man sah sich gegenseitig an, völlig ratlos, wie ihr schien. Der MAV fing sich als Erster wieder: »Das war nichts weiter als eine geschickte Fotomontage. Wir werden selbstverständlich leugnen. Glauben Sie mir, das wird kein Thema sein, weder sachlich noch personalpolitisch.«

Es war nicht zu glauben. Sie mochte ihr Gedächtnis verloren haben, aber doch nicht ihren gesunden Menschenverstand. »Kein Thema? Fotomontage? Sagen Sie mir endlich, wer zurückgetreten ist und was das mit der Ampel auf sich hat! Die Presse scheint etwas zu wissen, das ich noch nicht weiß. Das merke ich doch genau, auch wenn ich jetzt in Ihre Gesichter gucke!«

Das Gefühl, vom Wissensvorsprung anderer abhängig zu sein, war ihr unerträglich. Genau genommen war es noch nicht einmal ein Vorsprung, dachte sie, es war das Gegenteil von Vorsprung: Sie hatten lediglich ein kleines, jämmerliches Stückchen mehr Vergangenheit als sie und meinten, das qualifiziere sie für die Gegenwart und für die Zukunft. Es war ein fransiges Geflecht aus Erinnerungen, Mutmaßungen und Schlussfolgerungen, auf das sich deren Sicherheit gründete, fand sie. Aber gänzlich ohne dieses eine Versatzstückchen war es eben verdammt schwierig.

Nun, Rücktritte habe es keine gegeben, zumindest in den letzten Tagen nicht, versicherte man ihr. Das sei doch, mit Verlaub, auch etwas übertrieben. Auch keine Rücktrittsforderungen aus den eigenen Reihen, bei der Opposition sei man sich da nicht so sicher. Es gebe lediglich etwas überspannte Stimmen von den Kollegen aus der Koalitionsführung, dass die Lage mit Blick auf die anstehenden Wahlen zu ernst sei, als dass auf Einflussnahme bei der Krisenbewältigung und in der öffentlichen Kommunikation verzichtet werden könne. Notfalls würde man das öffentlich zu Protokoll bringen.

Der Pressesprecher hatte eine Presseerklärung vorbereitet, die eher die Form eines süffisanten kleinen Statements haben sollte, das er zur Auflockerung in eine ernstere, größere politische Sachlage einzubringen gedachte.

»Das heißt, sie wollen denen einen noch größeren Brocken hinschmeißen, um abzulenken?« Sie schaute ihn etwas ungläubig an.

Ja, durchaus, nicht ernst nehmen, austrocknen, einfach austrocknen lassen. Nach bisheriger Ermessenslage bestehe nun wirklich kein Anlass, persönlich Zusammenhänge erklären zu müssen. Nichtsdestotrotz wolle er die Stellungnahme im Rahmen der Eskalationsstufe 3 mit einem exklusiven Zitat der Regierungschefin freigeben.

Sie schäumte immer noch. Was dachte der sich? Die Umstände erforderten wohl eher eine Regierungserklärung statt eines Zitats. Sie wäre jetzt am liebsten über den Tisch zu ihm hinübergekrochen, um ihre Finger langsam um seinen Hals zu legen: »Ach, das ist ja interessant. Was haben Sie denn da in petto?«

Der Regierungssprecher kam sich vorgeführt vor, doch es half nichts. Er blickte auf das vor ihm liegende Papier und las: »Es ist schön, dass man sich so um mich sorgt. Dazu sage ich nur eines ganz klar: Ich halte die Förderung des Breitensports für eine nicht zu vernachlässigende Maßnahme, um unsere Jugend fit für die Zukunft zu machen. Sie muss Sprünge wagen. Das habe ich jetzt einfach mal an Ort und Stelle vorgemacht, statt nur darüber zu reden. Und ich muss Ihnen sagen, es hat mir sehr viel Spaß bereitet. Es sind schöne Fotos dabei herausgekommen. Aber fahre ich deswegen gleich mit dem Motorrad über rote Ampeln? Für so etwas habe ich ein Auto mit Chauffeur. Und das ist doch auch schön.«

Er war sich sicher, den Tonfall der Chefin getroffen zu haben, und schaute zufrieden in die Runde. Der Büroleiterin entfuhr ein »Tätä Täta«. Doch er blieb ernst: »Nun, das lenkt doch ein wenig in die richtige Richtung, nicht wahr? Ich werde für alle Fälle auch noch Kontakt mit der Stiftung Deutsche Sporthilfe aufnehmen.«

»Wollen wir das auch gleich notieren und in die Wege leiten?« Der MAV war ein Mann der Tat und blickte delegierend zur Büroleiterin, die keine Miene verzog, als sie sich im Sessel zurücklehnte.

Die Regierungschefin dagegen saß auf der äußeren Kante ihres Stuhls, zum Absprung bereit. Sie verstand kein einziges Wort, wäre am liebsten einfach davongerannt, ab durch die Mitte und weg. Auf welchem Planeten war sie hier gelandet? Gab es noch andere Lebensformen? Es kam ihr so vor, als bewegten sich die Wände langsam auf sie zu, selbst hier, wo sie aus den Fenstern direkt in den Himmel gucken konnte. Sie überlegte, musste schnell handeln, und es fiel ihr eine Chance ein, die ihr tatsächlich noch blieb: das Wort. Das gedruckte Wort, auch wenn sie es nicht würde lesen können. »Zeitungen, ich möchte sofort die Zeitungen von heute sehen.«

Wenig später glaubte sie ihren Augen nicht zu trauen. Es war das reinste Trauma: Bilder, nichts als Bilder von ihr auf dem Eis. Sie erkannte Motive wieder, an denen ihr Herz hing, die sie erst vor ein paar Stunden für sich entdeckt hatte, die die Barrieren in ihrem Kopf überwunden hatten und deswegen extrem kostbar für sie waren. Momente, an denen ihre Genesung hing, Momente der Freude und Erleichterung, durchaus intim, waren jetzt messerscharf auf allen Titelblättern zu sehen, es war das reinste Tschingderassabum. Und darunter eine ganze Fotoserie von ihr, an ein Motorrad gelehnt, den Helm noch in der Hand.

Alle Worte, gesagt oder gedruckt, waren nichts im Vergleich zu diesen Bildern. Sie hielt inne, ging einen Schritt zurück – und im selben Augenblick, am helllichten Tage, sickerten nach und nach Erinnerungen durch. Es war wie ein riesiger, innerer Scheinwerfer: die Heimfahrt auf dem

Sozius, Dimitrij, die rote Ampel, Punkte in Flensburg. Sie klopfte mit dem Zeigefinger auf die Fotos, klopfte sie zurück ins Leben: »Ach, Gott, diese Ampel! Wer kommt denn auf so etwas! Ja, sicher, das war auf der Heimfahrt. Dumme Sache das. Das bin ich, ganz klar! Wie schön!«

Doch statt sich mit ihr zu freuen über diese wiedergewonnene Erinnerung und über die Verhältnismäßigkeit roter Ampeln, stand ihr Team in angemessenem Abstand verstört neben ihr.

»Das sind Sie nicht.«

Der MAV schien zu ignorieren, dass es hier nicht um läppische rote Ampeln ging, sondern um die Wiedererlangung ihrer Gesundheit und somit um die volle Funktionsfähigkeit der Regierung. Er sah sie an, als kenne er sie gar nicht.

Und er ließ sich nicht erweichen: »Das sind Sie nicht.«

»Wer bin ich nicht?«

»Na die, die man hier zu sehen glaubt!« Er sah ihr in die Augen, trat dann vor an den Tisch und klopfte ebenfalls auf die Bilder.

»Wollen Sie etwa nicht, dass ich mich erinnere?«

»Ich bitte Sie, selbstverständlich, aber doch nicht an so etwas!«

Der Regierungssprecher ging dazwischen: »Unterschätzen Sie das Erregungspotential der Medien nicht! Es ist doch sowieso schon zu spät. Die wissen nichts von Ihrer, nun ja, Ihrer Krankheit. Für die ist das ein Verkehrsdelikt in Begleitung eines unbekannten Mannes. Das ist die Kernbotschaft, der Rest wird rausgeschnitten, da können Sie noch so viel erklären. Leugnen ist unsere einzige Chance!«

»Aber das bin ich doch! Das ist meine Erinnerung, verdammt noch mal! Die lasse ich mir nicht nehmen.« Sie fand, es klang kindisch, aber sie konnte sich nicht von den Bildern trennen. »Schauen Sie mal, die Hose, das ist dieselbe wie beim Schlittschuhlaufen. Das fällt doch auf.«

»Herrje, wer trägt nicht alles schwarze Hosen?«

Sie zögerte. »Das sehe ich grundsätzlich anders. Das Delikt an sich ist doch weniger gefährlich als das Leugnen. Wir reden hier ja nicht von einer Parteispendenaffäre oder Ähnlichem, meine Herren. Ich nehme daher an, wir haben in diesem Fall weniger ein Transparenz-, als vielmehr ein Kommunikationsproblem. Kommen Sie, man muss es den Leuten nur erklären.«

Man schwieg. Das mit dem Erklären schien man für keine so gute Idee zu halten.

Vielleicht ahnte man auch, dass Amnesie und Spendenaffäre in ihrer ganzen Tragik ja nun so weit nicht auseinander lagen.

Sie hing in der Luft. War es jetzt egoistisch von ihr, auf der Wahrheit zu bestehen, nur weil sie sich persönlich damit besser fühlte? Dabei wollte sie doch nur ordentlich arbeiten.

Als sie in die Runde schaute, mochte so recht niemand anfangen zu reden, man schien auf weitere Ausführungen ihrerseits zu hoffen. Es war wie beim Staatsbankett: Solange sie den Suppenlöffel noch nicht auf dem Teller abgelegt hatte, wagte sich niemand an den zweiten Gang, auch wenn die Mägen knurrten, was das Zeug hielt.

Und tatsächlich, ihr fiel ein, dass noch ein kleiner Baustein zur Beurteilung der Lage fehlte: »Was steht denn unter den Bildern?«

O sicher, man entschuldigte sich, las ihr vor: »Heimischer Blauhelm-Einsatz – Regierungschefin mit Motorrad in Polizeikontrolle geraten« – »Wie lange wird sie Rot noch so hinter sich lassen?« – »Immerhin auf der Straße schnell.«

Sie unterbrach: »Steht denn nirgendwo mehr etwas zum Tag der offenen Tür und zu diesem Internet-Film?«

Man tauschte blitzschnelle Blicke aus: »Woher wissen Sie …«

Doch sie zeigte schon auf eine andere Schlagzeile. »Und hier?«

»Bundespräsidentengattin bewundert Wickelkleider aus Malawi.«

»Ach so, das bin ich nicht.«

»Nein, bei Ihnen steht: »Die reinste Schlitterpartie« und »Wer ist dieser Mann?«

»Können Sie mir den Text mit der Schlitterpartie ganz vorlesen?«

Man tat ihr den Gefallen. Der Artikel war viel zu kurz und nicht gut, gar nicht gut.

»Das bin ich nicht.«

Der Regierungssprecher strich sich die Haare nach hinten und lehnte sich nach vorn: »Mit Verlaub, aber das sind Sie. Dass die mediale Öffentlichkeit etwas aus Ihnen macht, das Sie nicht sind, das kann Ihnen doch nicht neu sein? Das muss doch vor zwanzig Jahren auch schon so gewesen sein. Nur dass Sie heute schneller durchgenudelt werden. Wir können jetzt nicht mehr alles umkrempeln, dafür ist es zu spät.« Er versuchte zu lächeln. »Wir können Ihr Image nur noch pflegen, nicht mehr ändern. Sie sind fertig. Verstehen Sie nun, was wir meinen?«

Auf der Fensterbank hatte man eine Reihe von Blumensträußen aufgestellt. Sie sahen aus wie Genesungswünsche für eine Krankheit, von der niemand wusste. Einige Arrangements waren fürchterlich sperrig, ragten asymmetrisch in die Luft, nahmen Licht vom Fenster weg – eitle, sehr eitle Blumensträuße, fand sie, florale Selbstverwirklichungsversuche, die man ihr da zugedacht hatte. Sie näherte sich einem der Sträuße, nahm eine Lilie in die Hand, umschloss sie von unten mit der Handinnenfläche. Sie war noch ganz frisch, blütenweiß, und die gelben Stempel leuchteten ihr entgegen. Sie führte die Finger zusammen, drückte zu, ganz langsam und ganz fest.

Das Handy des MAV ging und schüttelte sich ein bisschen über den Tisch, es ertönte das walisische »Adiemus«, woraufhin er darauf zusprang, wie um die Melodie im Keim zu ersticken. Man schien ihm eine kurze Information durchzugeben, er nickte, ging auf den Fernseher zu: »Die Opposition auf 3.«

Sie kam wieder an den Tisch, atmete tief ein, ahnte, was jetzt kommen würde. Neben dem Fernseher lag ein ganzer Stapel dieser runden Disketten, die auch ihr Mann morgens verwendet hatte, mit kleinen, sorgsam beschrifteten Schildchen auf den Plastikhüllen. Wahrscheinlich waren auch diese hier alle für sie bestimmt, es war ja ihr Büro. Wie es aussah, bestand ein nicht unerheblicher Teil des Tages aus einer einzigen Filmvorführung, um ihr die Hintergrundinformationen zu geben, die sie sich selbst nicht mehr abtrotzen konnte.

Der Bildschirm öffnete sich wie im Kino, zwei breite Streifen gingen wie ein Vorhang zur Seite. Es würde immerhin nur die Opposition sein, dachte sie, es hätte schlimmer kommen können, denn ihr war bewusst, dass jeder über kurz oder lang zum Gegner werden konnte. Ein Treppenhaus kam ins Bild. Das sei »deren Parteizentrale«, sagte man ihr. Und nun lief da plötzlich ein Mann in die Aufnahme, der so tat, als wolle er gleich wieder herauslaufen, wie zufällig erwischt zwischen zwei Sitzungen. Es waren diese äußerst telegenen, beiläufigen Momente, in denen man in der Kürze der Zeit bereitwillig Rede und Antwort stand, sehr spontan und authentisch, obwohl jedes Wort saß. Was er denn vom neuen Stil der Regierungschefin halte, wurde er gefragt. Er schaute auf die Uhr, drehte sich wie zum Weitergehen schon wieder seitlich in die Kamera und ließ verlauten: »Ach, Sie meinen das neue Regierungsprogramm, zu dem jetzt auch Schlittschuhlaufen und Motorradfahren jenseits aller Verkehrsregeln gehören?« Er lächelte.

Sie kam näher an den Fernseher, und in Erwartung dessen, was jetzt noch kommen würde, verwandelte er sich langsam vor ihrem geistigen Auge, saß trommelnd hinter einem riesigen, kochenden, dampfenden Kessel, mit einem kleinen Knöchlein am Lederband im Ohr. Es war das klassische Ritual: Ja, er blickte wieder auf die Uhr und dann in die Kamera, schaute die Linse an wie seine beste Freundin, der man alles anvertrauen konnte: »Wissen Sie, ich möchte das eigentlich gar nicht weiter kommentieren. Doch die Ereignisse sind für mich Anlass, meine Sorgen erstmals öffentlich zu machen. Denn das, was hier getrieben wird, ist mehr als populistisch. Es ist so infantil und dermaßen irrational, dass man fast schon wieder vermuten könnte, es stecke System dahinter.«

Er wollte gehen, lehnte sich im letzten Moment doch noch ins Bild: »Aber wissen Sie, was uns wirklich stutzig macht? Diese verdeckten Moskauflüge des engsten Führungskreises, die wir da gefunden haben, und natürlich auf Kosten des Steuerzahlers. Da werden wir auf Aufklärung drängen müssen. Ich weiß, was ich meine, glauben Sie mir.« Und dann offenbar zu dem Journalisten, der nicht mehr ins Bild passte: »Wenn Sie mich jetzt bitte entschuldigen.« Man sah ihn mit sportlichen Schritten die Treppe hoch laufen, als gehe er dynamisch neuen Aufgaben entgegen, und dann wurde ausgeblendet.

»Der schleppt aber viel Verdrängtes mit sich herum.« Der Regierungssprecher sicherte sich die Fernbedienung.

Es war wie eine Ohrfeige, die man schutzlos hinzunehmen hatte, ohne auch nur den Hauch einer Möglichkeit, überhaupt zu kontern, zumindest im entscheidenden Augenblick nicht. Und es würde nicht sein letzter Versuch sein. Er würde nachtreten – nicht auf dem Schulhof in der Ecke, sondern öffentlich. Ja, sie fuhr Schlittschuh, und die Opposition machte daraus unter den Augen der Nation einen Werbespot in eigener Sache. So einfach machten sie es sich. Was wohl noch schwerer wog, waren die Moskauflüge des engsten Kreises. Es war grausam. Früher, vor all der Zeit, hatte sie so etwas mit großer Ruhe weggesteckt, doch jetzt tummelten sich Gefühle in ihr wie eine Grundschulklasse auf Ausflugsfahrt und legten einen riesigen wunden Punkt frei.

Derjenige, der zuerst nachtrat, war der MAV: »Jetzt spricht der schon von System! Welches meint der? Weiß der was, das wir nicht wissen? Ich habe es ja gleich gesagt, ich habe es ja immer vermutet! Oh, Gott, Moskau. Die Flüge.«

»Das wird niemand ernst nehmen, der stolpert erst einmal drauflos und lässt die Korken knallen, ohne vorher die Gläser geholt zu haben.« Der Regierungssprecher lehnte sich zurück, denn damit würde er fertig werden.

Der MAV hingegen brauchte noch ein wenig Zeit, um seine Gedanken zu ordnen, denn er war schon wieder weiter als alle anderen. »Ist Ihnen bewusst, was Sie da mit der Regierung anrichten? Wenn Sie aufs Eis gehen und über Rot fahren, dann gehen wir doch mit Ihnen drauf! Das ist unverantwortlich. Was machen wir, wenn die nachforschen, wer Ihr Begleiter war?«

Sie schwieg, musste ihm schließlich recht geben. Wahrscheinlich ließ sich so wirklich kein Staat machen. Es war erstaunlich: In noch nicht einmal einem halben Tag war ihrem Optimismus, ihrem vielleicht etwas gestrigen Kampfgeist komplett der Garaus gemacht worden. Wie hatte sie das bloß zwanzig Jahre lang durchgestanden?

»Wie rechtfertigen wir die Moskauflüge?« Die Büroleiterin sah hier eine ganz konkrete Problemlage, und der MAV pflichtete ihr bei: »Ja, das treibt mich auch um. Das regle ich mit dem Nachrichtendienst. Wir könnten ablenken, sagen, dass wir gemeinsam mit dem Außenministerium eine Reise mit dem Wissenschaftsrat in diese Moskauer Klinik planen. Ich überlege sowieso, ob wir das nicht auch tatsächlich tun sollten.«

Nach Abstimmung des Wordings verließ der MAV als Erster den Raum, um »taktische Manövriermasse aufzubauen«, wie er sagte. Es war auch völlig in Ordnung, die Morgenlage an dieser Stelle zu beenden, da man momentan nicht mehr anplanen konnte gegen die Entwicklungen, die sich draußen vor der Tür wie im Zeitraffer vollzogen.

Sie jedoch blieb sitzen, war wie paralysiert, auch weil ihr mittlerweile ein Verdacht gekommen war, der schwerer wog als alles andere: Ihre Videoaufnahme vom Vorabend, die hatte sie doch am Morgen gesehen, und sie spielte sie jetzt gedanklich immer und immer wieder durch, denn die Motorradfahrt und die rote Ampel hätte sie doch auf jeden Fall darin erwähnt. Aber das hatte sie nicht, zumindest nicht auf der Aufnahme, die sie gesehen hatte. Es war offensichtlich herausgeschnitten, weggenommen worden. Einfach so. Und ihr Mann war der Einzige gewesen, der in die Nähe des Videogeräts gekommen war.

Der Regierungssprecher und die Büroleiterin saßen immer noch da, schauten sich schweigend an. Sie erhob sich langsam: »Gut, ich werde sagen, dass ich von nichts weiß, auch wenn ich das nicht für richtig halte.« Sie hoffte inständig, all das am nächsten Tag vergessen zu haben, aber sicher war sie sich da nicht mehr. Nein, sie glaubte inzwischen sogar, das Auswahlverfahren ihres Hippocampus halbwegs verlässlich zu durchschauen. Und diese Bilder aus der Zeitung waren drin im Kopf und würden dort auch bleiben, wenn sich ihre Theorie als richtig erwies – wohingegen man ihr das Leugnen wohl neu würde erklären müssen.

Sie wollte fürs Erste nur noch raus aus diesem Amt, raus aus ihrem Leben, nahm ihre Tasche und stellte sie doch fast im selben Augenblick wieder auf den Tisch. Nur eines wollte sie noch wissen: »Warum spielen Sie dieses Spiel?«

Der Regierungssprecher ließ die Papiere, die er gerade eingesammelt hatte, wieder auf den Tisch fallen. »Welches meinen Sie?« Er schien ganz offensichtlich mehrere Spiele zu spielen.

»Kommen Sie, Sie wissen genau, wovon ich spreche. Man kann nicht gerade behaupten, dass ich mit meiner Amnesie noch prädestiniert wäre für dieses Amt, nicht wahr? Also wieso noch?«

»Nun, vielleicht sind Sie gerade deswegen prädestiniert? Sie haben es in der Hand.«

Das war die denkbar einfachste Antwort. Und genau die wollte sie nicht hören. »Ich will's von Ihnen hören, herrje, es sind doch weder Kameras noch Wanzen hier!«

Der Regierungssprecher sah zur Büroleiterin hinüber, die mit verschränkten Armen an der Fensterbank stand und seine fragenden Blicke zu genießen schien. Er wusste mit Sicherheit, was sie dachte: Sollte er nur machen. Hierfür wurde er schließlich auch bezahlt, und zwar besser als sie. Sie war ein empfindsamer Geist.

Also begann er: »Nun, wir sind noch nicht so weit. Wir müssen vorerst noch ein wenig improvisieren. Ich denke jedoch, dass wir bei all dem voll flexibel bleiben und innerhalb des Ablaufmanagements binnen kürzester Zeit komplett gegensteuern können.«

Das hatte gereicht. Der Überdruck in ihr gab nach, und sie knallte die Tür hinter sich zu, versuchte, allein den Weg zum Aufzug zu finden. Und dann abwärts, nur noch abwärts. Es tat weh. Er hätte ja auch einfach sagen können: »Wir wollen, dass Sie wieder gesund werden.« Sicher, man musste sie nicht gleich in den Arm nehmen und ihr eine Flasche Traubensaft schenken, aber ein wenig mehr ehrliches Entgegenkommen hätte sie schon erwartet. Die Büroleiterin war ihr hinterhergelaufen und holte sie vor den Aufzügen ein. »Entschuldigung, aber Sie können nicht einfach so gehen.«

»Es werden doch sicherlich nur interne Termine anstehen?« Die Presseerklärung würde wahrscheinlich schon im Netz hängen, und unter diesen Umständen sah sie sich völlig außerstande, der Öffentlichkeit unter die Augen zu treten.

»Intern?« Die Büroleiterin konnte mit diesem Begriff nichts anfangen. »Nein, es gibt einen offiziellen Termin in circa zwanzig Minuten. Sie müssen die neue Zwei-Euro-Sondermünze präsentieren, mit dem Ministerpräsidenten und Wirtschaftsvertretern des Bundeslandes, das diese in diesem Jahr herausgibt. Kurzes Grußwort, Fototermin und Abgang.«

Am liebsten hätte sie jetzt nicht nur ihre Erinnerung, sondern auch ihren Verstand einmal völlig abgeschaltet. »Ist das Ihr Ernst?«

Ja, es war ihr Ernst. Was sonst? Schließlich war sie Regierungschefin, und von nichts kam nichts. Man konnte schließlich nicht einfach einen Stuhl nehmen und sich ins Leben setzen. Und dennoch war es schrecklich. Weiter hinten auf dem Flur kam bereits eine Dame herangeeilt, mit Schminkutensilien, Fusselrolle und einer grobdrahtigen Haarbürste.

Die Büroleiterin versuchte zu beruhigen: »Wir fahren doch schon das reduzierte Programm, und Sie werden gar nichts zu den letzten Meldungen sagen müssen.«

»Aber es steht mir doch ins Gesicht geschrieben! Ich bin kein Mann. Bei mir kommt es doch aus jeder Pore, mit jeder verdammten Hitzewelle. Hören Sie, können oder wollen Sie mich nicht verstehen?«

»Es ist nur gebriefte Fachpresse dabei. Die Auswahl der Wirtschaftsvertreter erfolgte nach folgenden Ausschlusskriterien«, und hier senkte sie den Blick, nahm ein Blatt Papier zur Hand und las: »Keine Energie, keine Banker, keine subventionierte Agrarwirtschaft mit Massentierhaltung, auch keine subventionierenden Finanzdienstleister, keine Unternehmen der Textilbranche mit Fertigungsorten im Ausland, Damen- und Herren-Wäschehersteller generell nicht.« Zumindest lächelte sie, als sie endlich aufhörte.

Seit der Amnesie hatte sie das Gefühl, dass sie ihre Umgebung noch seismographischer wahrnahm als früher. Und hier war noch etwas, das nicht stimmte, irgendein Puzzleteil, das man ihr genauso vorenthielt wie die Motorradfahrt. Sie wandte sich an die Büroleiterin, noch bevor die Haarbürste von hinten aufsetzte: »Wo ist eigentlich Dimitrij?« Aber dann kam das Haarspray, und sie musste sich die Augen zuhalten.

Volles Risiko

Es war bereits früher Nachmittag, der MAV würde um vierzehn Uhr anrufen lassen, und ihr Mann hatte kurz vorher das Büro verlassen, um den Anruf pünktlich zu Hause entgegennehmen zu können. Die Fremdsteuerung nahm langsam die Ausmaße an, die auch seiner Frau zugemutet wurden, fand er, obwohl er durchaus zustimmen musste, dass eine Klärung der Lage dringend erforderlich schien. Selbst im Büro hatten überall Tageszeitungen mit seiner über das Eis gleitenden Gattin gelegen, es war schon ein wenig peinlich gewesen. »So schlecht läuft sie doch gar nicht!« Ein Kollege hatte ihm anerkennend auf die Schulter geklopft. Er hatte versucht, zu erklären, aber man hatte keine Erklärung hören wollen, sich lediglich an den Fotos erfreut, sich darin wohlig vertieft und die Überraschung als das genommen, was sie war. Und wer liebte keine Überraschungen, wenn man ehrlich war?

Dimitrij war an diesem Vormittag tatsächlich nicht mehr gekommen, und das hatte ihn stutzig gemacht. Gerade in der Nachbearbeitung des vorangegangenen Tages hätte seine Frau ihn doch umso mehr gebraucht. Sie war kurz davor, ihren Hippocampus zurückzuerobern, und man durfte den Versuch jetzt nicht einfach abbrechen.

Er war also auf dem Heimweg noch zum Mietshaus gefahren, zu dem er ihn bereits mehrmals vorher verfolgt hatte, um sich Gewissheit über seine Vertrauenswürdigkeit zu verschaffen. Manche Dinge funktionierten eben besser, wenn man sich ihnen im Ausschlussverfahren näherte. Misstrauisch war er deswegen noch lange nicht, fand er. Doch an diesem Vormittag hatte kein Name mehr auf dem Klingelschild gestanden. Er sei ausgezogen, war der Nachbarin zu entlocken gewesen. Sie hatte auf einen gelben Kleinwagen auf der anderen Straßenseite gezeigt. Nur seine Freundin, die Journalistin, die sei noch da.

Als das Telefon klingelte, ließ er den MAV nicht zu Wort kommen: »Haben Sie schon mit Dimitrij gesprochen, ihn jetzt tatsächlich abgezogen?«

Der MAV musste zugeben, dass man bei all dem Bemühen, Presse und Opposition in Schach zu halten, nun wirklich noch nicht daran gedacht habe, es jedoch für die nächsten Stunden plane.

»Nun, da ist Ihnen die Realität zuvorgekommen, befürchte ich. Er ist verschwunden, weggezogen. Und ich befürchte, er hat gemeinsame Sache mit der Presse gemacht.«

»Was? Ich hab's ja gleich gesagt.« In die Stimme des MAV kam ein leicht triumphierender Unterton. »Hören Sie, Sie erzählen niemandem etwas. Wir kümmern uns darum. Da müssen wir jetzt schnell ran.«

Er fragte sich, was an dieser Ansage neu sein mochte. Sie kam eigentlich immer, ohne dass sich jedoch irgendetwas geändert hätte. Es klopfte in der Leitung. Jemand schien zu versuchen, ihn zu erreichen.

Sie hatte lange überlegt, ob sie ihren Mann anrufen sollte. Das hatte sie wahrscheinlich bisher nur selten vom Amt aus getan, aber außerordentliche Lagen erforderten außerordentliche Maßnahmen. Und vielleicht brauchte sie jetzt einfach nur seine Nähe, zumindest den Beweis, dass das hier nicht nur eine einzige ferngesteuerte Versuchsanordnung war. Sie ließ sich verbinden, aber man sagte ihr, es sei besetzt. Sie ließ die Leitung trotzdem zu sich hereinstellen, vielleicht gab es einen Anrufbeantworter. »Wollen-Sie-verbunden-werden,-sobald-Ihr-Gesprächspartner-das-Gespräch-beendet-hat,-so-antworten-Sie-mit-Ja.« Diese Stimme war ihr gänzlich unbekannt, aber immerhin wusste sie genau, was sie brauchte in diesem Moment: einen Gesprächspartner. »Ich-habe-Sie-nicht-verstanden.« Herrje, man konnte doch nicht einfach laut Ja sagen, wie albern. »Versuchen-Sie-es-später-noch-einmal.« Sie legte auf.

Ihrem Mann wurde zur selben Zeit eine merkwürdige Frage gestellt, denn der MAV hatte bereits weitergedacht: »Hören Sie, haben Sie die Möglichkeit, bis auf Weiteres in Teilzeit zu gehen? Pflegefall in der Familie oder Ähnliches, Sie verstehen mich?«

Er konnte es nicht fassen: »Was glauben Sie denn, was ich die letzten Wochen gemacht habe? Wer holt sie denn zurück ins Leben jeden Morgen? Der Sandmann? David Copperfield?«

»Nun beruhigen Sie sich doch. Ich will nur sagen, Sie werden bis auf Weiteres versuchen müssen, diesen Dimitrij – nun, wie soll ich sagen – auch therapeutisch ein wenig zu ersetzen. Er scheint ja schon entscheidende Vorarbeit geleistet zu haben. Wir können uns da gerne abstimmen.«

Er konnte nichts mehr sagen, war fassungslos, wie weit wollte man es denn noch treiben?

»Das mache ich nicht mit.«

»Nun, Sie können auch jeden erstklassigen Neuropsychologen Ihrer Wahl haben.«

Er stutzte über diese letzte Äußerung des MAV. War die Sache plötzlich nicht mehr top secret? »Was soll das heißen?«

Der MAV holte tief Luft, wie jemand, der sich seine Worte schon sehr lange vorher zurechtgelegt hatte und sie nun doch nicht richtig herausbrachte: »Nun, vielleicht wird Ihre Frau in Zukunft etwas öfter zu Hause sein.«

»Das können Sie nicht tun!«

»Hören Sie, wir sind heute zu der Überzeugung gelangt, dass der Zeitpunkt für einen Rücktritt günstig wäre. Wir sind jetzt so weit und können etwaige Nachfolger ins Spiel bringen. Es tut mir leid, dass es etwas gedauert hat, aber ich bin mir sicher, dass es Ihrer Frau nicht geschadet hat.«

Nun war es heraus. Natürlich, wenn man nur lange genug suchte, konnte man an den perfidesten Dingen gute Seiten finden. Und wenn es nur ein paar Leute gegeben hätte, die sich schon früher auch nur annähernd so verhalten hätten, als könnten sie am nächsten Tag die Regierung übernehmen, hätte man diesen ganzen Eiertanz nicht nötig gehabt. Aber so einfach war das jetzt nicht mehr. Und seine Gefühle standen ihm gerade gehörig im Wege: »Das ist nicht Ihr Ernst. Sie macht doch Fortschritte!«

»Ich verstehe Sie ja, glauben Sie mir, aber über kurz oder lang wäre das einfach nicht mehr verantwortungsvoll gewesen, für keine der Parteien, Ihre Frau eingeschlossen.« Und was dann kam, klang immerhin ehrlich: »Popularität hin oder her, wir drehen hier mittlerweile am Rad. Sie wissen doch, wie sie sich verändert hat. So geht das nicht auf Dauer.«

Man mochte ihm glauben, doch da war noch ein Steinchen, das so ganz und gar nicht ins Bild passte: »Aber Sie können sie doch nicht aus Krankheitsgründen zurücktreten lassen, so fit, wie sie wirkt. Da wird doch nachgeforscht. Amnesie, wie sieht das denn aus? Dann kommt alles heraus.«

Der MAV wiederum konnte so viel Unbeweglichkeit im

Geiste nicht verstehen: »Ja, verstehen Sie denn nicht? Das mit der roten Ampel leugnen wir entschieden, und wir werden es morgen und übermorgen wieder tun, wenn noch mehr per Handy aufgenommene Großaufnahmen des Polizeibeamten und Ihrer am Sozius lehnenden Gattin die Titelseiten der Zeitungen schmücken.«

»Ja, aber das finden die Leute gut! Deswegen tritt man doch nicht zurück!«

Der MAV schien in Fahrt zu kommen: »Das Leugnen, guter Mann, das Leugnen werden sie nicht gut finden. Und dann gibt es da auch die Moskauflüge, die die Opposition gerade aufdeckt. Zur Not bleibt uns noch die Politikverdrossenheit.«

»Bei meiner Frau?«

»Ich weiß, das ist alles höchst unerfreulich, gibt uns aber zumindest eine Argumentation an die Hand für ihren Rücktritt jenseits ihrer Krankheit.«

»Wie viel Bedenkzeit habe ich?«

»Zwanzig Stunden. Wir telefonieren gleich morgen früh. Sagen Sie ihr dann einfach, dass sie am Tag zuvor beschlossen habe, zurückzutreten. Und bedenken Sie, Sie werden volle Unterstützung bei der zukünftigen Therapie Ihrer Frau haben. Wir scheuen keine Kosten. Das sind wir Ihnen schuldig.«

Man musste das Telefonat an dieser Stelle beenden, der MAV entschuldigte sich, er habe unglaublich viel zu erledigen in diesen Tagen, sorry, sorry. Er hörte noch, wie am anderen Telefon bereits der nächste Gesprächspartner begrüßt wurde, und dann das Freizeichen. Was für ein Gestrampel! Er bekam nun wirklich eine Ahnung davon, wie es seiner Frau an jedem neuen Tag ergehen mochte – sechzehn verplante Stunden, die zu einer einzigen Bewährungsprobe wurden, zur letzten Chance überhaupt.

Ungefähr zur selben Zeit kam der Regierungssprecher ins Büro der Büroleiterin gestürmt. Man habe ihm einfach nicht geglaubt, sagte er fassungslos. Seine Presseerklärung sei schlichtweg ignoriert worden von den geladenen Journalisten, allesamt Kenner der Materie, mildes Lächeln nur, und man habe dagegengehalten, dass das doch wohl eine ganz andere gewesen sein müsse, jedenfalls unmöglich die Regierungschefin, die da auf dem Eis gelaufen sei. Alles Montage, Animation, Cyberspace, Wahlkampf ... Herrje, der Sprecher war sprachlos, wie stehe er nun da, wenn er noch nicht einmal mehr die Wahrheit glaubhaft vermitteln könne. Die Opposition sei mittlerweile genauso ratlos.

Der offizielle Termin rund um die Sondermünze war nach Plan verlaufen, hatte ein wenig abzulenken vermocht vom Presserummel draußen im Land. Man war auch nicht wirklich in Kontakt miteinander gekommen, wie konnte man das auch bei dem Anlass, hatte vielmehr nacheinander vor sich hin gesprochen.

Beim abschließenden Fototermin mit dem Ministerpräsidenten und den Wirtschaftsvertretern war man ihr dann doch noch nahegekommen, der Mann neben ihr hatte noch Speisereste zwischen den Zähen gehabt, als sie seitlich zu ihm hinübergeschaut hatte. Und jedes noch so schwer identifizierbare Körperteil, das mit aufs Foto kommen konnte, war ein Gewinn gewesen, denn man konnte es später in die Geschäftsberichte, Kunden-Newsletter, Websites und Produktinformationen geben.

Es war ein ungewohnt heiteres Foto geworden, denn man hatte herzlich gelacht, als sie in die Runde gefragt hatte, ob irgendjemand zufällig eine Waffe, ein Schweizer Taschenmesser, eine Packung Schlaftabletten oder das Gegenteil davon dabei habe. Denn sie wolle sich gern umbringen. Man war noch näher zusammengerückt, hatte sich die Bäuche gehalten vor Lachen. Nur eine Person hatte nicht gelacht auf diesem Bild.

Zumindest Herr Bodega war ihr geblieben. Sie kam sich bereits wie zu Hause vor in dem Augenblick, in dem sie auf dem Beifahrersitz Platz genommen und die Tür fest zugeknallt hatte. Sie genoss das weiche Leder, versuchte, sich locker zurückzulehnen, sich zu entspannen, denn dieses Gerangel in ihrem Kopf zog mitunter hinab in den Nacken, breitete sich über die gesamte Schulterpartie aus.

»Wohin geht es?«

»Ach, ich möchte jetzt einfach gern mal abgeholt werden, und ich denke, es geht zu dem Ort, von dem man sagt, ich sei da zu Hause.«

Er warf ihr einen kurzen Blick zu, bevor er im Rückspiegel den Begleitwagen checkte, und ließ den Motor an. »Sie sehen nicht gut aus, gar nicht gut, wenn ich das sagen darf.«

»Im Gegensatz zu mir befinden Sie sich ja in der glücklichen Verfassung, Zeitung lesen zu können. Also, bitte.«

Sie spürte, dass das nur die Eröffnung gewesen war, dass ihm die eigentliche Frage auf der Zunge brannte, und sie blockte ab: »Und wie geht es Ihnen, Herr Bodega?«

»Ich vermisse Ihre SMS.«

»Ich vermisse noch ganz andere Dinge, glauben Sie mir.«

»Könnten wir es vielleicht mit Textbausteinen versuchen?«

Sie verlor die Geduld, mochte nicht mehr reden, wohl auch weil sie erkannte, dass das, was bisher nun wirklich unter ihrem Niveau gelegen hatte, jetzt eindeutig darüber lag.

Und jetzt kam er zum Punkt: »Waren Sie das jetzt an der Ampel oder nicht? Sie haben dementieren lassen, nicht wahr?«

Er klang ein wenig enttäuscht, fand sie. Dieser Mann hatte wirklich ein Talent, in den Wunden herumzustochern. Sie zog die Beine an, verschränkte die Arme vor der Brust und sah aus dem Beifahrerfenster. Ja, es war ein Fehler gewesen, verdammt noch mal. Doch das wäre ihr nie über die Lippen gekommen. »Mir blieb nichts anderes übrig. Nun drücken Se mal ein bisschen auf die Tube.«

»Das ist schade.«

»Hören Sie, Herr Bodega, niemand hindert Sie daran, Ihren Unmut zu äußern. Gehen Sie meinetwegen demonstrieren. So eine Demonstration ist eine der schönsten Einrichtungen unserer Demokratie. Aber lassen Sie mich um Himmels willen damit in Ruhe.«

»Ich find's toll, das mit dem Motorrad.«

Sie glaubte ihren Ohren nicht zu trauen. Wie bitte? Der fand das jetzt auch noch gut? So, wie sie es gut gefunden hatte in jenem Moment? Sie spitzte die Lippen und warf ihm einen raschen Seitenblick zu. Von der Seite ließen sich die Leute oft besser durchschauen, denn nicht jeder bekam in seiner Selbstverliebtheit diese Blicke mit, fühlte sich weiter unbeobachtet, und wenn es doch auffiel, konnte man den Gegner vortrefflich und fast unbemerkt in die Enge treiben, behutsam, ganz behutsam. Die Mimik ließ sich von der Seite aus genauso gut interpretieren. Die Politik war frontal genug. Sie liebte Seitenblicke. Der Papst tat es schließlich auch.

Herr Bodega schien diese Blicke zu kennen und ließ sich nicht beeindrucken: »Ich glaube, was ein Mensch wahrhaben möchte, hält er auch für wahr. Da hilft das beste Dementi nichts. Ich würde es wunderbar finden, wenn es wahr wäre.«

»Hm.«

Warum kannte sich ein Sicherheitsbeamter in radikalem

Konstruktivismus aus, fragte sie sich, während er fortfuhr: »Wissen Sie eigentlich, wie viele Male ›Das war mein Tag‹ inzwischen im Internet angeklickt wird?«

»Nö, mir sagt ja keiner was.«

Sie bemerkte, dass er sich jetzt plötzlich in Rage redete, konnte sich aber nicht dazu durchringen, ihn zu unterbrechen.

»Wissen Sie, die Leute mögen die Wahrheit. Und es ist doch eigentlich ganz einfach: Wenn es jemanden gibt, der sich die Wahrheit leisten kann, dann doch Sie mit Ihrem schlechten Gedächtnis!« Er grinste gegen die Windschutzscheibe, und sie war sich auch ohne Seitenblick sicher, dass er jetzt jede Regung von ihr mitbekam.

Ja, an die naheliegende Möglichkeit des Vergessens hatte sie auch schon gedacht. Doch da war eine Sache, die sie beschäftigte, zugleich antrieb und lähmte, die in ihr quer saß wie ein Kohlgericht nach Mitternacht: »Nun, Herr Bodega, das ist ein bemerkenswerter Gedanke, kühn und realistisch zugleich. Sehr schön. Aber da hätten wir noch die Verantwortung. Ich bin ja nicht irgendwer, auch wenn ich es manchmal, zwischendurch, für kurze Zeit gern wäre. Mein Amt ist schon ein anderer Maßstab, finden Sie nicht? Ich kann das unmöglich wagen. Und nun konzentrieren wir uns bitte auf die Fahrt.«

»Sie meinen Ihren strukturellen Hintergrund?«

»Nun lassen Sie bitte mein Elternhaus aus dem Spiel.«

»Nein, ich meine die Politik!« Er hielt an.

»Warum fahren Sie denn nicht?«

»Es ist gerade Rot geworden.«

»Ach, was. Es war doch noch Gelb! Da hätten Sie locker noch drübergepasst!«

»Mit Verlaub, das wäre verantwortungslos gewesen.«

1:0. Sie schwieg, hielt es aber nicht lange aus, versuchte,

die Frageform zu umgehen, aber es gelang ihr nicht. »Was sollte ich denn Ihrer Ansicht nach tun?«

»Sie sind ehrgeizig, nicht wahr?«

»Herr Bodega, nun kommen Sie, Sie sollen antworten und nicht fragen. Wir sind hier doch nicht bei Robert Lembke ...«

»Und Sie sind auch egoistisch.«

Sie schnaubte, schaute auf die Uhr. Es war durchaus nicht dasselbe, die Wahrheit über sich zu wissen oder sie von anderen hören zu müssen.

Er schien jetzt aufs Ganze zu gehen, der Seitenblick ließ Aufregung erkennen. »Ich glaube aber, dass Ihr Egoismus zugleich auch Ihre einzige Chance ist. Hier geht es doch um Ihre Gesundheit und damit um Sie selbst!«

Sie lachte laut auf: »Ach, tatsächlich? Stellen Sie sich vor, an mich selbst hatte ich bei all dem noch gar nicht gedacht! Na toll, hören Sie, warum erzählen Sie mir das alles? Hat Sie auch irgendjemand bezahlt?« Sie bereute es in dem Moment, in dem sie es sagte.

Er stoppte den Wagen vor der Haustür, zog den Schlüssel ab und sagte: »Ich möchte, dass Sie wieder gesund werden. Und meine Sonnenbrille, die schenke ich Ihnen. Die Sonne kann noch viel Kraft haben, und tief steht se auch.«

Oben im Wohnungsflur stand der Verräter und Videocutter schon im Türrahmen. Sie lief schmollend an ihm vorbei und würde an diesem Abend sicherlich keinen einzigen seiner Pfirsiche essen. Nein, diese Schluckimpfung würde sie heute auslassen. Sie ging ins Bad, putzte sich wie eine Wahnsinnige die Zähne, wollte gar nicht mehr aufhören damit, und noch während der Bürstenkopf auch vor dem Zahnfleisch nicht haltmachte, fasste sie einen Entschluss: Sie würde eine Videobotschaft an sich selbst richten an diesem

Abend, sozusagen eine Anweisung für den kommenden Tag und für alle darauf folgenden Tage, mit einer Botschaft, die ihre Sorgen ein für allemal dem Erdboden gleich machen und dem Gefühlschaos ein Ende setzen würde. Die ganze Wahrheit, nichts als die Wahrheit, und zwar ungekürzt, und die Aufnahme würde sie anschließend unter ihr Kopfkissen schieben und am nächsten Morgen die Erste sein, die sie anschaute.

Gut, das mit dem Regieren war einen Versuch wert gewesen für einige Zeit, aber nun reichte es. Letzteres musste sie sich ein wenig einreden, aber es ging. Eine Regierungschefin, die an einem Tag nicht mehr wusste, was sie am vorangegangenen getan, gesagt oder verschwiegen hatte, war wohl wenig hilfreich, wenn sie ehrlich war. Und außerdem hatte sie trotz erster Erinnerungsfetzen nun die Gewissheit, dass die Wahrheit, die man ihr an jedem neuen Tag präsentierte, nicht unbedingt ihre Wahrheit war. Schließlich war ihr ein entscheidendes Stückchen gelebtes Leben wissentlich vorenthalten worden.

Die Suche fing im Arbeitszimmer an. Die Videokamera musste irgendwo sein, wo man sie leicht auch ohne Gedächtnis finden konnte. Sie durchsuchte den Schreibtisch, sah unter der Sofagarnitur, im Sideboard, im Bücherregal nach und fand an der Tür doch nur einen Zettel, der wie in großer Eile hingekritzelt aussah, aber etwas mit dem Verschwinden der Kamera zu tun haben mochte. Sie wusste, was das bedeutete: Nun musste sie auch noch das bilaterale Gespräch mit ihrem Mann suchen, ihn darum bitten, ihr diesen Zettel vorzulesen.

Er tat es: »Entschuldigen, Kamera in Putzeimer gefallen, Eimer hatte voll Wasser, ich habe versucht zu trocknen mit Föhn, aber wenn kaputt, entschuldigen.«

Und so würde die unachtsame Bewegung einer kaukasischen Putzfachkraft zum Wendepunkt westlicher Regierungspolitik werden.

»Warum hast du den Vorfall mit der Ampel aus meiner Aufnahme herausgeschnitten?« Sie konnte nun doch nicht mehr an sich halten. Natürlich, die Sache war passiert, sie ahnte auch, warum, und darüber gab es nichts mehr zu diskutieren. So. Aber dennoch, diese Vertrauensfrage musste sie jetzt einfach stellen. Ihr Herz pochte sich nach vorne, und sie hätte weinen können, denn die Tränendrüsen waren theoretisch voll funktionsfähig.

Ihr Mann spielte mit dem Zettel in der Hand, sah auf, merkte wohl, was mit ihr los war, nahm ihre beiden Hände und legte sie in seinen Schoß: »Liebes, ich wollte dir nur das Leugnen erleichtern. Ich hab's um deinetwillen getan. Man sagte mir, dass die Wahrheit, nun, ein bisschen unpopulär sein könnte.«

»Kokolores, die Wahrheit ist nie unpopulär. Das wäre ein Widerspruch in sich. Das muss man jetzt auch mal so sehen, und wenn das jemand beurteilen kann, dann doch mittlerweile ich.«

Sie ließ ihre Hände bei ihm. Denn nun blieb ihr nichts anderes übrig, als es ihm von Angesicht zu Angesicht zu sagen, ohne Kamera. Sie holte tief Luft und nahm ihm zunächst das Versprechen ab, dass er ihr am nächsten Morgen alles genau so schilderte, wie sie es ihm jetzt schilderte.

Dies also sei ihr Wille: Sie werde sich nun von der Politik verabschieden, könne da nicht mehr hingehen, lasse sich krankschreiben. Ihre vorzeitige Arbeitswiederaufnahme sei aus nachvollziehbaren Gründen gescheitert, sie könne und wolle so nicht mehr öffentlich weiterleben. Sicher, sie habe immer mehr gearbeitet als alle anderen, um ihnen zu zeigen, wie unnütz sie seien. Aber jetzt sei sie selbst unnütz. Wenn er ihr das am nächsten Morgen verschweige, garantiere sie für nichts.

Sie ließ einen fassungslosen Gatten im Zimmer zurück. Jedes weitere Wort wäre ein Wort zu viel gewesen, es war alles gesagt, man musste sich den Dingen stellen. Also ging sie direkt ins Schlafzimmer und machte sich bereit für die Nacht.

Herrn Bodegas Pilotenbrille steckte noch in ihrem Blazer. Das gute Stück war ihr ans Herz gewachsen. Das hätte sie nie gedacht von einer Sonnenbrille. Sie nahm sie heraus, setzte sich aufs Bett und rieb mit einem Kopfkissenzipfel die Gläser sauber. Ihr Mann würde sie auch daran erinnern müssen, sie Herrn Bodega zurückzugeben. Sie gehörte vielleicht zur Dienstausstattung und war somit Staatseigentum. Sie hätte sie zwar einfach in ihre eigene Dienstausstattung überführen können, doch ab morgen wollte sie ja selbst nicht mehr Staatseigentum sein.

Der Radiowecker war verstellt. Sie drehte am Sender, immer noch gedankenverloren. Rolling Stones. Ach, wann würden diese Wolken, die sich morgens vor jeden verdammten vorangegangenen Tag schoben, endlich verschwinden? Wo würde sie all das hinführen? Man konnte wahrlich nicht behaupten, sie hätten es nicht versucht. Schöne Musik, dachte sie, immerhin. Wenigstens an dieses Lied würde sie sich noch erinnern können.

Er schlief kaum in dieser Nacht. Es war das Nervenkitzeln und die nicht enden wollenden Gedanken, die man sich machte, wenn man den Dingen auf den Grund gehen wollte. Er war kein Stückchen weitergekommen. Natürlich, und zu diesem Schluss rang er sich durch, hatte man als Ehepartner stets eine gewisse Verantwortung für den anderen, an guten wie an schlechten Tagen. Die Ehe mit dieser Frau war jetzt geradezu subversiv geworden, die gewagteste aller Überschreitungen, wenn sie es nicht vorher schon gewesen war.

Sehr erstaunlich. Sie war pures Adrenalin, mehr als jedes Abenteuer, jede Affäre es hätte sein können. Ihre Ehe war zu einer Staatsaffäre, bis dass der Tod sie schied, geworden. Doch jetzt schien gar die Zukunft der Regierung zu einem nicht unerheblichen Teil in seinen Händen zu liegen. Er war mittlerweile für die emotionalen Zentren in ihrem Gehirn zuständig, und er war vor allen Dingen eines: der Filmvorführer, der Cutter, »Master of the Memories« sozusagen. Und dass er darin einen ganz eigenartigen Reiz verspürte, beunruhigte ihn noch mehr.

Gut, er konnte ihnen allen einfach den Gefallen tun und genau das veranlassen, was auch sie ihm aufgetragen hatte, also den Weg des geringsten Widerstands gehen. Das gab Aussicht auf mehr Ruhe, auf ein abgespecktes Leben ohne Sicherheitspersonal, ohne Kameras beim Opernbesuch, ohne die Last der Verantwortung und des Gewissens. Er wusste, dass es sie dann und wann quälte, blutverschmierte Hände schütteln zu müssen, unliebsame Kompromisse einzugehen, um noch Schlimmeres zu verhindern, und den Herren in den anthrazitfarbenen Business-Anzügen eine letzte Chance zu geben, wo man doch eigentlich am liebsten die Guillotine auf den öffentlichen Marktplätzen wieder eingeführt hätte, rein gedanklich selbstverständlich. Was hatte sie bloß in diesen Knochenjob getrieben?

Sie hatten schon überlegt, den Fernseher abzuschaffen, um sich nicht das Elend und den Sumpf, durch den sie tagsüber höchstpersönlich waten musste, auch noch in ihrer Freizeit in die eigenen vier Wände zu holen. Vielleicht war es gut, dass sie es dann doch nicht getan hatten, dachte er, denn nun sah es so aus, als solle seine Frau über kurz oder lang erst einmal zu Hause bleiben. Was sollte sie da tun?

Er versuchte, es gedanklich durchzuspielen, sich vorzustellen, wie sie ihre Zeit mit ausgedehnten Frühstücken in den Cafés der Umgebung verbrachte, Museen und Galerien besuchte, in denen sie weder die Erläuterungen unter den Exponaten noch die Preise der Gemälde würde lesen können. Hier und da ein Interview, ein Aufsichtsrats- und Schirmherrinnenposten, ein selbst gemachter Pflaumenkuchen, ansonsten Kosmetik, Sport, Yoga, Mal- und Schnitzkurse? Nein, das alles war, was seine Frau betraf, undenkbar. Sie würde erst recht krank werden. Natürlich war sie zu alt, um sich noch Illusionen über ihr Tun zu machen, aber auch nicht alt genug, um aufzugeben. So also nicht. Und einen Abgang wegen einer läppischen roten Ampel beziehungsweise dem Leugnen derselben würde er ihr definitiv ersparen. Es auf eine unspezifische Müdigkeit an der Politik zu schieben war ein Argument wie eine aufgewärmte Tütensuppe, man würde es ihr auch nicht abnehmen. Das hatten andere vor ihr versucht, und er wollte erst gar nicht darüber nachdenken, wie es vielleicht um deren Gedächtnis gestanden hatte. Bretter fielen schließlich jederzeit und überall auf der Welt zu Boden.

Gegen sechs Uhr stand er auf und zog sich an. An diesem Punkt war er schon einmal gewesen, damals in der Klinik. Und jetzt würde er sich wieder genauso entscheiden wie damals, würde ihr und sich verdammt noch mal treu bleiben. Kurzum: Er würde es durchziehen, schweigen und sie wieder hinausschicken ins Land, Schmerzen und ziemliche Schwierigkeiten in Kauf nehmen. Volles Risiko also, sie hatte ohnehin an jedem Tag die Wahl, konnte jeden Tag aufs Neue die Verpflichtung annehmen oder auch nicht. Und er war sich sicher, dass ihr Elan ihr ein Schnippchen schlagen und ihren gestrigen Entschluss vergessen machen würde, auch jetzt noch, im Stadium fortschreitender Genesung. Denn die Macht war nichts Flüchtiges. Sie saß ihr in allen

Knochen und war hartnäckiger als jedes Zugeständnis an sich selbst.

Noch bevor sie aufwachte, legte er es leise auf ihren Nachttisch neben den Teller, auf dem der Pfirsich noch unangerührt lag. Er tat einen Schritt zurück und betrachtete das Bild von ihnen beiden, das er vor wenigen Tagen abends in der Küche aufgenommen hatte. Es war schön geworden. Von der bläulich schimmernden Luft über den flambierten Pfirsichen hatten seine Augen fast die Farbe des Baikalsees, fand er.

»Wo ist Dimitrij?« Das war ihre erste Frage nach dem Aufwachen.

Er würde jetzt aufs Ganze gehen, rücksichtslos, ohne Vorwarnung: »Er hat dich an die Presse verraten, Liebes, gegen eine hübsche Summe, er wird jetzt wohl im Westen untertauchen und es sich gut gehen lassen.«

Sie war hart im Nehmen, das wusste er, und auch jetzt lief nur eine einzige Träne über ihre Wange. Stattdessen aß sie erst einmal seinen Pfirsich, den sie am Abend vorher noch verschmäht hatte, biss hinein, als sei es eine Gewohnheit, die sich der Körper zu eigen gemacht hatte, ohne dass der Kopf wusste, warum. Solche Momente waren die schönen Seiten der Amnesie. Und vor allem schien sie keinen Verdacht zu schöpfen, kein einziger nachtragender Blick, kein Zucken in den Mundwinkeln, der Akku war wieder prall gefüllt. Sehr wohl erinnerte sie sich an flambierte Pfirsiche, Schlittschuhe, Motorräder und Herrn Bodega mit der Sonnenbrille, nicht an alle Einzelheiten selbstverständlich, aber hier und da an ein Gefühl, das damit verbunden gewesen war. Es war bemerkenswert, dass ihr Hippocampus eine sehr wohlwollende Selektion der Realität vorzunehmen schien. Wenn es hier einen Chip gegeben hätte, so war dieser mit Sicherheit recht unpolitisch und erst recht nicht kommunistisch programmiert, befand er, sondern eher etwas sentimental.

Sie durfte die Memory-CDs und ihre abendlichen Videoaufnahmen eigentlich nicht unbetreut ansehen, aber heute setzte sie ihn einfach vor die Tür, und er konnte das verstehen. Nur eine Frage wollte er ihr an diesem Morgen noch stellen: »Liebes, es steht dir frei. Du musst dir das alles nicht antun. Könntest du dir vorstellen, einfach Deinen, nun ja, wie soll ich sagen, Rücktritt zu erklären?«

Sie schaute noch nicht einmal auf, zielte mit der Fernbedienung auf den Bildschirm und drückte ab, immer wieder. »Nein, erst will ich sehen, wie das ist. Guck mal, an den erinnere ich mich schon!« Sie hatte den Oppositionsführer auf dem Bildschirm, und es war fast schon wieder bedenklich, dass ausgerechnet er es in ihr Gedächtnis geschafft hatte.

»Wenn ich gesund werden will, muss ich wohl im Amt bleiben.«

»Und wenn ich dir sagen würde, dass du gestern alles hingeworfen hast?«

»Kann nicht sein, glaube ich nicht.« Damit schien die Sache für sie erledigt zu sein. Als er ein letztes Mal auf den Bildschirm blickte, bevor er ihr Zimmer verließ, war sie bereits beim stellvertretenden Fraktionsvorsitzenden. Total restart also.

Ihm war schon viel wohler zumute. Man konnte ihm nun wenigstens nicht mehr vorwerfen, dass er es ihr nicht nahegelegt hatte, dachte er. Und seine Rechnung war aufgegangen. Er fand es selbst bemerkenswert, hatte nach all der Zeit immer noch keine Ahnung, woher diese Frau jeden Morgen ihre Kraft nahm. Es musste einen unbändigen Willen in ihr geben, einen Instinkt, der genau in den letzten zwanzig Jahren begründet liegen mochte, die sie vergessen hatte. Es war in ihr wie ein Tier, das überleben wollte.

Die Zeit bis zum Anruf des MAV würde er für einen Blick auf die Schlagzeilen in den Tageszeitungen nutzen. Seine Frau erkannte er so gut wie nie darin wieder, zumindest nicht so, wie er sie neben sich erlebte, aber manchmal las er so was auch ganz gerne.

Er ging zur Haustür und nahm den Zeitungsstapel mit in die Wohnung, schloss die Tür hinter sich und verbrachte den Rest der Zeit im Flur. »Ihr persönlicher Turnaround«, lautete die erste Schlagzeile, die ihm ins Auge fiel, darüber eine ihrer Drehungen auf dem Eis. Er griff zu nächsten Zeitung: »Unsere neue Kati« und »Hell's Angie«, mit Fotos am Motorrad. Ohne sich näher in die Texte zu vertiefen, bekam er eine Vorahnung. Er blätterte schneller, überflog die Fotos und Zeilen, bekam dunkle Fingerkuppen. Er lief zum PC, ging ins Internet. Die Beiträge waren geradezu euphorisch, kein Hinweis mehr auf Krise, im Gegenteil, sie schien die reinste Volksarmee hinter sich geschart zu haben. Es schien, als habe sie ihnen genau die Bilder geliefert, auf die sie immer gewartet hatten. Er sah sich ein wenig bestätigt in seinem Entschluss, der ihn die letzte Nacht schlaflos hatte zubringen lassen. Aber was war eine Nacht ohne Schlaf gegen ein Leben ohne Gedächtnis.

Dem MAV erging es bei der Pressedurchsicht etwas anders. Das alles sah keineswegs nach Rücktritt aus. Die Redaktionen schienen über Nacht die Fotoquellen überprüft zu haben, und jetzt schrieb man, es seien Bilder für die Seele. So wohlwollend war sie in Szene gesetzt in allen Zeitungen, ob mit oder ohne Chip, egal, man musste zugeben, dass sie eine verdammt gute Presse hatte. Die Schlagzeilen waren besser als die jedes Truppenbesuchs in Afghanistan oder jedes öffentlichen Akkordeonspiels. Es sah so aus, als hätte sie allen Ernstes nun wirklich die Krise in eine Chance verwandelt, als nehme die Öffentlichkeit das Überfahren von roten Ampeln mit fremden Männern vorbehaltlos an, wenn man sie nur mit ein paar mutigen Drehungen auf dem Eis kombinierte. Doch nun war es zu spät, der Rücktritt sollte unmittelbar verkündet werden, alles war äußerst achtsam und verantwortungsvoll in die Wege geleitet worden, und man würde es verstehen, wenn sich erst herumgesprochen hatte, dass sie geleugnet hatte.

Er betrachtete weiter die Fotos, und bei einem stutzte er dann doch, ging mit den Augen so nah heran, dass die frische Druckerschwärze in seiner Nase kribbelte. Das konnte unmöglich sein. Er nahm die Brille ab und schaute nochmals hin. Der Polizist da neben ihr hielt doch tatsächlich eine Schneekugel in der Hand.

Der MAV schaute auf die Uhr und griff zum Hörer. Sie würde noch nicht losgefahren sein. Ihr Mann nahm ab.

»Guten Morgen. Wie sieht es aus? Haben Sie es ihr gesagt?«

»Ja, schon.«

»Und wie hat sie es aufgenommen?«

»Bemerkenswert gelassen, würde ich sagen.«

»Wunderbar, die Vernunft hat immer schon bei ihr gesiegt. Wahrscheinlich ist sie sogar erleichtert, oder nicht?«

»Nun ja …«

»Hören Sie, würden Sie ihr bitte, bevor Sie sie aus dem Haus lassen, nochmals die Pressemitteilung von gestern vorlesen. Entschuldigen Sie, wenn ich Ihnen da jetzt ein wenig zuvorkomme, Sie hätten wahrscheinlich selbst daran gedacht, aber ich will nur sichergehen, dass sie vollumfänglich gebrieft ist.«

»Das wird keinen großen Unterschied machen, befürchte ich.«

Dem MAV wurde plötzlich angst und bange. Nun war er wohl tatsächlich ein einziges Mal zu optimistisch gewesen, verdammt. »Was soll das heißen?«

»Ja, wie soll ich sagen, sie akzeptiert es einfach nicht.«

»Wie bitte?«

»Sie schluckt die Pille nicht. Sie will nicht zurücktreten, hat es vergessen, glaubt mir nicht. Herrje, ich kann sie doch nicht zu Hause anketten! Ich habe es versucht, mehr kann ich nicht tun. Ich bin doch nur ihr Mann!«

Das war der absolute GAU. Alles war bereit, nur sie nicht. Oder eben doch, je nachdem, wie man es betrachtete. Der MAV brauchte Zeit, um die Ausmaße dieser neuen Faktenlage in ihrer ganzen Tragweite zu erfassen. Dann hörte er ein »Oh, Gott« und eine Tür, die am anderen Ende der Leitung zugeknallt wurde. Es war offenbar nicht einmal Zeit geblieben für ein Wort oder einen Tastendruck, der Gatte war einfach davongestürmt. Der MAV sah den Hörer an wie einen Fernseher. Aber es kam kein Bild. Das kam circa zwanzig Minuten später auf allen Kanälen.

Es war bereits zu spät, sie war nicht mehr aufzuhalten gewesen. Geduld war ihre Stärke nicht, sie konnte es nur gut nach außen kaschieren. Sie war einfach aus dem Haus gestürmt, auf der Suche nach Erinnerungen für ihren Hippocampus. Und die besten Lieferanten dafür standen bereits mit Kamera und Übertragungswagen vor der Haustür.

Es gab kein Zurück mehr, sie wollte auch nicht mehr zurück, sondern nur noch nach vorne. Volles Risiko also. Und die Leute da draußen stürzten sich auf sie, fielen mit der Tür ins Haus: »Was sagen Sie zu den Bildern an der Ampel? Da gibt es doch nichts zu leugnen, oder?«

Sie stieg langsam die Treppen hinunter und blieb mitten im Journalistenpulk stehen. Es war die reinste Pressekonferenz, und ihr Mann konnte nur noch die Gardine beiseiteschieben und fassungslos zuschauen, wie ihr eleganter schwarzer Seidenschal über dem grünen Blazer die Mikrofone umflatterte.

Mist, dachte sie, das mit der Ampel war privat, und sie sagte: »Die Fotos sind schön geworden, nicht wahr? Und ich kann mich sogar schon ein wenig daran erinnern.«

»Gestern wurde noch dementiert. Und jetzt treten Sie hier vor die Kameras. Ändert die Regierung so schnell ihre Meinung?«

Nun war sie drin in der Falle, und wieder fehlte ihr wohl ein entscheidendes Puzzleteil, wie ärgerlich. Sie lächelte in die Kameras: »Meine Herren, für diese Stellungnahme bedurfte es keiner Aufforderung, und die gab es auch nicht. Wer dementiert hier denn?«

»Ihr Regierungssprecher natürlich. Lesen Sie Ihre eigenen Pressemitteilungen nicht?«

Jetzt half nur eines: »Ich würde vorschlagen, Sie lesen uns das gute Stück vor, damit wir alle dieselbe Ausgangslage haben.«

Es setzte geschäftiges, fahriges Kramen in zerknitterten Unterlagen ein, die man entweder unter die Arme geklemmt oder klein gefaltet in Sakkotaschen gesteckt hatte, dann erhob sich eine Stimme und las tatsächlich vor, bis zum letzten Satz: »... aber fahre ich deswegen gleich mit dem Motorrad über rote Ampeln?«

Diese Schweine, dachte sie, unterbrach an dieser Stelle und sagte: »Ja.«

»Wie bitte?« Keiner sprach es aus, aber es stand in den Gesichtern. Es war erstaunlich, dass man diese abgebrühten Menschen immer noch überraschen konnte wie die

Kinder. »Hören Sie, ich würde Sie bitten, sich in Zukunft ein wenig besser auf Gespräche mit mir vorzubereiten und unsere Pressemitteilungen etwas aufmerksamer zu lesen. Hier handelt es sich um eine Frage. Und die Antwort darauf werde ich Ihnen selbstverständlich nicht vorenthalten.« Sie versuchte, sich einen Weg durch die Menge zu bahnen. Das Sicherheitspersonal war bereits neben ihr. »Und wenn Sie mich jetzt bitte entschuldigen würden. Im nahen Osten brennen die Straßen, Saudi-Arabien hat die Blackberry-Dienste ausgeschaltet, soweit ich das gerade gesehen habe.«

Sie hatte geahnt, dass das nicht reichen würde, und eines der Mikrofone traf ihre Nase. »Für Sie scheint die Wahrheit ja ein recht dehnbarer Begriff zu sein, mit Verlaub.«

Das war eine Unverschämtheit, fand sie. Die Hitze kam wieder, und sie boxte ihm mit der Faust ins Mikrofon, bevor sie hineinsprach: »Seien Sie vorsichtig mit der Wahrheit! Sie ist ein kostbares, fragiles Geflecht und durchaus verzwickter, als Sie glauben. Man verliert sie schnell aus den Augen, kann ich Ihnen sagen. Ich selbst bin ja auch ständig auf der Suche danach.«

Es kam Unruhe in die Masse, Blackberrys wurden gecheckt, Mitteilungen hektisch verschickt, noch während man lautstark kommentierte. Die Sicherheitsbeamten orderten Verstärkung, was ihr nun gar nicht einleuchtete. Noch schien hier nichts zu eskalieren.

»Wollen Sie sich über uns lustig machen?«

»Sehe ich etwa so aus, als machte ich mich über Sie lustig?«

Ja, man fand, dass sie genauso aussah. »Hören Sie«, rief einer der Journalisten, »die Frage ist doch, ob Sie Konsequenzen ziehen. Die Wahrheit haben wir doch von Anfang an gekannt. Und was ist mit den Moskauflügen?«

Sie kam auf ihn zu, inspizierte ihn ein wenig mit den

Augen. »Die Wahrheit? Kennen Sie sie? Verraten Sie mir, wo sie steckt? Ich würde alles dafür geben, sie zu finden, glauben Sie mir.« Ihrem Gegenüber verschlug es die Sprache, und sie gab ihm den Rest: »Ich bewundere Sie, ehrlich, in Ihrem Bewusstsein scheint ja ein phänomenal objektiver Zustand zu herrschen. Sie sollten ins Juristische wechseln.«

Schallendes Gelächter, man konnte sich nicht mehr zurückhalten. Was war bloß mit ihr los in letzter Zeit?

»Also doch kein Rücktritt?« Irgendjemand weiter hinten hatte das Wort endlich nach vorne gebrüllt.

Sie lächelte. »Jetzt macht's mir erst mal Spaß, und dabei belassen wir's vorerst. Im Augenblick können Sie ganz fest davon ausgehen, dass Sie mich morgen wiedersehen werden und übermorgen auch. Wenn Sie Verantwortung haben, haben Sie Verantwortung.«

Sie ließ sich ihren Weg zum Wagen bahnen. Wenn man es im rechten Licht betrachtete, konnte man ihr noch nicht einmal einen Meinungswechsel vorwerfen, darüber hinaus wäre es wohl recht leer gewesen in den Redaktionen, wenn das Überfahren von roten Ampeln auf einem Motorradsozius mit Jobentzug geahndet würde. Da gab es wahrlich Schlimmeres.

»Die Chefin funktioniert nun gar nicht mehr, was?« Die Büroleiterin konnte sich den Kommentar nicht verkneifen, als der Regierungssprecher in ihr Büro kam. Er war gerade erst über das Kurzfrist-Statement der Regierungschefin informiert worden und völlig genervt. Es waren bereits ausgewählte Pressevertreter geladen worden, denen er jetzt sagen musste, dass es in seinem Ressort eben immer wieder Ereignisse gab, die einen gesetzten Zeitplan durcheinanderbrachten und dass er sich in Zukunft bemühen würde, Parallelunterrichtungen zu vermeiden. Man würde wütend den Saal verlassen. Und die Opposition hätte mit all dem ihre absolute Steilvorlage. Was für ein Drama.

Das Telefon läutete. Die Büroleiterin nahm das Gespräch an und machte jetzt ihrerseits ein etwas verstörtes Gesicht. Der Regierungssprecher wurde aufmerksam, näherte sich ihr, nahm schnell ein Gummibärchen aus der Schüssel auf ihrem Tisch. Normalerweise konnte nichts und niemand sie aus der Fassung bringen, sie war wie eine lebende Firewall, die genauso abgebrüht war wie die, die sie zu durchlöchern versuchten. Sie fing an zu gestikulieren, formte die Lippen zu einem Wort, das für ihn wie »Außenminister« aussah, und schaltete den Lautsprecher an.

Ja, er war es, unverkennbar, er rief aus den USA an, um sich nach der Lage im Lande zu erkundigen, denn am anderen Ende des Teiches schwappe gerade eine Welle der Berichterstattung hoch mit recht eigenartigen Bildern der Regierungschefin. Er könne nicht schlafen, frage sich, ob man ihn in diesen Stunden vor Ort in der Heimat brauche. Er stehe sozusagen in den Startblöcken.

Nein, sagte die Büroleiterin, sie könne sich nicht vorstellen, dass man ihn brauche, und schob ein »jetzt« nach. Doch er war nicht zu beruhigen, sodass sie ihre liebe Mühe mit ihm hatte. Wie er die Lage in New Orleans einschätze, wo er doch schon einmal in Amerika sei, wollte sie wissen, sicher immer noch schlimm. New Orleans sei ja nun nicht weit weg von seinem derzeitigen Aufenthaltsort, und er solle sich nur einmal die Bilder vorstellen: Er. Dort. Vor Ort. Was sei dagegen schon die Nachricht von einer schlittschuhfahrenden Amtschefin?

Ja, entgegnete er, das leuchte ein, warum nicht. Er lasse sofort einen Flug dorthin buchen, einer müsse sich ja kümmern. Und man wusste, welche Bilder er bereits vor Augen hatte.

Die Sprungkraft

In den folgenden Tagen gab es zwei bedeutende, durchaus identitätsbildende neue Erkenntnisse für die Regierungschefin. Erstens scharten sich plötzlich viele alte, aber auch neue Freunde um sie, sie bekam eine Jahreskarte für alle bundesdeutschen Eisporthallen und vom nationalen Motorradsportbund einen Gutschein für die Prüfung zur Führerschein-Klasse I sowie eine eigene Maschine mit einem Adler auf dem Tank, die sie selbstverständlich gleich retournierte. Und je größer ihr Freundeskreis wurde, umso größer wurde auch die Zahl ihrer Feinde. Das war der eigentliche Preis, den sie zu bezahlen hatte. Bisher hatte sie in Relation zu anderen Staatsoberhäuptern nur ein paar Freunde gehabt und nur ein paar Feinde, alles recht überschaubar eigentlich. Dies hier war nun eine andere Liga: Das Leben wurde bunter, aber noch risikoreicher, als es ohnehin schon gewesen war, und sie musste wachsamer denn je sein.

Die Geschichte mit Dimitrij schmerzte noch immer, und es war weniger der Ärger über das missbrauchte Vertrauen, sondern eher der über ihre eigene Naivität. Trotzdem: Er war für etwas gut gewesen, hatte ihr erste Erinnerungen abgetrotzt. Ja, wenn sie ehrlich war, faszinierte er sie noch immer in seiner ganzen Abgebrühtheit. Und so kam es, dass ihre Feinde plötzlich höchst interessante Zeitgenossen für sie wurden, mit denen sie sich nicht ungern umgab. Sie konnte ja kriegen, wen sie wollte. Und man wusste nie, was hängen blieb.

Die zweite Erkenntnis gestaltete sich etwas komplexer. Ihr Mann und sie hatten einige recht ereignislose Tage in die Versuchsreihe zur Revitalisierung ihrer Erinnerungen integriert, was, um ehrlich zu sein, nicht so schwierig gewesen war. Von diesen Tagen hatte sie keinerlei Erinnerungen davongetragen. Andere Tage dagegen, an denen sie versucht hatten, neuroplastische Botenstoffe freizusetzen, um die emotionalen Zentren im Kopf anzusprechen, hatten durchaus konkrete Bilder und Gefühle hinterlassen. Es war ihr unheimlich, ihr Gedächtnis auf diese Art und Weise tatsächlich steuern zu können, und sie fühlte sich am Anfang noch ein wenig unbehaglich dabei. Aber je öfter sie den Tagen Erinnerungen entlockte, umso mehr überkam sie eine merkwürdige Abenteuerlust. Es war nichts weiter als ein Reflex, nahm sie an, ein Selbstheilungsprozess ihres Körpers. Dem musste sie sich fügen, ohne Rücksicht auf sich und andere, denn dies sei ihre einzige Chance, befand sie. Und da sie das, was sie machte, mit großer Hingabe machte, wurde sie mit der Zeit zum reinsten Erinnerungs-Junkie.

Es gab skeptische wie begeisterte Stimmen zum neuen Wagemut der Regierungschefin, völlig verständnislose Kommentare aus dem engsten Kreis, ärgerliche Meinungsäußerungen aus der Fraktion und von einigen Ministerpräsidenten, die darin den Versuch einer allzu durchschaubaren, frühen Wahlkampfkampagne sahen, die einzig und allein auf das Überraschungsmoment setze. Die Vertreter der Opposition gaben vor, sich dazu gar nicht mehr äußern zu wollen, und taten es doch demonstrativ, indem sie kopfschüttelnd vor die Kameras traten und sagten, sie wollten sich dazu nun wirklich nicht äußern. Zuletzt hatte jemand von ihnen unter einem Baum gesessen, auf einem wetterfesten Outdoormöbel in natürlicher Farbgebung, als er sagte, er wolle sich nicht äußern.

Was man jedoch nicht öffentlich erwähnte, um nicht den Verdacht schnöder Schnüffelei aufkommen zu lassen, war die Tatsache, dass die Opposition bei ihren Recherchen bezüglich der Moskauflüge einen entscheidenden Schritt weitergekommen war. Man hatte herausgefunden, dass der engste Kreis um die Regierungschefin zu dritt nach Moskau und zurück geflogen war, und es hatte sich auch ein Flug der Regierungschefin und ihres Mannes von Moskau in die Heimat finden lassen, wenn auch etwas später. Eigenartig erschien nur, dass sich partout kein Hinflug der beiden recherchieren ließ. Hinter vorgehaltener Hand wurde gemutmaßt, dass diese seltsam agierende Frau unter Umständen gar nicht die war, die zu sein sie vorgab, sondern vielleicht eine geschickt operierende russische Spionin mit dem klaren Auftrag, der Regierungsphase nun endlich ein Ende zu setzen, während die wahre Chefin verschleppt in einem Erdloch im Hochtaunuskreis oder sonstwo steckte. Sollte sich diese Vermutung als wahr erweisen, wäre das durch Rechtsstaatlichkeit und Demokratie geprägte System akut bedroht, von fremden Regierungen unterwandert. Das einzig Positive daran war, dass sich der MAV nun nicht mehr ganz so allein vorkam mit seinem Verdacht.

Doch die Bestätigung seiner eigenen Mutmaßungen ließ ihn erstaunlich kalt, denn mittlerweile hatte er eine neue Baustelle: eine hoch emotionalisierte Chefin – ob in Moskau ausgetauscht oder nicht –, die partout da bleiben wollte, wo sie war, auch wenn sie es zwischendurch immer wieder vergaß. Sie wollte nichts mehr wissen vom Leugnen, erst recht nicht vom Rücktritt. Genauso gut hätte man einen Affen bitten können, sich nicht mehr zu kratzen. Seine Übergangslösung hatte gute Chancen, zur Dauerlösung zu werden. Es war nicht auszudenken, was das bedeutete.

»Hat irgendjemand eine Idee, wie wir aus diesem Schlamassel wieder herauskommen? Die zweite Liga und die Medienberatung stehen Kopf, kann ich Ihnen sagen.« Der MAV hatte somit das Thema für die gerade begonnene Morgenrunde gesetzt.

»Wie weit sind Sie mit dem Wissenschaftsrat und der Reise nach Moskau?« Die Büroleiterin strich sich den Rock glatt.

»Muss noch protokollarisch geklärt werden, die haben alle so schnell keine Zeit, wir lassen von den Sekretariaten gerade sämtliche Terminkalender umwerfen. Wir werden uns erkenntlich zeigen müssen, befürchte ich, wird nicht ganz billig.« Er kam zurück zum Thema: »Was hat sie alles auf der Agenda stehen diese Woche?«

»Diverse interne Sitzungstermine und die Ruderbootpartie mit dem Kirchenmann.«

»Wie bitte?«

Die Büroleiterin verwies auf die konservativen Stammwähler, die man glaubte verloren zu haben und noch einsammeln wolle durch eben jenen Termin mit der Kirche. Ob sich daran jetzt etwas geändert habe, wollte sie wissen.

Man erinnerte sich. Ja, man hatte lange gesucht nach einer seriösen Person, die das verkörperte, was die Regierungschefin weniger denn je verkörperte, eine Person, die jenen christlichen Geist mitbrachte, den ihre Sparpläne vermissen ließen. Die Wahl war auf einen Vertreter der Bischofskonferenz gefallen, der seinerseits bereit war, mit ihr in einen öffentlichen Dialog einzutreten: »Politik trifft Kirche«.

Der MAV rollte mit den Augen: »Was machen wir jetzt?

Und dann gleich in einem Ruderboot, weiß Gott, was ihr da wieder alles einfällt. Wer kommt denn auf so was?«

Der Regierungssprecher fühlte sich angesprochen und versuchte, ihn zu beruhigen: »Aber es kann doch auch nicht schaden. Sehen Sie«, er nahm ein Glas, »Wasser hat durchaus etwas Neutrales, Ursprüngliches und geradezu Christliches. Denken Sie an Petrus, den Fischer, an den See Genezareth, an Johannes, den Täufer! Ein hochrangiger Kirchenmann im selben Boot mit einer hochrangigen Politikerin. Die Idee ist doch genial.«

»Ich bin evangelisch.«

Doch der Regierungssprecher hatte die Schlagzeile bereits vor Augen: »Gemeinsam das Ruder herumreißen.«

Der MAV schlug mit der Faust auf den Tisch: »Herrje, verstehen Sie denn nicht? Wir müssen handeln! Wir haben potentielle Nachfolger in Stellung gebracht. Noch nicht einmal die Opposition wagt sich noch mit Rücktrittsforderungen nach vorne. Aber unser neues Ziel heißt eben Rücktritt, verdammt noch mal, nicht das Gegenteil davon.«

»Wie soll das gehen, wenn sie es nicht will und niemand von ihrer Amnesie erfahren soll?«

»Schlechte Presse zur Abwechslung mal?«

»Das können Sie nicht wollen.«

»Nur, weil eine Zeitung so schreibt, muss das Volk nicht unweigerlich so denken.«

»Wer hochgeschrieben wird, lässt sich auch schnell niederschreiben. Nur mit dem Mittelmaß wird das schwieriger. Aber das haben wir schon längst verlassen.«

»Es ist doch für ein höheres Ziel.«

Man hatte die Schlagzeile bereits vor Augen: »Verkehrssünderin sucht jetzt kirchlichen Beistand.«

Man fand nichts Besseres. Ein unschätzbarer Vorteil war zugegebenermaßen die Tatsache, dass man die Regierungschefin nicht aufwendig briefen musste, da sich in der Firma ihres Rudergenossen keine allzu großen Veränderungen vollzogen hatten in den letzten fünfhundert Jahren.

Sie kam sich schon ein wenig überrumpelt vor, als man ihr erklärte, man wolle sie zusammen mit der Kirche in ein Boot setzen. Aber sie sei keine dieser um Spiritualität bemühten Frauen, gab sie zu bedenken, doch sie wusste natürlich, wie Politik funktionierte: Man musste das Spiel der Jungs mitspielen, nett und gesellig sein, auch wenn man sie am liebsten alle zum Teufel gewünscht hätte, weil man mehr Manns war als sie alle zusammen.

Es war dann doch ein schöner, milder Herbsttag geworden, und das Boot glitt leicht und sanft durchs Wasser, sogar die Natur ließ sich für dankbare Fotomotive einspannen. Vom Aus- und Einsteigen in das Boot würde es keine Bilder geben, so hatte man beschlossen, denn es hätte wackeln können – oder gar eine der beteiligten Personen selbst.

Sie hatte nicht weit gefahren werden müssen bis zum See, und auch der Kirchenvertreter ihr gegenüber im Boot sah nicht so aus, als habe er eine entbehrungsreiche Anreise oder ein ebensolches Leben gehabt. Er war für einen Mann in seiner Position noch recht jung, fand sie, vielleicht Anfang sechzig, und er zog die beiden Ruderpaddel beherzt durchs Wasser. Ausgeruht und sportlich waren sie geblieben, die Männer der Kirche, dachte sie, als sie ihm zulächelte und sich darüber amüsierte, dass er ihr mit jeder Ruderbewegung vorübergehend näher kam, als ihm wohl lieb war.

Er war nett, sehr nett sogar, sehr eloquent, durchaus intelligent, auch den weltlichen Dingen zugewandt, denn seine erste Frage war: »Gibt es hier Mikrofone?«

Sie schaute ins Wasser. Nein, versicherte sie ihm, die Veranstaltung heiße zwar »Dialog«, aber es komme wohl vielmehr auf die Bilder an, sonst hätte man diesen ungewöhnlichen Ort doch wohl nicht vorgeschlagen, nicht wahr?

Er lächelte zurück, und einen Moment lang widmete man sich der allgemeinen Reflexion über das Wetter. Er ähnelte ihr ein klein wenig, dachte sie bei sich, denn wenn man die Überzeugung zum Beruf machte und sich damit in die Mühlen einer Organisation begab, blieb einem nichts anderes übrig, als mit der Zeit ein wenig zurückzurudern. Nachdem man anschließend den mangelnden akademischen Nachwuchs und den gleichzeitig hohen Anteil von Frauen unter den Hochschulabgängern der Natur- und Geisteswissenschaften erörtert hatte, war ihrem Ruderer plötzlich die Puste ausgegangen. Er schien das Thema auch nicht mehr vertiefen zu wollen. Sie blickte an ihm hinunter und entdeckte erst jetzt unter der unauffälligen Fliesdecke, die sie beide über den Beinen liegen hatten, dass er ein unförmiges Gestell am Fuß trug.

»Um Gottes willen, warum haben Sie das denn nicht gleich gesagt? Sie sind ja gar nicht voll ruderfähig!«

»Oh«, beschwichtigte er, »das sieht schlimmer aus, als es ist.«

Ihre Neugierde war geweckt: »Was haben Se denn da?«

Sie wusste, dass er diese Frage nicht hören wollte, und hatte sie deswegen gestellt.

Er blickte aufs Wasser, tat, als schaue er den auffliegenden Kranichen hinterher, und sagte: »Hallux valgus.«

»Wie bitte? Sie verfallen gerne wieder ins Lateinische, nicht wahr?«

Nein, entgegnete er, das sei ein gängiger medizinischer Begriff für den Schiefstand der großen Zehe. Er habe das jetzt operieren lassen, und dies sei nun ein »Vorderfußentlastungschuh«. Ob sich ab und zu ein Kranich in die Hauptstadt verirre, wollte er wissen.

Doch sie hatte die Frage überhört, denn sie überlegte gerade, welches Gewicht ein solcher Vorderfußentlastungschuh haben mochte. Sicher war er nicht allzu schwer, viel Plastik, nahm sie an. Und immerhin trug er keinen massigen Talar, sondern lediglich einen schlichten, dünnen Zivilanzug. Wie weit also konnte sie gehen? Sie stellte sich eine Lakritzrolle vor, die man auseinandernahm und immer weiter dehnte, unendlich lang. Die einzige Kunst bestand lediglich darin, den richtigen Zeitpunkt nicht zu verpassen, an dem der Faden riss. Sie näherten sich bereits dem Ufer.

Und dann, in der unerschütterlichen Gewissheit, das Richtige für sich zu tun, richtete sie sich schwankend auf, trat links und rechts fast wie aus Versehen, aber doch kräftig gegen die Planken, sodass das Boot schnell hin und her schaukelte. Und dann ließ sie sich einfach auf ihn fallen, zog ihn mit sich ins Wasser. Noch im Fallen hörten sie das Raunen, das durch die Menge am Ufer ging. Es war ja für einen guten Zweck, dachte sie, für ein Ziel, das außer ihr und ihrem Mann niemand kannte: die Erinnerungssorgfalt. Man musste sich eben manchmal ins Leben stürzen, und sie würde alles tun, um ihren Hippocampus zu überlisten. Wenn am folgenden Tag nichts weiter bliebe als ein vorüberhuschendes Bild in ihrem Kopf, wäre sie schon glücklich.

Im ersten Moment schien ihr Rudergefährte den Sprung ins kalte Wasser tatsächlich einigermaßen gelassen zu nehmen, er tat ein paar Schwimmzüge, schien das Element zu beherrschen. Die Zeit der heimischen Sonnenbänke und Schwimmbäder war vielleicht doch noch nicht endgültig vorüber in diesen Kreisen. Doch dann schien der orthopädische Schuh schwerer zu wiegen, als ursprünglich gedacht, oder vielleicht war es ein Krampf, er hatte jedenfalls bald Mühe, den Kopf überhaupt über Wasser zu halten. Als sie auf ihn zuschwimmen wollte, sah sie ihre Sonnenbrille langsam neben sich im Wasser versinken, Herrn Bodegas Pilotenbrille gegen tiefstehende Sonnen. Nein, das würde sie nicht zulassen.

Sie hatte den Bischofskonferenzvertreter zu fassen bekommen, aber nun ließ sie ihn los, es würde wohl gehen, nur für ein paar Sekunden, griff unter Wasser nach der Brille und rettete somit ein kostbares Stückchen Erinnerung.

Er schnappte nach Luft, die Wasseroberfläche schloss sich über seinem Kopf, sicher waren die Sicherheitsbeamten am Ufer längst in den See gesprungen.

Sie setzte die Brille auf, packte ihn, begab sich in die Rückenlage und schwamm mit ihm dem Rettungstrupp entgegen. Das Blitzlichtgewitter war bereits zu hören.

Von schlechter Presse konnte keine Rede mehr sein. Spätestens mit diesem Bootsunfall hatte sich eine mediale Eigendynamik entwickelt, gegen die man nicht mehr ansteuern konnte. Sicher, es hatte eine Fülle von Spekulationen, widerstreitenden Interpretationen und politischen Kolportagen über die neue Beweglichkeit der Regierungschefin gegeben, aber nichts täuschte darüber hinweg, dass sie in der öffentlichen Wahrnehmung populärer denn je war. Sie hatte den »Mutti-Planeten endgültig verlassen« und darüber hinaus »die Kirche gerettet«, wie die Presse schrieb – aber doch, und das war das Pikante an der Sache, auf eine durch und durch unkonservative, geradezu leichtsinnige Art und Weise, zumindest in den Augen des eingeweihten Kreises. Dieser hatte sich die Aufnahmen von der ins Wasser stürzenden Regierungschefin sehr genau angeschaut, und es bestand kein Zweifel: Dieses Mal hatte sie sich selbst entlarvt. Der MAV brachte es auf den Punkt: »Die geht über Leichen für ihre Erinnerung.«

Der MAV spielte alle Szenarien durch. Vielleicht war es

tatsächlich an der Zeit, den Außenminister heimzuholen. »Wo hält sich der gerade auf?«

Die Büroleiterin blickte auf ihre Unterlagen und musste es ablesen: »Kangerlussuaq.«

»Wie bitte? Haben Sie gerade was im Mund?«

»Grönland.«

»Was macht er da?«

»Besichtigung von Höhenforschungsraketen und einer Hundeschlittenzucht. Sie hatten ihm geraten, sich danach noch mit einigen Umweltleuten weiter in die Arktis zu wagen.«

»Hm.«

Seit der aufsehenerregenden Vorfälle hatten sich zudem außergewöhnlich viele ausländische Staatschefs gemeldet und Einladungen an die Regierungschefin ausgesprochen. Das konnte kein Zufall sein. Man mochte gar mit dem Gedanken spielen, dass ihnen ebenso nach Nervenkitzel dürstete, aus anderen oder gar denselben Gründen. Und da sie sich ihrer Abenteuerlust bedauerlicherweise nur in der Freizeit hingeben durften, bekam die Chefin diverse Einladungen, die der Diplomatie allein nicht geschuldet sein konnten: Der saudische König wollte mir ihr in der Wüste zelten, der jordanische König sie höchstpersönlich im Kampfhelikopter in die Felsenstadt Petra fliegen, um anschließend noch einen Wracktauchgang in der Bucht von Aquaba zu absolvieren. Der russische Präsident hatte bereits ein Pferd für sie gefunden, um mit ihr zu seinen favorisierten Wildlachsfischgründen zu reiten. Insbesondere auf diese letzte Einladung hatte der MAV eilig seinen »No-go«-Stempel setzen lassen. Austausch der Spioninnen? Man musste mit allem rechnen.

Als einzige Handhabe zur Stabilisierung der Lage blieb ihm jetzt nur noch ein professioneller Therapeut heimischer

Herkunft, Diversity hin oder her, ohne Parteibuch und politische Ambitionen, ein hochqualifizierter Neuropsychologe, der nicht allein auf »endorphine Botenstoffe« und derart flüchtige Dinge wie »Gefühle« vertraute. Man würde ihn geradezu mikroskopisch untersuchen müssen, seine Vita und sein Umfeld zwischen die Glasplatten knallen, bis keine einzige undurchleuchtete Zelle mehr übrig blieb, um ihn anschließend in die engste Umgebung der Regierungschefin einzuschleusen, sozusagen als »embedded Bodyguard«. Er würde ihr nah sein, Tag und Nacht, und sie entweder schnellstmöglich wieder zurück auf genau die Schiene bringen, die sie seit Omsk verlassen hatte, oder ihr aber endgültig das Regieren verbieten. Es würde kein Entrinnen geben. Bis dahin musste man sie eben noch ein wenig mehr herausnehmen aus dem öffentlichen Leben, ob sie wollte oder nicht. Der MAV würde seine ganze Kraft brauchen für das Hinhalten der Nachfolger, die die Welt nicht mehr verstanden.

Ihr Gatte war selbstverständlich informiert worden über diese jüngsten Pläne ihres engsten Beraterkreises, und dieses Mal war ihm nichts anderes übrig geblieben, als dem zuzustimmen. Wenigstens war der Rücktritt vorläufig hinausgezögert, und es gab noch eine Chance, fand er: die Beeinflussung auf privater Ebene, was nicht zu unterschätzen war. Er würde es belassen bei der Herangehensweise des russischen Therapeuten, immerhin war dessen Therapieansatz nicht ohne Erfolge geblieben. Seine Gattin erinnerte die Bootsfahrt fast gänzlich und nachhaltig, sie schien sich mit den Botenstoffen ganz einfach besser zu fühlen als ohne und, so ganz nebenbei, er selbst auch.

In den folgenden Tagen ging er in die Offensive: Bald hingen überall in ihrer Wohnung Bilder, bis ins Tausendstel genau verpixelte Erinnerungen an gemeinsame Stunden oder Minuten mit den gekrönten Häuptern dieser Erde, den Staatschefs, den Nobelpreisträgern, Mutter Teresa und Arnold Schwarzenegger. Auf einigen war er auch mit drauf. Es mochte ein wenig selbstverliebt wirken für das uneingeweihte Auge, dachte er, aber sie bekamen auch nicht so viel Besuch, als dass man sich hätte sorgen müssen.

Die erhoffte Wirkung blieb allerdings aus. Irgendwann schlich sie morgens auf dem Weg zum Bad unbeeindruckt vorbei an sich und Tony Blair und hörte auf zu fragen, wer das sei. Er hängte die Bilder wieder ab.

Er gestaltete seine Versuchsreihen so unauffällig wie möglich, und vieles ließ sich in den eigenen vier Wänden bewerkstelligen: indisches Essen, afrikanische Kunst, italienische Bettwäsche, ein High-Definition-Fernseher, Oper, Techno, ja gar aus Liebe provozierte Streitereien und an Gummiseilen gesicherte Stürze in den Abgrund. Kurzum, sie war auf einem guten Wege, fand er.

Und dann kam die Sache mit dem Supermarkt. Eigentlich hatten nur eine Handvoll getrockneter Chilischoten und ein paar Äpfel gefehlt.

Gutes Essen hielt Leib und Seele zusammen, und dass man sich über die Geschmacksnerven auf eine wahre Entdeckungsreise in die ferne und auch in die nicht allzu ferne Vergangenheit begeben konnte, war ihm und ihr nicht verborgen geblieben. Es war lediglich eine Frage der neuronalen Verknüpfung: Ob Ananasringe in Haselnusspanade den Weg in die Erinnerung des nächsten Tages fanden, war nicht nur eine Frage des reinen Geschmackserlebnisses, sondern vielmehr der Umgebungsbedingungen und der Gespräche, die man damit verknüpfte. Und so hatte sich mit den Gerichten auch ein wenig ihr Leben verändert.

Nur der Einkauf der Zutaten auf den diversen Märkten der Umgebung gestaltete sich schwieriger als gedacht, da sie gern dabei war, sofern es ihre Zeit erlaubte. Und überall erkannte man sie. Diese Orte waren schließlich keine kanarischen Charterflughallen, sondern recht übersichtliche Marktplätze, mit Ständern voller Zeitungen, auf deren Titelseiten sie gerade Luftsprünge machte oder Menschen durchs Wasser zog. Um also einigermaßen ungestört einkaufen zu können – und dazu hatte der Sicherheitsdienst dringend geraten – blieb letztendlich nur ihr angestammter Verbrauchermarkt übrig. Sie konnte sich zudem bis direkt an den Eingang chauffieren lassen, meistens sogar von Herrn Bodega, und man wusste, dass sie ab und zu kam, wunderte sich nicht.

Sie fand, dass es an diesem Sonnabend ungewohnt laut und voll war. Vor der Käse- und Wursttheke hatte sich eine lange Schlange gebildet, und es gab keine Tüten mehr fürs Obst. Es war schon erstaunlich, dachte sie, dass die materielle Organisation des Lebens im 21. Jahrhundert bei nahezu durchgehenden Ladenöffnungszeiten noch genau denselben Stellenwert zu haben schien wie in der Steinzeit.

Und dann sah sie ihn, den Mann mit dem Knöchlein am Lederband im Ohr, just als sie einen sauren Apfel in die Hand nahm. Ayurvedisches Apfelchutney habe herbe Grundnoten und erfahre seine Verfeinerung allein durch die Gewürze, hatte ihr Mann gesagt.

Dieser Mann, der jetzt mit einem ganzen Tross von Kameramännern und Lichttechnikern die Rolltreppe herunterfuhr, kam in ihr hoch wie ein Schluckauf. Ja, sie hatte vage Erinnerungen an ihn, es musste der Oppositionsführer sein. Doch was tat der jetzt in ihrem Supermarkt, auf ihrem Terrain, auf ihrer kleinen, ungestörten Insel der Privatheit?

Als sie ihn mit all den anderen Kunden auf der Rolltreppe herunterschweben sah, kam ihr der Gedanke, dass er eigentlich ganz gut in einen Supermarkt passte, er schien das volle Sortiment im Angebot zu haben, so wie er sprach. Bei ihm schien sich jeder bedienen zu können, denn er breitete beim Reden die Arme weit aus. Ja, er war es mit Sicherheit. Sie beobachtete ihn mit einer Mischung aus Skepsis und Faszination. Welchen Film mochte man ihm vorspielen jeden Morgen?

Sie musste zugeben, dass es nahe des Regierungsviertels kaum einen normalen Supermarkt gab, sondern nur welche mit Feinschmeckerabteilung und Champagner-Lounge. Doch wenn es sich hier, wie sie annahm, um ein verfrühtes Eintreten in die Wahlkampfphase handelte, dann war das doch ein etwas kläglicher Versuch. So schaffte man keine Erinnerungen.

Er sah sie nicht. Sie hielt sich beim Kaffee und der Dosenmilch auf, schob ihren Wagen beiseite und stellte sich in sicherer Entfernung von der Szenerie seitlich in den Gang, während er auf die Theke mit den Milchprodukten zusteuerte. Dort hatte man vor ein Sonderangebotsschild ein großes Plakat mit der Aufschrift »BIO – Einkaufen mit Herz und Verstand« gehängt und drei mal drei Meter Kunstrasen ausgerollt. Auf dem kam der Oppositionschef jetzt zu stehen und begann mit der Filmaufnahme.

Sie krallte ihre Fingernägel in den Apfel. Das hatte nichts damit zu tun, dass sie den Mann dort drüben im Scheinwerferlicht nicht mochte, sondern lag eher daran, dass sich ihr Hippocampus wieder meldete, wie ein wildes Tier auf der Suche nach Nahrung, nach frischen Erinnerungen. Wieder überkam sie eine Welle, ein rein instinktgesteuertes Phänomen, geradezu körperlich, und sie versuchte, dagegen anzugehen. Weitere Schlagzeilen wären zu diesem Zeitpunkt äußerst schädlich, hatte man ihr am Morgen versichert, sie hatte es eingesehen und konnte doch nicht anders, als einen Schritt nach vorne zu tun. Die unangenehmsten Begegnungen waren ja oft die lehrreichsten.

Sein Spiel war gut einstudiert und geschliffen, und genau das reizte sie ungemein. Sie schaute zu ihrem Einkaufswagen im Gang und dann wieder auf die Bio-Bühne, als ihr auffiel, dass das Sonderangebotsschild hinter dem Bio-Plakat nur noch an einem dünnen Faden hing. Es neigte sich bereits verdächtig zur Seite, mit der Spitze genau über seinem Kopf.

Jetzt konnte sie nichts mehr aufhalten. Hier ging es um Menschenleben, und er war ja auch ein Mensch. Sie vergaß ihren Hippocampus, Krisenstab und Presseberatung, ihre Frisur, jegliches Mittelmaß und alle Hemmungen. Wieder einmal musste sie etwas tun, um Schlimmeres zu verhindern. Sie lief auf die Käsetheke zu, spang ins Bild und konnte ihn in letzter Minute zur Seite schubsen, bevor sich das Schild endgültig löste.

Es war wie ein Déjà vu: In diesem einen Augenblick, noch während sie sich in der Luft befand, tauchten mit einem Schlag die Erinnerungen an die letzten zwanzig Jahre wieder auf, spulten sich ab wie ein Film. Es war phänomenal. Ihr Herz tat einen Hüpfer wie früher, wenn die ersten Kraniche übers Dorf hinwegflogen. Sibirien, der Ural, der Bahnhofskiosk, der spanische Ministerpräsident – es war alles wieder da. Sie versuchte, die Bilder festzuhalten, einzufrieren, abzuspeichern, bevor das Schild mit einem dumpfen Laut auf dem Kunstrasen aufkam und der Parteichef mit ihr daneben niederging. Er fiel wie ein Butterbrot auf seine gute Seite.

Sie war rein äußerlich unversehrt, und auch er kam schnell wieder zu sich, obwohl er mit dem Kopf auf dem Kachelboden und nicht auf dem Kunstrasen aufgekommen war. Er blickte etwas verwirrt um sich, stand dann aber ganz allein auf, schob das ihm zur Hilfe eilende Team mit den Armen zur Seite: »Lassen Sie mich in Ruhe! Wo bin ich hier? Wer sind Sie alle?«

Auch sie betrachtete erst einmal ihre Umgebung, sah das Schild neben sich, Parmigiano Reggiano, einhundert Gramm für einsneunundneunzig. Das war nicht teuer, dachte sie, setzte ihre Sonnenbrille auf – man musste ja nicht immer gleich erkannt werden – und nahm ihr Handy aus der Tasche.

»Herr Bodega, Einkäufe beendet. Ich komme. Das Leben ist köstlich. Wir sollten aufbrechen.
Gruß, die Ihrige«

»Wenn wir Schatten Euch missfielen,
denkt zum Trost von diesen Spielen,
dass Ihr nur geschaut in Nachtgesichten
Eures eignen Hirnes Dichten.
Dies Gebild aus Schaum und Flaum,
wiegt nicht schwerer als ein Traum …«

Puck

Inhalt

Katharina Münk im dtv

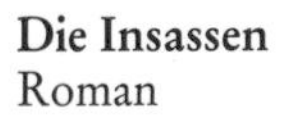

Die Insassen
Roman

ISBN 978-3-423-**21299**-1
ISBN 978-3-423-**40756**-4
(eBook)

Vier Insassen der Nervenklinik St. Ägidius – drei ehemalige Top-Manager führender Wirtschaftsunternehmen und eine Chefsekretärin – bringen ihre Anstalt zunächst auf Kurs und dann an die Börse …

»Katharina Münk ist eine herrliche Satire über Manager am Rande des Wahnsinns gelungen. Einfach lesen und lachen.« (Jana Mareike von Bergner in der ›Hörzu‹)

Die Eisläuferin
Roman

ISBN 978-3-423-**21415**-5
ISBN 978-3-423-**41681**-8
(eBook)

Die Regierungschefin einer westlichen Industrienation verliert durch einen Unfall ihr Gedächtnis und erfährt jeden Tag aufs Neue, dass sie ein Land regieren muss. Das geht so lange gut, bis die Chefin entdeckt, wie förderlich Emotionen für die Erinnerung sind …

»Eine kluge Satire auf das Leben und doch voller Gefühl, Witz und Esprit.« (Susann Fleischer in ›literaturmarkt.info‹)

Bitte besuchen Sie uns im Internet: www.dtv.de

Marina Lewycka im dtv

Kurze Geschichte des Traktors auf Ukrainisch
Roman
Übersetzt von Elfi Hartenstein
ISBN 978-3-423-**21101**-7
ISBN 978-3-423-**25304**-8 (dtv großdruck)

Nadias betagter Vater will wieder heiraten – eine üppige Blondine aus der Ukraine. Familienkrise! »Ein Bravourstück.« (Denis Scheck im ›Tagesspiegel‹)

Caravan
Roman
Übersetzt von Sophie Zeitz
ISBN 978-3-423-**21201**-4
ISBN 978-3-423-**25326**-0

Die Abenteuer einer Handvoll Erdbeerpflücker in England. Sie träumen von Wohlstand, Unabhängigkeit und Liebe. Doch sie haben nicht mit ausbeuterischen Arbeitgebern, bewaffneten Gangstern und regelwütigen Behörden gerechnet.

Das Leben kleben
Roman
Übersetzt von Sophie Zeitz
ISBN 978-3-423-**21349**-3
ISBN 978-3-423-**24780**-1

Sie begegnen sich an einem Müllcontainer: Georgie Sinclair, alleinerziehende Mutter, und Mrs. Shapiro, eine verschrobene alte Dame mit einer Vorliebe für Schnäppchenjagd und einem Geheimnis aus der Zeit des Krieges …

Die Werte der modernen Welt unter Berücksichtigung diverser Kleintiere
Roman
Übersetzt von Sophie Zeitz
ISBN 978-3-423-**28006**-8

Es ist das Jahr, in dem die Banken wanken – und eine Familie von Ex-Hippies gerät in einen Strudel skurriler Ereignisse.

Bitte besuchen Sie uns im Internet: www.dtv.de